D1413780

L'ÉCORCHÉE

Né en 1973, Donato Carrisi est l'auteur d'une thèse sur Luigi Chiatti, le « monstre de Foligno », un tueur en série italien. Juriste de formation, spécialisé en criminologie et sciences du comportement, il délaisse la pratique du droit pour se tourner vers l'écriture de scénarios. *Le Chuchoteur*, son premier roman, est un best-seller international et a remporté de nombreux prix littéraires, dont le Prix SNCF du polar européen et le Prix des lecteurs du Livre de Poche en 2011. Donato Carrisi est l'auteur de thrillers italien le plus lu au monde.

Paru au Livre de Poche :

LE CHUCHOTEUR

LA FEMME AUX FLEURS DE PAPIER

MALEFICO

LE TRIBUNAL DES ÂMES

DONATO CARRISI

L'Écorchée

TRADUIT DE L'ITALIEN PAR ANAÏS BOKOBZA

CALMANN-LÉVY

Titre original :

L'IPOTESI DEL MALE
publié par Longanesi & C, Gruppo Editoriale Mauri Spagnol, Milan, 2013.

ISBN : 978-2-253-17912-2 – 1re publication LGF

La salle n° 13 de la morgue était le cercle des dormeurs.

Elle se trouvait au quatrième et dernier sous-sol, l'enfer glacé des salles frigorifiques. L'étage était réservé aux cadavres sans identité. Les visites y étaient rares.

Pourtant, cette nuit-là, un hôte était annoncé.

Le gardien l'attendait devant l'ascenseur. Le nez en l'air, il observait les chiffres qui défilaient sur l'écran lumineux au rythme de la descente de la cabine, se demandant qui était ce visiteur inattendu et, surtout, ce qui l'avait poussé jusqu'à cette frontière éloignée des affaires des vivants.

Quand le dernier numéro s'afficha, il y eut un long silence, puis les portes de la cabine s'ouvrirent. Le gardien observa l'hôte, la quarantaine, vêtu d'un costume bleu foncé. Comme cela arrivait toujours lors de la première visite ici-bas, son visage se teinta d'une expression de stupeur quand il découvrit que le lieu n'était pas carrelé de blanc ni éclairé par des néons aseptisés. Les murs étaient verts et les lumières orange.

— La polychromie bloque les crises d'angoisse, expliqua le gardien en réponse à une question tacite.

Il tendit une blouse bleu ciel à l'hôte qui ne prononça pas un mot. Quand il l'eut enfilée, les deux hommes avancèrent dans le couloir.

— À cet étage, les cadavres sont surtout des sans-abri ou des clandestins. Ils n'ont ni papiers ni famille, ils cassent leur pipe et ils se retrouvent ici. Ils sont regroupés dans les salles numérotées de un à neuf. La dix et la onze, en revanche, sont réservées à des gens qui – comme vous et moi – payent leurs impôts et regardent les matches de foot à la télé, mais qui meurent d'infarctus un matin dans le métro. Sous prétexte de les aider, un passager les déleste de leur portefeuille et *voilà*, le tour de passe-passe a fonctionné, la personne disparaît pour toujours. Parfois, c'est juste une question de bureaucratie : une employée s'emmêle dans la paperasse et la famille convoquée pour l'identification d'un proche découvre le cadavre d'un autre. Alors ils continuent à chercher celui qui a disparu, ajouta le gardien qui, pour impressionner son hôte, s'improvisait guide touristique, mais en vain. Ensuite, il y a les cas de suicide ou d'accident : salle n° 12. Il arrive que le cadavre soit en si mauvais état qu'on se demande si c'était bien un être humain, poursuivit-il dans l'espoir de retourner l'estomac du visiteur, qui n'était visiblement pas délicat. Quoi qu'il en soit, la loi prévoit le même traitement pour tous : un séjour en chambre froide qui ne peut être inférieur à dix-huit mois. Une fois ce délai passé, si personne n'a identifié le cadavre ni réclamé sa dépouille, et s'il n'y a plus d'exigences liées à l'enquête, alors la crémation est autorisée.

Il avait cité le règlement de mémoire.

À ce moment-là l'inquiétude fut perceptible dans son ton, parce que la suite concernait la raison de cette étrange visite nocturne.

— Et puis, il y a ceux de la salle n° 13.

Les victimes anonymes de crimes non élucidés.

— Dans les cas d'homicide, la loi dit que le corps constitue une pièce à conviction jusqu'à ce que l'identité de la victime soit confirmée. On ne peut condamner un assassin sans prouver que la personne qu'il a tuée existait vraiment. Sans nom, le corps est la seule preuve de l'existence. Il est donc conservé sans limitation de durée. C'est une de ces subtilités juridiques qui plaisent tant aux avocats.

Tant que l'acte criminel à l'origine de la mort n'est pas défini, la dépouille ne peut être détruite ni destinée à un dépérissement naturel, disent les textes.

— Nous les appelons les dormeurs.

Hommes, femmes, enfants inconnus dont l'assassinat n'a pas encore été imputé à un coupable. Ils attendaient depuis des années que quelqu'un se présentât pour les libérer de la malédiction de ressembler aux vivants. Comme dans un conte macabre, il suffisait de prononcer un mot secret.

Leur nom.

La demeure qui les accueillait – la salle n° 13 – était la dernière pièce au fond.

Ils arrivèrent devant la porte métallique. Le gardien chercha un moment la bonne clé sur son trousseau. Il ouvrit et s'écarta pour laisser le passage. Quand l'hôte entra, des ampoules jaunes commandées par un détecteur de présence s'allumèrent. Au centre de la salle trônait une table d'autopsie, entourée de hautes parois frigorifiques contenant des dizaines de casiers.

Une ruche d'acier.

— Vous devez signer ici, c'est le règlement, dit le gardien en tendant un registre. Lequel vous intéresse ?

L'hôte parla enfin :

— Le cadavre qui est ici depuis le plus longtemps. *AHF-93-K999*.

Le gardien, qui connaissait par cœur son matricule, savourait d'avance la résolution d'un vieux mystère. Il indiqua le casier correspondant au visiteur.

— Parmi toutes les histoires des corps qui reposent ici, ce n'est pas la plus originale. Un samedi après-midi, des garçons jouent au football dans un parc et le ballon atterrit dans un buisson : c'est ainsi qu'il a été retrouvé. On lui avait tiré une balle dans la tête. Il n'avait ni papiers, ni clés. Son visage était parfaitement reconnaissable, mais personne n'a appelé les numéros d'urgence ni signalé sa disparition. Dans l'attente d'un coupable, qui pourrait ne jamais être identifié, ce cadavre est la seule preuve du crime. C'est pour ça que le tribunal a décidé qu'il serait conservé ici tant que l'affaire ne serait pas élucidée et que justice ne serait pas faite, expliqua-t-il avant de marquer une pause. Les années ont passé, mais il est toujours là.

Longtemps, le gardien s'était demandé à quoi bon conserver la preuve d'un crime dont personne ne se souvenait. De même qu'il avait toujours considéré que le monde avait oublié depuis longtemps le locataire anonyme de la salle n° 13. Pourtant, en entendant la requête du visiteur, il sentit que le secret conservé derrière ces quelques centimètres d'acier allait bien plus loin qu'une simple identité.

— Ouvrez, je veux le voir.

AHF-93-K999. Pendant des années, le matricule figurant sur l'étiquette accrochée à son casier avait été son nom. Cette nuit, cela allait peut-être changer. Le gardien des morts actionna le levier pour procéder à l'ouverture du casier.

Le dormeur allait être réveillé.

MILA

Dossier 397 - H/5

Transcription de l'enregistrement de 6 h 40 du 21 septembre XXXX.
Objet : appel au numéro d'urgence de la police de XXXX. Standard : agent Clara Salgado.

Standard : Police. D'où appelez-vous ?
X : …
Standard : Monsieur, je ne vous entends pas. D'où appelez-vous ?
X : Je m'appelle Jes.
Standard : Vous devez me dire votre nom en entier, monsieur.
X : Jes Belman.
Standard : Quel âge as-tu, Jes ?
X : Dix ans.
Standard : D'où appelles-tu ?
X : De chez moi.
Standard : Pourrais-tu me donner l'adresse ?
X : …
Standard : Jes, pourrais-tu me donner ton adresse, s'il te plaît ?
X : J'habite à XXXX.

Standard : Bien. Que se passe-t-il ? Tu sais que ceci est le numéro de la police, n'est-ce pas ?
X : Je sais. Ils sont morts.
Standard : Tu as dit « ils sont morts », Jes ?
X : …
Standard : Jes, tu es là ? Qui est mort ?
X : Oui. Ils sont tous morts.
Standard : Ce n'est pas une blague, Jes, n'est-ce pas ?
X : Non, madame.
Standard : Tu veux me raconter ce qu'il s'est passé ?
X : Oui.
Standard : Jes, tu es toujours là ?
X : Oui.
Standard : Pourquoi tu ne me racontes pas ? Prends ton temps, si tu veux.
Jes : Oui. Il est venu hier soir. On était en train de dîner.
Standard : Qui est venu ?
X : …
Standard : Qui, Jes ?
X : Il a tiré.
Standard : D'accord, Jes. Je veux t'aider mais là, c'est toi qui dois m'aider. OK ?
X : OK.
Standard : Tu me disais qu'à l'heure du dîner un homme est entré chez toi et a tiré ?
X : Oui.
Standard : Ensuite il est parti, sans tirer sur toi. Tu vas bien, n'est-ce pas ?
X : Non.

Standard : Tu veux dire que tu es blessé, Jes ?
X : Non, qu'il n'est pas parti.
Standard : L'homme qui a tiré est toujours là ?
X : …
Standard : Jes, s'il te plaît, réponds-moi.
X : Il dit que vous devez venir. Vous devez venir tout de suite.

Conversation interrompue. Fin de l'enregistrement.

1

La rue commença à s'animer un peu avant 6 heures.

Les camions poubelles ramassèrent les déchets des bacs disposés devant les petites villas comme des petits soldats. Puis ce fut le tour de la voiture de nettoyage qui passa sur l'asphalte avec ses brosses tournantes. Les fourgonnettes des jardiniers arrivèrent peu après. Les pelouses anglaises et les ruelles furent libérées des feuilles et des mauvaises herbes, les haies ramenées à la hauteur idéale. Une fois leur devoir accompli ils s'en allèrent, laissant derrière eux un monde ordonné et silencieux.

Cet endroit heureux était prêt à se présenter au regard de ses habitants heureux.

La nuit avait été tranquille, comme toujours dans ce quartier. Vers 7 heures, les maisonnées se réveillèrent doucement. Derrière les fenêtres, pères, mères et enfants s'affairaient, heureux de la journée qui commençait.

Un autre jour d'une vie heureuse.

Assise dans sa Hyundai garée au bout du pâté de maisons, Mila ne ressentait aucune jalousie en les observant parce qu'elle savait que, si l'on grattait un peu la surface dorée, la réalité était tout autre. Parfois la différence était minime, faite d'ombres et de lumières. Ailleurs, on découvrait un trou noir : on était assailli par l'haleine putride d'un gouffre insatiable et on avait l'impression que, des profondeurs, quelqu'un murmurait son nom.

Mila Vasquez connaissait bien l'appel des ténèbres. Elle dansait avec les ombres depuis le jour de sa naissance.

Elle fit craquer les jointures de ses doigts, en forçant sur l'index gauche. La douleur la secoua suffisamment pour maintenir sa concentration. Bientôt, les portes des petites villas allaient s'ouvrir. Les familles quittaient leurs demeures pour affronter le monde – *un défi trop facile pour elles*.

Les Conner sortirent de chez eux. Le père était avocat, la quarantaine. Ses cheveux poivre et sel mettaient en valeur son visage bronzé. La mère était blonde, corps et visage de jeune fille, à peu de chose près. Mila était certaine que le temps n'agirait jamais sur elle. Et puis, il y avait les fillettes. La plus grande allait au collège, la petite – une cascade de boucles – à la maternelle. Elles étaient le portrait craché de leurs parents. Les Conner constituaient un témoignage idéal de la théorie de l'évolution : beaux et parfaits, ils ne pouvaient vivre que dans ce quartier heureux.

Après avoir embrassé femme et enfants, l'avocat monta dans son Audi A6 bleue et se dirigea vers sa brillante carrière. La mère accompagna ses filles à l'école dans son 4 × 4 Nissan vert. Mila en profita pour s'introduire dans la villa – et dans la vie – des Conner. Malgré la chaleur, elle avait choisi pour se camoufler de porter un survêtement. Il faisait encore chaud mais, si elle avait porté un short et un tee-shirt, ses cicatrices auraient attiré l'attention. Selon ses calculs, elle disposait de quarante minutes avant le retour de Mme Conner.

Quarante minutes pour découvrir si cet endroit heureux cachait un fantôme.

Elle observait les Conner depuis quelques semaines. Tout avait commencé par hasard.

Les policiers qui travaillent sur les affaires de disparition ne peuvent pas attendre assis à un bureau qu'arrive un signalement : parfois les personnes qui disparaissent n'ont ni famille ni amis. Il peut s'agir d'étrangers, de gens qui ont coupé les ponts avec tout ou, simplement, qui sont seuls au monde.

Mila les appelait « les prédestinés ».

Des individus qui vivaient entourés de vide et n'imaginaient pas qu'un jour ce vide les avalerait. Ainsi, en premier lieu, elle devait chercher l'affaire, puis la personne disparue. Elle sillonnait les rues, les lieux de désespoir où l'ombre mord chaque pas, ne nous laissant jamais seuls. Toutefois, les disparitions advenaient aussi dans des environnements affectifs sains et protégés.

Par exemple, les disparitions d'enfants.

Il pouvait arriver – et malheureusement cela arrivait – que les parents, distraits par une routine bien rodée, ne s'aperçoivent pas d'un changement, petit mais fondamental. Il était possible que quelqu'un d'extérieur approchât leurs enfants à leur insu. Les enfants se sentent coupables quand ils reçoivent les attentions d'un adulte, parce que cela crée en eux un conflit insoluble entre deux recommandations généralement énoncées par leurs parents : difficile, en effet, de faire la part des choses entre le devoir de se montrer polis avec les grandes personnes et la nécessité d'éviter tout contact avec les inconnus. Quel que soit le comportement choisi, il y aura toujours quelque chose à cacher. Mais Mila avait découvert un excellent moyen pour découvrir ce qui se passait dans la vie d'un enfant.

Chaque mois, elle visitait une école différente.

Elle demandait la permission d'entrer dans les classes quand les élèves n'y étaient pas. Elle regardait les dessins affichés aux murs. La vie réelle se dissimulait souvent dans ce monde imaginaire. Mais, surtout, les émotions secrètes et parfois inconscientes que les enfants absorbaient s'y concentraient, s'y déversaient. Elle aimait visiter ces écoles. Elle aimait surtout l'odeur – crayons à la cire, colle à papier, livres neufs, chewing-gum. Cela lui inspirait une tranquillité mystérieuse.

Parce que, pour un adulte, les endroits les plus sûrs sont ceux fréquentés par des enfants.

Lors d'une de ces explorations, Mila, au milieu de dizaines de dessins affichés, avait découvert celui de la fille cadette des Conner. Elle avait choisi cette école maternelle par hasard au début de l'année scolaire et s'y était rendue durant la récréation, quand les enfants étaient dans la cour. Elle s'était arrêtée dans leur monde, écoutant avec délectation le bruit des cris joyeux qui provenaient de dehors.

Ce qui l'avait frappée sur le dessin de la petite Conner était la famille heureuse qui y était représentée.

Elle, sa maman, son papa et sa sœur sur la pelouse devant leur maison, par une belle journée ensoleillée. Ils se tenaient tous les quatre par la main. Pourtant, à l'écart de la scène principale, un élément détonnait. Un cinquième personnage, qui l'inquiéta immédiatement. Il n'avait pas de visage et il était comme fluctuant.

Un fantôme, pensa Mila.

Elle chercha sur le mur d'autres dessins de la fillette et découvrit que cette présence obscure revenait chaque fois.

Ce détail était trop précis pour être dû au hasard. Son instinct lui commandait d'approfondir.

Elle questionna la maîtresse, qui se montra très gentille et lui expliqua que cette histoire de fantômes durait depuis quelque temps. D'après son expérience, il n'y avait rien d'inquiétant – cela arrivait d'habitude à la suite de la mort d'un parent ou d'une connaissance et permettait aux enfants d'élaborer le deuil. Scrupuleuse, l'enseignante s'était renseignée auprès de Mme Conner. Il n'y avait pas eu de décès dans la famille récemment. Mais quelque temps auparavant la petite avait fait un cauchemar, qui pouvait en être la cause.

Or Mila avait appris des psychologues que les enfants attribuent à des personnages réels les traits de personnages imaginaires, pas nécessairement des méchants. L'inconnu peut devenir un vampire, mais aussi un clown sympathique ou un Spiderman perfide. Toutefois, il existe toujours un détail qui démasque le double, le rend à nouveau humain. Elle se rappelait l'affaire Samantha Hernandez, qui avait représenté sous les traits du Père Noël l'homme à la barbe blanche qui l'approchait chaque jour au parc. Mais sur le dessin, comme dans la réalité, il avait un tatouage sur l'avant-bras. Or personne n'y avait prêté attention. Ainsi, l'être méprisable qui l'avait enlevée et tuée n'avait eu qu'à lui promettre un cadeau.

Dans le cas de la petite Conner, l'élément révélateur était la répétitivité.

Mila était convaincue que la fillette avait peur. Elle devait découvrir s'il s'agissait d'une présence réelle et, surtout, inoffensive.

Comme toujours, elle avait décidé de ne pas prévenir les parents. Il était inutile de susciter des craintes sur la base d'un soupçon probablement injustifié. Elle avait entrepris de surveiller la petite Conner pour identifier les personnes avec qui elle entrait en contact hors de chez elle ou lors des rares moments où elle était loin de la vigilance de ses parents, c'est-à-dire à l'école maternelle et à son cours de danse.

Aucun étranger ne s'intéressait particulièrement à la fillette.

Ses soupçons étaient infondés. Cela arrivait souvent, mais elle ne regrettait pas d'avoir gâché vingt journées de travail, quand la récompense était le soulagement.

Pourtant, par pur scrupule, elle avait tout de même décidé de visiter le collège de la fille aînée des Conner. Ses dessins ne comportaient aucun élément ambigu. Mais l'anomalie se cachait dans un conte que l'enseignante avait donné à rédiger comme devoir à la maison.

La fillette avait choisi une histoire terrifiante, dont le protagoniste était un fantôme.

Il était possible que ce conte soit le fruit de l'imagination de la sœur aînée, qui avait ensuite influencé sa cadette, pour lui faire peur. Ou bien c'était la preuve qu'il ne s'agissait pas d'une personne imaginaire. Le fait qu'elle n'ait pas identifié d'étranger suspect signifiait peut-être que la menace était bien plus proche que ce qu'elle avait cru au début.

Pas un inconnu, mais quelqu'un de la maison.

Elle avait donc décidé de procéder à une nouvelle exploration, cette fois au domicile des Conner. Elle aussi allait devoir se transformer.

De chasseuse d'enfants à chasseuse de fantômes.

Un peu avant 8 heures, Mila plaça dans ses oreilles les écouteurs d'un lecteur mp3 – éteint – et parcourut en courant telle une joggeuse la distance qui la séparait de l'allée des Conner. Quand elle se trouva à proximité de la villa, elle contourna le bâtiment par la droite. La porte arrière et les fenêtres étaient fermées. Si elle avait trouvé une entrée ouverte et que quelqu'un l'avait surprise, elle aurait toujours pu dire qu'elle s'était introduite dans la maison parce qu'elle avait soupçonné la présence d'un voleur. Elle n'aurait pas échappé à une accusation de violation de domicile, mais elle aurait eu une chance de s'en tirer. En forçant une serrure, en revanche, elle courait un risque aussi stupide qu'inutile.

Elle repensa à la raison pour laquelle elle se trouvait là. Il est difficile d'expliquer une perception instinctive, les policiers le savent bien. Pourtant, dans son cas, l'envie de franchir la limite était toujours irrésistible. Or elle ne pouvait tout de même pas frapper chez les Conner et dire : « Bonjour, quelque chose me dit que vos filles sont en danger à cause d'un fantôme qui est peut-être en chair et en os. » Ainsi, comme souvent, la désagréable sensation prit le pas sur son bon sens : elle retourna vers la porte de service et la força.

Elle fut assaillie par la fraîcheur de la climatisation. Dans la cuisine, la table du petit déjeuner n'avait pas été débarrassée. Sur le frigo étaient accrochés des photos de vacances et des devoirs récompensés d'une bonne note.

Mila sortit une trousse de plastique noir de la poche de son survêtement. Elle contenait une microcaméra de la taille d'un bouton, dont sortait un câble de transmission. Grâce au Wi-Fi et à Internet, elle pourrait surveiller à distance la vie de la maison. Il fallait trouver le meilleur endroit pour la placer. Elle regarda l'heure et examina le reste des pièces. Disposant de peu de temps, elle se concentra sur celles où se déroulait la majeure partie des activités familiales.

Dans le séjour, à côté des canapés et de la télévision, se trouvait un meuble-bibliothèque marqueté en loupe. En guise de livres, il contenait les certificats de mérite décernés à maître Conner dans l'exercice de ses fonctions ou gagnés grâce à son engagement pour la communauté. C'était un citoyen modèle, très estimé. Sur une étagère trônait un trophée de patinage sur glace, remporté par la fille aînée. L'idée de partager la plage d'honneur avec un autre membre de la famille était sympathique.

Sur la cheminée, les Conner souriaient sur une photo, vêtus de pull-overs rouges identiques. Il s'agissait en toute vraisemblance d'une tradition de famille renouvelée à chaque Noël. Mila n'aurait jamais pu poser pour un tel portrait, sa vie était trop différente. *Elle* était différente. Elle détourna les yeux, cette vision lui était insupportable.

Elle décida de passer en revue l'étage supérieur.

Dans les chambres, les lits défaits attendaient le retour de Mme Conner, qui avait renoncé à sa carrière pour s'occuper de sa maison et de ses filles. Mila jeta un rapide coup d'œil aux chambres des enfants. Dans celle des parents, l'armoire était ouverte. Elle inspecta les vêtements de Mme Conner : la vie de cette mère de famille heureuse l'intriguait. En son for intérieur, il y avait comme un anticorps qui désamorçait les sentiments, aussi elle ne pouvait pas savoir ce que l'on ressentait. Mais elle pouvait l'imaginer, ça oui.

Un mari, deux filles, une maison confortable qui protégeait, comme un nid.

Pendant un instant, Mila perdit de vue le but de son exploration et remarqua que certains des vêtements suspendus étaient d'une taille différente. Même les très belles femmes peuvent grossir, se satisfit-elle. Pas elle, qui était très maigre. En tout cas, vu les larges vêtements sous lesquels Mme Conner avait caché ses kilos en trop, elle avait dû se donner du mal à récupérer sa ligne. Soudain, Mila réalisa ce qu'elle était en train de faire. Elle avait perdu le contrôle. Au lieu de chasser le danger, elle se transformait en péril pour cette famille.

L'étrangère qui envahit l'espace vital.

En outre, elle avait perdu la notion du temps, Mme Conner allait arriver. Elle décida sans atermoiements que la pièce idéale pour placer la caméra était le séjour.

Elle repéra l'endroit le plus adapté, l'intérieur du meuble-bibliothèque contenant les trophées de famille. Elle utilisa du scotch double face pour la cacher au mieux entre les bibelots. Alors qu'elle complétait l'opération, la partie droite de son champ de vision fut troublée par une tache rouge, comme une lumière clignotante à la hauteur du mur au-dessus de la cheminée.

Mila s'interrompit pour observer à nouveau la photo de famille aux pulls rouges de Noël qu'elle avait d'abord occultée à cause d'une absurde jalousie. En la regardant mieux, elle remarqua que le petit tableau idyllique présentait des fissures. En particulier, les yeux de Mme Conner, inexpressifs, comme les fenêtres d'une maison inhabitée. Maître Conner s'efforçait d'avoir l'air radieux, mais ses bras passés autour de sa femme et de ses filles exprimaient la possession, plus que la sécurité. Et il y avait aussi autre chose dans cette image, que Mila n'arrivait pas à identifier. Le bonheur postiche qui entourait les Conner dissimulait un détail détonnant.

Les fillettes avaient raison. Il y avait un fantôme parmi eux.

Sur la photo, au fond, à la place du meuble-bibliothèque, il y avait une porte.

2

Où se cache un spectre, en général ?

Dans un lieu sombre et peu visité. Au grenier. Ou bien, comme cette fois, à la cave. *Et c'est moi qui hérite de la tâche ingrate de l'en dénicher.*

Elle baissa les yeux et remarqua les rayures sur le parquet, signe que le meuble était souvent déplacé. À côté de la bibliothèque, elle aperçut la porte. Elle introduisit ses doigts dans l'interstice et tira. Les bibelots tintèrent, le meuble pencha dangereusement, mais Mila parvint à dégager un espace suffisamment large pour passer.

Elle ouvrit le battant et la lumière du jour pénétra dans l'antre. Pourtant, Mila eut l'impression d'être assaillie par l'obscurité. La porte avait été doublée d'un isolant phonique, pour laisser les bruits à l'extérieur ou bien les emprisonner.

Devant elle, un escalier coincé entre deux murs de béton brut conduisait au sous-sol.

Elle sortit une petite lampe torche de sa poche et descendit.

En alerte, les muscles tendus, prêts à bondir. Au bout de quelques marches l'escalier tournait vers la droite, où s'étendait vraisemblablement la cave. Arrivée en bas, Mila se retrouva dans une pièce plongée dans le noir. Elle la balaya de sa torche. Elle éclaira des meubles et des objets qui n'auraient pas dû s'y trouver : une table à langer, un parc et un lit à barreaux. D'où provenait un bruit régulier.

Vivant.

Elle approcha lentement, mesurant ses pas pour ne pas réveiller la créature qui dormait. Elle était recroquevillée sous un drap – exactement comme un fantôme – et lui tournait le dos. Une petite jambe dépassait. Elle montrait des signes de dénutrition. Le manque de lumière entravait son développement. Sa peau était pâle. Elle avait environ un an.

Il fallait qu'elle la touche, pour s'assurer qu'elle était réelle.

Il existait un lien entre ce qu'elle avait devant les yeux, les troubles alimentaires et le sourire factice de Mme Conner. Cette femme n'avait pas grossi. Elle avait été enceinte.

Le petit fagot bougea, réveillé par la lampe. La créature se tourna vers elle, serrant contre son torse une poupée de chiffons. Mila crut que l'enfant allait fondre en larmes, mais elle se contenta de l'observer. Puis elle lui sourit.

Le fantôme avait des yeux énormes.

Elle tendit les mains vers elle, elle voulait être prise dans les bras. Mila la contenta. La petite s'agrippa de toutes ses forces à son cou, comme si elle sentait qu'elle était venue la sauver. La policière remarqua que, malgré son dépérissement physique, elle était propre. Ce soin dénotait une contradiction entre haine et amour – entre bien et mal.

— Elle aime être dans les bras.

Le bébé reconnut la voix et battit des mains de contentement. Mila se retourna. Mme Conner se tenait en haut de l'escalier.

— Il n'est pas comme les autres. Il veut toujours tout contrôler, et moi je ne veux pas le décevoir. Quand il a découvert que j'étais enceinte, il n'a pas perdu la tête, dit-elle en parlant de son mari sans le nommer. Il ne m'a pas demandé qui était le père. Notre vie devait être impeccable mais moi, j'ai ruiné son projet. C'est ça qui lui a posé problème, plus que l'adultère.

Mila la fixait, immobile, muette. Elle ne savait pas comment la juger. La femme ne semblait ni en colère, ni étonnée de découvrir une intruse. Comme si elle l'attendait depuis longtemps. Peut-être attendait-elle la libération, elle aussi.

— Je l'ai supplié de me laisser avorter, mais il n'a pas voulu. Il m'a fait cacher ma grossesse et pendant neuf mois j'ai cru qu'il voulait garder le bébé. Puis un jour il m'a montré cette pièce, alors j'ai compris. Il ne pouvait pas se contenter de me mépriser, non. Il voulait me punir.

Mila sentit sa gorge nouée par la rage.

— Il m'a contrainte à accoucher dans la cave et à la laisser ici. Je lui répète encore que nous pourrions l'abandonner devant un poste de police ou un hôpital, mais il ne me répond même plus.

La fillette, dans les bras de Mila, souriait. Rien ne semblait la contrarier.

— De temps en temps, la nuit, quand il n'est pas là, je la monte et je lui montre ses sœurs qui dorment. Je pense qu'elles se sont aperçues de sa présence, mais elles ont cru à un rêve.

Ou un cauchemar, se dit Mila en repensant au fantôme des dessins et du conte. Elle en avait assez entendu. Elle se tourna vers le berceau pour récupérer la poupée et sortir au plus vite.

— Elle s'appelle Na, dit la femme. Du moins, c'est le nom qu'elle lui donne. Quelle mère serais-je, si je ne connaissais pas le nom de la poupée préférée de ma fille ?

Et elle, a-t-elle un prénom ? Mila était curieuse, mais elle ne posa pas la question. Le monde extérieur ne savait rien de l'enfant. La policière imagina ce qui serait arrivé si elle n'était pas venue.

Personne ne cherche une petite fille qui n'existe pas.

La femme, percevant le dégoût dans son regard, devint hostile.

— Je sais ce que vous pensez, mais nous ne sommes pas des assassins. Nous ne l'aurions pas tuée.

— C'est vrai, lui accorda Mila. Vous auriez attendu qu'elle meure.

3

Quelle mère serais-je, si je ne connaissais pas le nom de la poupée préférée de ma fille ?

Elle s'était répété la question durant tout le trajet en voiture. Et la réponse était toujours la même.

Je ne vaux pas mieux qu'elle.

Chaque fois qu'elle en prenait conscience, c'était comme si elle rouvrait la même blessure.

À 11 h 40, elle franchit le seuil des Limbes.

C'était ainsi qu'on appelait le bureau des personnes disparues, au siège du département de police fédérale. Il était situé au sous-sol d'un bâtiment de l'aile ouest, la plus excentrée. Ce surnom témoignait du peu d'intérêt général pour ce bureau.

Elle fut accueillie par le grondement constant du vieux climatiseur et l'odeur de tabac froid – héritage de l'époque lointaine où l'on pouvait fumer dans les bureaux – mêlée à celle d'humidité, provenant des fondations.

Les Limbes étaient composés de plusieurs pièces, plus un sous-sol qui hébergeait les archives papier et les dossiers. Chacun des trois bureaux était doté de quatre postes de travail, hormis celui réservé au capitaine de la section. Mais la plus grande pièce se trouvait à l'entrée.

La Salle des pas perdus.

En entrant, on était d'abord frappé par le vide : en l'absence de meubles, l'écho ne rencontrait aucun obstacle. Ensuite, par la sensation de claustrophobie : le plafond était haut mais il n'y avait aucune fenêtre ; la seule lumière, grisâtre, provenait des néons. Enfin, on remarquait les centaines d'yeux.

Les murs étaient tapissés de photos de personnes disparues.

Hommes, femmes. Jeunes, vieux. Et des enfants, que l'on repérait immédiatement. Mila s'était longtemps demandé pourquoi, avant de comprendre : ils émergeaient de la masse parce que leur présence suscitait un sentiment dérangeant d'injustice. Les enfants ne peuvent pas choisir de disparaître, il est donc évident que c'est une main adulte qui les a attrapés, puis entraînés dans une dimension invisible. Pourtant, les visages d'enfants sur ces murs ne jouissaient d'aucun traitement particulier, ils rejoignaient les autres selon un ordre rigoureusement chronologique.

Tous ces visages étaient les habitants du mur du silence. Sans distinction de race, de religion, de sexe ou d'âge. Leur photo était la preuve la plus récente de leur passage sur terre. Certaines avaient été prises devant un gâteau d'anniversaire, d'autres tirées d'un film de vidéosurveillance. Certains souriaient, insouciants, d'autres ne savaient même pas qu'ils étaient photographiés. Surtout, aucun d'entre eux ne soupçonnait que cela serait leur dernière photo.

Depuis, le monde avait continué de tourner, sans

eux. Pourtant, personne ne les laissait pour compte, personne aux Limbes ne les oubliait.

— Ce ne sont pas des personnes, disait Steph, le chef de Mila. Ce sont nos objets de travail. Si tu envisages ton job autrement, tu ne tiendras pas longtemps ici. Moi, je suis là depuis vingt ans.

Mais Mila n'arrivait pas à considérer ces personnes comme des « objets de travail ». Dans les autres bureaux du département, elles auraient eu un autre nom : « victimes », ce qui signifiait simplement qu'elles avaient subi un certain type de crime. *Quelle chance de disposer d'un terme générique.*

Dans les affaires de disparition, on ne peut pas déterminer tout de suite si la personne disparue est une victime ou si elle a agi de son plein gré.

Les policiers des Limbes ne savaient pas vraiment sur quoi ils enquêtaient, s'il s'agissait d'un enlèvement, d'un homicide ou d'un éloignement volontaire. Ils n'étaient pas récompensés par la justice. Ils n'étaient pas motivés par l'idée d'un méchant à capturer. Les policiers des Limbes devaient se contenter de la possibilité de connaître la vérité. Or le doute peut virer à l'obsession. Et pas uniquement pour ceux qui ont aimé la personne disparue et qui auraient besoin de savoir ce qui s'est passé, et qui refusent donc de s'en faire une raison.

Mila avait bien appris la leçon. Pendant ses quatre premières années aux Limbes, elle avait eu un collègue, Éric Vincenti, un type tranquille, gentil, qui lui avait dit une fois que les filles le larguaient toujours pour la même raison : quand il les emmenait dîner ou boire un verre, il balayait du regard les tables ou les passants.

« Elles me parlaient mais j'étais distrait. J'essayais d'écouter mais je n'y arrivais pas. Une fille m'a demandé d'arrêter de reluquer les autres quand j'étais avec elle. »

Mila se rappelait le sourire timide d'Éric quand il lui avait raconté cet épisode. Sa voix un peu rauque, subtile, sa façon d'acquiescer. Comme s'il était résigné et le considérait comme une anecdote amusante. Mais ensuite, il était devenu sérieux.

« Je les cherche partout. Je les cherche toujours. »

Ces mots glaçants ne l'avaient plus quittée.

Éric Vincenti avait disparu un dimanche de mars. Dans son appartement de célibataire, le lit était fait, les clés posées sur le meuble de l'entrée, les vêtements dans l'armoire. Sur la seule photo qu'ils avaient trouvée, il souriait entre deux amis en exhibant avec fierté le poisson qu'ils venaient de pêcher. Son visage avait été placardé au milieu des autres, sur le mur est.

— Il n'a pas tenu, avait déclaré Steph.

L'obscurité l'a happé, avait pensé Mila.

En marchant vers son bureau, elle observa la photo d'Éric Vincenti sur qui, deux ans après sa disparition, aucun élément n'avait été trouvé. C'était la dernière trace de son existence.

Aux Limbes, ils s'étaient retrouvés à deux.

Dans les autres sections du département, les policiers étaient si nombreux qu'ils s'entassaient dans les bureaux, harcelés par les critères d'efficacité dictés par leurs supérieurs.

En revanche, Mila et le capitaine Steph disposaient d'un immense espace et n'avaient aucun compte à rendre, ni sur leurs méthodes ni sur leurs résultats. Toutefois, aucun flic avec un minimum d'ambition n'aspirait à les rejoindre – les espoirs de faire carrière s'amincissent quand les affaires non résolues nous surveillent depuis les murs.

Mila, elle, avait délibérément choisi ce poste quand, sept ans plus tôt, on lui avait proposé une promotion après une énorme enquête. Ses supérieurs n'avaient pas caché leur stupeur ; pour eux s'enterrer dans ce trou n'avait aucun sens. Mais Mila avait campé sur ses positions.

Elle avait troqué le survêtement qui lui avait servi de couverture ce matin-là contre ses vêtements habituels – un tee-shirt à manches longues banal, un jean brut et des baskets. Elle se préparait à s'asseoir derrière son ordinateur pour rédiger le rapport sur l'affaire Conner. Le bébé fantôme à qui personne n'avait donné de prénom avait été confié aux services sociaux. Deux psychologues, escortées par une voiture de patrouille, étaient allées chercher ses sœurs à l'école. Mme Conner avait été arrêtée et, à ce qu'en savait Mila, son mari aussi.

Tandis qu'elle attendait que son vieux PC s'allume, elle entendit à nouveau la voix qui l'avait poursuivie toute la matinée.

Je ne vaux pas mieux qu'elle.

À ce moment-là, elle leva les yeux vers la porte du bureau de Steph. Fait inhabituel, elle était fermée. Elle s'interrogeait sur cette bizarrerie quand le capitaine passa la tête par la porte.

— Ah, tu es là, dit-il. Tu peux venir, s'il te plaît ?

Son ton était neutre, mais Mila avait perçu une tension. Steph disparut, laissant la porte entrouverte pour elle. La policière se leva et perçut des bribes de conversation. À plusieurs voix.

Personne ne descendait aux Limbes.

Pourtant, apparemment, Steph n'était pas seul.

4

La raison de cette visite devait être sérieuse.

Leurs collègues des étages se tenaient à distance des Limbes, comme si ce lieu était maudit. Leurs supérieurs ne s'en occupaient pas. Quitte à avoir mauvaise conscience, ils préféraient les oublier. Ou alors ils avaient tous peur d'être happés par les murs de la Salle des pas perdus et de rester emprisonnés dans cette existence à mi-chemin entre la vie et la mort.

Quand Mila ouvrit la porte, elle vit Steph à son bureau et un homme assis en face de lui : de larges épaules que son costume marron enserrait tant bien que mal. Malgré ses kilos en plus, sa calvitie et sa cravate – qui semblait le pendre, plutôt que lui donner l'air élégant –, Mila reconnut sans peine le sourire débonnaire de Klaus Boris.

— Comment vas-tu, Vasquez ? demanda-t-il en se levant.

Il s'apprêtait à la serrer dans ses bras mais s'arrêta en se souvenant que Mila n'aimait pas qu'on la touche. Le tout s'acheva par un geste embarrassé.

— Je vais bien et toi, tu as maigri, rétorqua-t-elle pour dissiper la gêne.

— Qu'est-ce que tu veux, je suis un homme d'action, moi ! dit-il en riant et en passant la main sur son ventre proéminent.

Ce n'était plus le Boris qu'elle connaissait. Il était marié, il avait deux mioches et, en tant qu'inspecteur, il était maintenant son supérieur. Cela la convainquit encore plus qu'il n'était pas venu lui rendre une visite de courtoisie.

— Le Juge te félicite pour la découverte de ce matin.

Le Juge, carrément. Quand le chef du département s'intéressait à un flic des Limbes, la situation était simple : s'il s'avérait que derrière une disparition se cachait la main d'un assassin, l'enquête passait automatiquement à l'équipe de la criminelle et avec elle la possibilité d'endosser tout le mérite, si elle était élucidée.

Pas de médaille pour les flics des Limbes.

L'affaire Conner illustrait ce mécanisme. En échange, Mila avait obtenu une sorte de clémence pour ses méthodes peu orthodoxes. À la brigade anticriminelle, ils avaient été bien contents de prendre les rênes de l'enquête. Dans le fond, il s'agissait d'une séquestration de personne, ni plus ni moins.

— Le Juge t'a envoyé pour me dire ça ? Il aurait pu me téléphoner.

Boris rit à nouveau, mais d'un rire forcé, cette fois.

— Mettons-nous donc à l'aise.

Mila lança à Steph un œil interrogateur, mais le capitaine détourna les yeux. Ce n'était pas à lui de parler.

Boris se rassit et indiqua une chaise à Mila. Avant de prendre place, elle alla fermer la porte.

— Alors, Boris, que se passe-t-il ? demanda-t-elle sans le regarder.

Une ride se forma sur le front de Boris. Soudain, ce fut comme si la lumière de la pièce avait baissé. *Bien, les échanges de convenances sont terminés.*

— Ce que je vais te révéler est hautement confidentiel. Nous essayons de garder la presse en dehors de tout ça.

— Les raisons de tant de prudence ? demanda Steph.

— Le Juge a ordonné la plus grande discrétion, toutes les personnes au courant de l'affaire seront fichées pour identifier toute fuite éventuelle.

Ce n'était pas une simple recommandation, mais une menace larvée.

— Ce qui veut dire que nous sommes tous les deux sur la liste, résuma le capitaine. On peut savoir ce que ça cache ?

Boris s'accorda un instant de réflexion.

— Ce matin, à 6 h 40, un poste de police hors de la ville a reçu un appel.

— Où ça ? demanda Mila.

— Attends, dit Boris en levant les mains, d'abord le reste.

La policière s'assit en face de lui.

Boris posa ses mains sur ses genoux, comme pour se donner du courage.

— Un enfant de dix ans, Jes Belman, a raconté que quelqu'un s'était introduit chez lui à l'heure du dîner et avait tiré. Et que tout le monde était mort.

Mila eut la sensation que l'éclairage de la pièce diminuait à nouveau.

— L'adresse correspond à une maison de montagne, à quinze kilomètres du village. Le propriétaire est un certain Thomas Belman, fondateur et président du laboratoire pharmaceutique du même nom.

— Je le connais, dit Steph, c'est celui de mon médicament pour la tension.

— Jes est le benjamin. Belman avait deux autres enfants, un garçon et une fille : Chris et Lisa.

Le verbe conjugué à l'imparfait alluma une lumière rouge dans la tête de Mila. La partie douloureuse allait arriver.

— Seize et dix-neuf ans, précisa Boris. La femme de Belman s'appelait Cynthia et en avait quarante-sept. Quand les agents du poste local sont montés vérifier… Eh bien, inutile de tourner autour du pot… reprit Boris les yeux embrumés par la rage. L'enfant avait dit la vérité : ils étaient six dans la maison, hier soir. Un carnage. Tous morts. Sauf Jes.

— Pourquoi ? demanda Mila.

— On pense que le tueur en voulait au chef de famille.

— Qu'est-ce qui vous le fait penser ? intervint Steph, les sourcils froncés.

— Il a été tué en dernier.

L'intention sadique de la scène était évidente. Thomas Belman devait être conscient que ses proches mouraient, il devait souffrir.

— Le benjamin s'est enfui ou il a réussi à se cacher ?

Mila essayait d'avoir l'air calme mais le récit l'avait secouée.

Boris sourit, incrédule.

— Le tueur l'a épargné pour qu'il nous appelle et nous raconte ce qui s'était passé.

— Tu veux dire que ce salaud était présent quand il a téléphoné ? demanda Steph.

— Il voulait être certain.

Violence extrême et mise en scène. Un comportement typique d'un genre particulier d'assassins, les tueurs de masse.

Ils étaient plus dangereux et imprévisibles que les tueurs en série, même si les gens et les médias les confondaient souvent. Les tueurs en série espaçaient leurs meurtres d'intervalles de temps plus ou moins longs, les « pluri-homicides » les concentraient en un unique massacre, lucide et préparé. Le type licencié qui revient au bureau et tue ses collègues de travail, ou encore l'étudiant qui arrive au lycée avec un fusil de guerre et abat ses professeurs et ses camarades comme dans un jeu vidéo font partie de cette catégorie.

Leur mobile était la rancœur. Contre le gouvernement, la société, l'autorité établie, ou simplement le genre humain.

La différence substantielle entre les tueurs en série et les tueurs de masse est que les premiers peuvent être arrêtés – on peut leur passer les menottes et avoir le bonheur de les regarder dans les yeux après l'arrestation, leur dire « c'est terminé » –, tandis que les seconds s'arrêtent seuls une fois qu'ils ont atteint le nombre parfait de leur compte secret de morts. Pour eux-mêmes ils choisissent un coup de feu unique, libératoire, tiré avec l'arme ayant servi au massacre. Ou bien ils se font délibérément tirer dessus par la police, dans un ultime acte de défi. Mais ils laissent toujours aux flics la désagréable sensation d'être arrivés trop tard, parce qu'ils ont réussi leur coup.

Emmener le plus d'âmes possibles avec eux en enfer.

S'il n'y a plus de coupable à capturer ou à juger, les victimes tombent avec lui dans l'oubli, ne laissant que le vide rageur d'une revanche inassouvie. De cette façon, l'auteur du carnage retire à la police jusqu'à la consolation d'agir pour ceux qui sont morts.

Mais ce n'était pas de cela qu'il s'agissait. Si l'épisode s'était conclu par le suicide du tueur, Boris l'aurait déjà dit à Mila.

— Il est encore dans la nature, Dieu seul sait où, affirma son ami inspecteur en anticipant ses conclusions. Il est là, dehors, vous comprenez ? Il est armé. Et il n'a peut-être pas terminé.

— Vous savez qui est ce psychopathe ? demanda Steph.

Boris éluda la question.

— On sait qu'il est venu par les bois et reparti par le même chemin. Et on sait qu'il a utilisé un fusil semi-automatique Bushmaster .223 et un revolver.

Mila avait l'impression que le récit de Boris était incomplet. Et que la suite avait à voir avec la raison pour laquelle il s'était donné la peine de descendre aux Limbes.

— Le Juge voudrait que tu viennes jeter un coup d'œil.

— Non.

La réponse fut si spontanée qu'elle en fut surprise elle-même. Comme dans un flash, elle avait vu les quatre corps, le sang sur les murs et sur le sol, s'étalant comme une tache d'huile. Elle avait senti l'odeur. Ce miasme féroce qui semble nous reconnaître et nous dire, moqueur, qu'un jour notre mort aura la même odeur.

— Non, répéta-t-elle plus fermement. Je n'irai pas, je suis désolée.

— Attends, je ne comprends pas, intervint Steph. Pourquoi devrait-elle venir ? Elle n'est pas criminologue, même pas *profiler*.

Boris ignora le capitaine.

— L'assassin a un plan, il va bientôt repasser à l'action et d'autres innocents vont mourir. Je sais que nous te demandons beaucoup.

Cela faisait sept ans qu'elle n'avait pas été sur une scène de crime. *Tu es à lui. Tu lui appartiens. Tu sais que ce que tu vas voir…*

— Non, dit-elle pour la troisième fois, afin de faire taire la voix de l'obscurité.

— Je t'expliquerai tout une fois sur place. C'est l'affaire d'une heure au plus, promis. Nous avons pensé que…

Steph éclata d'un rire moqueur.

— Depuis que tu es entré dans ce bureau tu parles au pluriel… Nous avons décidé, nous avons pensé… Nous savons bien que c'est le Juge qui pense et qui décide, et que tu ne fais que rapporter ses propos. Alors, qu'est-ce qu'il y a derrière ?

Gus Stephanopoulos – que tout le monde appelait Steph, par commodité – était un policier rusé et suffisamment proche de la retraite pour ne pas craindre les conséquences de ses invectives. Il plaisait à Mila parce qu'elle avait toujours trouvé qu'il naviguait à vue, qu'il ne marchait pas sur les plates-bandes des autres, qu'il essayait de parler et d'agir avec justesse, un serviteur docile de son insigne. Pourtant, quand on s'y attendait le moins, sa nature de vieux Grec ressortait. Elle connaissait l'expression d'incrédulité sur le visage de Boris. Steph s'adressa à elle, amusé :

— Qu'est-ce que je devrais faire, à ton avis ? Je donne un coup de pied au cul à l'inspecteur et je le renvoie aux étages supérieurs ?

Mila se tut. Elle regarda Boris.

— Vous avez une scène de crime parfaite, vous ne pourriez rêver mieux. En plus vous avez un témoin oculaire, le fils de Belman, et j'imagine que vous avez déjà un portrait-robot. Il vous manque peut-être une partie du mobile mais vous n'aurez aucun mal à la découvrir, en général dans ces cas-là c'est une histoire de rancœur. Et puis, personne n'a disparu, à ce que je sache, donc pourquoi appeler les Limbes ? Qu'est-ce que j'ai à voir là-dedans, moi ? Ou alors, ajouta-t-elle après une courte pause, tu es ici parce qu'il y a un problème avec l'identité du tueur…

Elle laissa la phrase faire son effet. Boris resta muet.

— Vous n'arrivez pas à l'identifier, c'est ça ? insista Steph.

Parfois, les autres brigades demandaient leur aide pour remonter d'un visage à une identité : obtenir un nom, plutôt qu'une personne disparue.

— Vous avez besoin de Mila, comme ça si vous n'arrivez pas à l'identifier avant le prochain massacre vous pourrez accuser les Limbes. Le sale boulot est pour nous, pas vrai ?

— Tu te trompes, capitaine, intervint Boris. Nous savons qui c'est.

Ni Mila ni Steph ne surent quoi répondre.

— Il s'appelle Roger Valin.

Le nom libéra une série d'informations désordonnées dans la tête de Mila. Comptable. Trente ans. Mère malade. Contraint de s'occuper d'elle jusqu'à sa mort. Pas de famille, pas d'amis. Collectionneur de montres. Doux. Invisible. Étranger.

L'esprit de Mila vola hors du bureau, parcourut les couloirs des Limbes jusqu'à la Salle des pas perdus, se plaça devant le mur, à gauche, puis en haut. Elle le vit.

Roger Valin. Visage émacié, regard absent. Cheveux blancs avant l'âge. La seule photo dont ils disposaient était celle du badge qu'il utilisait pour entrer au bureau – *costume gris clair, chemise à fines rayures, cravate verte.*

Disparu de façon inexplicable dans le néant une matinée d'octobre.

Dix-sept ans plus tôt.

5

La route suivait le relief de la montagne.

En montant, ils laissaient derrière eux le panorama de la ville écrasée par une couverture de brouillard. Soudain, le paysage changea. L'air devint plus limpide, de hauts sapins brisaient le décor estival.

De l'autre côté de la vitre, le soleil jouait à cache-cache entre les branches, projetant des ombres fugaces sur le dossier ouvert sur les genoux de Mila, qui retraçait l'histoire de Roger Valin. La policière avait encore du mal à croire que l'auteur de cet acte si cruel fût le triste employé de la photo sur le mur des Limbes. Comme pour les autres tueurs de masse, il n'existait aucun précédent de violence dans son passé. Sa férocité avait explosé sans préavis, d'un coup. Pourtant, justement parce que Valin n'avait jamais eu de problèmes avec la police, il n'était pas fiché.

Comment avait-on pu découvrir son identité ?

Quand Mila avait posé la question à Boris, il lui avait demandé de se montrer patiente, lui assurant qu'il la mettrait bientôt au courant de tous les détails.

Maintenant, l'inspecteur conduisait une berline banalisée et elle s'interrogeait sur les raisons de tant de circonspection. Imaginer la réponse augmentait son anxiété.

Si la raison était si terrible, elle ne voulait pas la connaître.

Il lui avait fallu sept ans pour apprendre à vivre avec l'affaire du Chuchoteur. Elle faisait toujours des cauchemars, mais pas la nuit. Avec le sommeil tout disparaissait, tandis qu'à la lumière du jour elle ressentait parfois une peur soudaine. Comme un chat qui flaire le danger, elle sentait une présence à ses côtés. Après avoir compris qu'elle ne se débarrasserait pas de ces souvenirs, elle était arrivée à une sorte de compromis avec elle-même, qui prévoyait certaines précautions, sa « ligne de sécurité ». Elle avait procédé avec soin, s'était imposé des règles précises. La première était la plus importante.

Ne plus jamais prononcer le nom du monstre.

Pourtant, un des verrous s'apprêtait à sauter, ce matin-là. Elle s'était juré de ne jamais revoir une scène de crime. Mila avait peur de ce qu'elle ressentirait face à un scénario de sang et de violence. Ce que tout le monde ressent, essayait-elle de se convaincre. Mais une voix obscure à l'intérieur d'elle-même lui affirmait le contraire.

Tu es à lui. Tu lui appartiens. Tu sais que ce que tu vas voir...

— On est presque arrivés.

Les mots de Boris firent taire ce mantra.

Mila prit acte de l'information et acquiesça, tentant de dissimuler sa gêne. Puis elle jeta un œil par la vitre et sa peur s'intensifia : deux policiers contrôlaient au radar la vitesse des véhicules qui circulaient. C'était une mise en scène, leur véritable mission était d'occuper l'accès au lieu du massacre. Quand ils passèrent devant le radar, les agents les suivirent des yeux. Quelques mètres plus loin, Boris emprunta un sentier étroit.

La voiture tressautait sur le chemin de terre. Le tunnel de branches semblait prêt à se refermer sur l'habitacle. Le bois se penchait pour caresser leur passage, gentil et persuasif, comme s'il cachait une mauvaise intention. Pourtant, à un moment la voie s'ouvrit sur une clairière ensoleillée. Ils sortirent de l'ombre et, de façon inattendue, se retrouvèrent devant une villa.

Il s'agissait d'une construction à trois étages, décomposée en différents niveaux. Elle unissait le style classique des chalets de la région – toit incliné et bardage en bois – et une architecture moderne. La véranda surélevée était entièrement vitrée.

Une maison de riches.

Ils descendirent de la voiture, elle regarda autour d'elle. Cinq véhicules banalisés étaient garés : quatre berlines et le fourgon de la police scientifique. Un déploiement de forces notoire.

Deux agents vinrent informer Boris. Elle n'entendit pas ce qu'ils lui disaient. Elle les suivit dans l'escalier en pierre qui conduisait à l'entrée, en gardant ses distances.

Pendant le trajet, Boris lui avait expliqué que le propriétaire, Thomas Belman, était un médecin devenu homme d'affaires en fondant un laboratoire pharmaceutique qui avait prospéré. La cinquantaine, marié, trois enfants. Une passion pour les avions et les motos d'époque. Un homme qui avait toujours eu de la chance, mais avait eu la pire fin que Mila pouvait imaginer : tué après avoir vu mourir sa propre famille.

— Allons-y, l'exhorta Boris.

Mila se rendit alors compte qu'elle était restée sur le seuil de la porte. Dans le vaste séjour organisé autour d'une large cheminée centrale se trouvaient une vingtaine de collègues, qui se retournèrent pour la fixer : ils l'avaient reconnue. Elle devinait leurs pensées. Elle était gênée, mais ses pieds refusaient d'avancer. Elle baissa les yeux et les observa, comme s'ils appartenaient à quelqu'un d'autre. Si j'avance, je ne pourrai plus changer d'avis. Si je fais ce pas, je ne pourrai plus reculer. À nouveau, le mantra vint la terroriser.

Tu es à lui. Tu lui appartiens. Tu sais que ce que tu vas voir... va te plaire.

Son pied gauche avança. Elle était à l'intérieur.

Il existait une sous-catégorie de tueurs de masse qu'aucun policier n'aurait jamais voulu rencontrer. Les tueurs à la chaîne procédaient à plusieurs massacres dans un laps de temps assez restreint. Roger Valin en faisait peut-être partie. Pour le moment, les minutes et les heures qui défilaient ne jouaient pas en faveur de l'enquête. Dans la villa, la rage et le sentiment d'impuissance étaient palpables. Mila observa ses collègues à l'œuvre. *Ils ne peuvent plus rien faire pour les morts, souviens-t'en.*

La haine que Roger Valin avait introduite dans la maison résonnait encore, comme une radiation, sur ceux qui étaient arrivés après le massacre.

Malgré eux, ces policiers sombraient dans la rancœur.

C'était vraisemblablement le même sentiment qui avait motivé le tueur, nourri sa paranoïa, jusqu'à lui faire saisir une arme de guerre qui avait fait taire, avec son vacarme précis et cadencé, les voix dans sa tête qui le poursuivaient et le poussaient à se venger des torts et des humiliations subis.

Le spectacle était concentré à l'étage du dessus mais, avant de la laisser y accéder, on lui passa des protège-chaussures en plastique, des gants en latex et une charlotte. Pendant qu'on la préparait, Mila vit un agent passer un téléphone portable à Boris.

— Oui, elle est venue, elle est ici.

Elle aurait été prête à parier que son ami l'inspecteur parlait avec le Juge. En réalité, le nouveau chef du département n'avait rien à voir avec la magistrature ni avec les tribunaux. Il s'agissait d'un surnom dont il avait été affublé des années auparavant en vertu de son air austère. Plutôt que de se vexer, le Juge l'avait adopté comme un titre de gloire. Au fur et à mesure qu'il était monté en grade, la nuance railleuse s'était dissipée au profit d'un respect craintif. Et la personne à l'origine de la blague avait vécu avec la terreur d'en payer le prix, tôt ou tard. Pourtant, le Juge ne manifestait aucun ressentiment envers ses ennemis, il préférait les laisser sur la corde raide.

Mila et le Juge ne s'étaient rencontrés qu'une fois, quatre ans plus tôt, quand un infarctus avait mis fin au mandat de Terence Mosca, le chef du département. Le nouveau chef avait concédé une brève visite aux Limbes pour saluer ses hommes, les encourager et les conseiller. Puis plus rien. Jusqu'à ce matin-là.

Boris referma le téléphone et, une fois paré, s'approcha d'elle.

— Tu es prête ?

Ils entrèrent dans la cabine du petit ascenseur qui desservait les trois étages de la maison – un luxe, plus qu'une nécessité. L'inspecteur enfila son oreillette.

— Merci d'être venue, lui dit-il en attendant l'autorisation radio de monter.

— Raconte-moi ce qui s'est passé hier soir, répondit-elle pour couper court aux simagrées.

— Ils étaient à table, vers 21 heures, du moins c'est ce dont se souvient Jes, notre jeune témoin. La salle à manger est au premier étage, elle donne sur la véranda arrière. Valin est arrivé par le bois, ils ne l'ont donc pas vu monter l'escalier extérieur. L'enfant a rapporté qu'ils avaient remarqué un homme, immobile, derrière la porte-fenêtre, mais qu'au début personne n'avait compris la raison de sa présence.

Au départ il n'y a pas eu de panique, pensa Mila. Ils ont simplement cessé de parler pour le regarder. Dans les situations de danger, la réaction la plus courante n'est pas la peur, c'est l'incrédulité.

— Alors Belman s'est levé et a ouvert la porte pour lui demander ce qu'il voulait.

— C'est lui qui lui a ouvert ? Il n'a pas remarqué le fusil ?

— Si, bien sûr, mais il pensait contrôler la situation.

Typique de certains hommes de pouvoir, pensa Mila. Ils croient toujours avoir la prérogative de décider. Thomas Belman n'acceptait pas que quelqu'un lui dicte des règles, surtout chez lui. Même si ce quelqu'un tenait à la main un fusil semi-automatique

Bushmaster .223. En bon homme d'affaires, il s'est mis à négocier, comme s'il avait vraiment quelque chose à offrir.

Or Roger Valin n'était pas venu pour négocier.

À ce moment-là, Mila s'aperçut que Boris avait porté sa main à son oreille. On lui donnait probablement le feu vert pour monter. En effet, il appuya sur le bouton du deuxième étage.

— Au téléphone, le garçon a juste dit que Valin a ouvert le feu, poursuivit l'inspecteur en montant. En réalité, cela ne s'est pas tout à fait passé ainsi. Il y a d'abord eu une brève discussion, puis il a enfermé Jes dans la cave et a fait monter les autres.

Avant d'arriver à l'étage, la cabine ralentit. Mila inspira profondément.

Nous y sommes.

6

Les portes de l'ascenseur s'ouvrirent.

Boris et Mila furent éblouis par les lampes halogènes placées dans le couloir – on travaillait sur une scène de crime les rideaux baissés ou les volets fermés parce que la lumière du jour faussait les analyses des techniciens. Mila se rappelait cette sensation, comme entrer dans une caverne de glace. La climatisation au maximum accentuait cet effet. Mais si la tiédeur de cette matinée de septembre ne devait pas pénétrer à l'intérieur, c'était pour une raison bien précise.

Les corps sont encore ici. Ils sont proches.

Dans le couloir et dans les chambres, les agents de la police scientifique allaient et venaient. Ils déambulaient sur la scène de crime dans leurs combinaisons blanches, silencieux et disciplinés. Mila franchit la frontière entre le monde des vivants et celui des morts. L'ascenseur se referma derrière elle, ne lui laissant aucune porte de sortie.

— Le tueur n'a pas abattu tout le monde en même temps, dit Boris. Il les a séparés puis éliminés un par un.

Mila compta quatre portes sur le palier.

— Bonjour, les salua Leonard Vross, le médecin légiste qui, à cause de ses traits asiatiques, était surnommé Chang.

— Bonjour, docteur, répondit Boris.

— Prêts à visiter le monde magique de Roger Valin ?

Malgré cette boutade déplacée, le médecin semblait éprouvé. Il leur tendit un petit pot contenant du baume au camphre à étaler sous leurs narines pour couvrir les odeurs.

— Nous avons quatre scènes primaires au deuxième étage. Plus une secondaire en dessous. Comme vous voyez, nous sommes comblés.

La distinction entre scènes primaires et secondaires dépendait de la modalité d'exécution du crime. Les secondaires étaient moins déterminantes pour établir la dynamique de l'action principale, mais pouvaient se révéler fondamentales pour reconstituer le mobile.

Boris n'avait pas parlé de scène secondaire, aussi Mila se demanda-t-elle ce qu'il y avait à l'étage du dessous.

En attendant, le médecin légiste lui indiqua le chemin de la chambre de Chris Belman, le fils de seize ans.

Posters de heavy metal aux murs. Plusieurs paires de baskets. Un sac de sport dans un coin. Un ordinateur, une télévision à écran plasma et une console de jeux vidéo. Sur le dossier d'une chaise, un tee-shirt à la gloire de Satan. Mais le diable ne ressemblait pas au personnage du tee-shirt. Il était arrivé dans la pièce de la façon la plus innocente qui soit, sous les traits d'un comptable.

Un technicien prenait des mesures balistiques entre une chaise pivotante et le corps qui gisait sur les draps imbibés de sang.

— Le cadavre présente une large blessure d'arme à feu à l'abdomen.

Mila observa les vêtements : il avait perdu tout son sang.

— Il ne lui a pas tiré dans la tête ni dans le cœur. L'assassin a choisi l'estomac pour prolonger l'agonie.

— Valin a profité du spectacle, dit Boris en désignant la chaise devant le lit.

— Le spectacle n'était pas pour lui, corrigea Mila. Il était destiné à son père qui l'entendait crier et pleurer.

La policière imagina le long supplice. Les victimes enfermées dans leurs chambres devenues des prisons, dans la maison où la famille avait ses plus chers souvenirs, écoutant ce qui arrivait à leurs proches et tremblant à l'idée que cela serait bientôt leur tour.

— Roger Valin était un fils de pute sadique, lâcha Chang. Il a peut-être pris le temps de parler à chacun d'entre eux, dans chaque chambre. Il a peut-être voulu leur faire croire qu'ils pouvaient s'en tirer. Que s'ils prononçaient les bons mots et lui obéissaient, leur destin pouvait changer.

— Une sorte de procès, précisa Mila.

— Ou de torture, la corrigea Chang.

Un coup de feu, et Valin passait au suivant. Ainsi firent-ils également. La chambre d'à côté était celle d'une jeune fille. Lisa, dix-neuf ans. Rideaux roses et papier peint orné de marguerites violettes. Bien qu'elle ne fût plus une enfant, elle avait conservé sa chambre de fillette. Poupées et peluches côtoyaient les trousses de maquillage et les tubes de rouge à lèvres. Sur les murs, attestations de bons résultats scolaires et photos de Disneyland avec Pluto et la petite Sirène se partageaient l'espace avec des posters de groupes de rock.

Sur la moquette claire, le corps de la jeune fille gisait dans une étrange position. Avant d'être tuée, elle avait réussi à briser la vitre de la fenêtre pour essayer de s'enfuir, mais le courage du désespoir n'avait pas suffi à lui faire faire un saut de quatre mètres. Elle avait renoncé, dans l'espoir illusoire d'obtenir la clémence : son cadavre était agenouillé.

— Il a tiré dans son poumon droit, expliqua Chang en indiquant le trou par lequel était sortie la balle, dans le dos.

— Valin n'avait pas d'arme de taille, n'est-ce pas ?

La question de Mila était dictée par une raison bien précise.

— Aucun contact physique, confirma Chang en devinant son doute. Il a toujours maintenu ses distances avec les victimes.

C'était un détail important. Le fait qu'il ne veuille pas se salir les mains avec leur sang excluait une composante psychotique de ce pluri-homicide. Elle trouva le mot qui décrivait à la perfection ce qui s'était passé entre ces murs.

Exécutions.

Ils gagnèrent la troisième pièce, une salle de bains. Mme Belman était recroquevillée à côté de la porte.

Le médecin légiste indiqua la fenêtre.

— Elle donne sur un terre-plein. À la différence du reste de cet étage, cette pièce n'est qu'à deux mètres du sol. La femme aurait pu sauter. Elle se serait peut-être cassé une jambe, mais elle aurait pu arriver à la route, arrêter une voiture et demander de l'aide.

Pourtant, Mila savait pourquoi elle ne l'avait pas fait. La présence du cadavre à côté de la porte en était la preuve. Elle imagina Mme Belman, pleurant, suppliant le tueur, appelant ses enfants, pour leur faire savoir que leur maman était avec eux. Elle ne les aurait jamais abandonnés, même pas pour sauver sa peau. L'instinct maternel avait prévalu sur l'instinct de survie.

L'assassin, sans pitié, lui avait tiré plusieurs fois dans les jambes. Avec le fusil, cette fois encore. Pourtant, il avait également apporté un revolver. Mila ne comprenait pas pourquoi.

— Je suis sûr que vous ne serez pas déçus de la suite de la visite, messieurs-dames, affirma Chang. Valin nous a réservé le meilleur pour la fin.

7

La chambre parentale se trouvait au fond du couloir. Elle était devenue le territoire exclusif du plus grand expert de la police scientifique du département. Le visage ovale buriné de Krepp, au nez orné de piercings, pointait sous la cagoule de sa combinaison stérile. Cet homme aux manières raffinées, l'air d'un sage, mais couvert de tatouages et de clous, faisait toujours une certaine impression à Mila. Pourtant, l'extravagance de Krepp n'avait d'égale que sa compétence.

La chambre était sens dessus dessous. Apparemment, Thomas Belman avait essayé de s'échapper de sa prison en envoyant rageusement les meubles contre la porte.

Adossé à la tête de lit rembourrée, le cadavre gisait, les yeux écarquillés et les bras écartés, comme s'il attendait la libération par une balle. Qui était entrée à la hauteur du cœur.

Dans la pièce, en plus du groupe de techniciens, un homme, comme Mila et Boris, ne portait que des protège-chaussures, des gants et un bonnet. Costume sombre, petits yeux et nez aquilin. Il observait les policiers au travail, les mains dans les poches. Quand il se retourna, Mila le reconnut.

Gurevich avait le même grade que Boris, mais tout le monde savait qu'il était l'homme de confiance du Juge. Grâce à son influence sur son chef, il était considéré comme l'éminence occulte du département. Arriviste mais incorruptible, sévère, sans pitié. Et intransigeant, au point de s'être fait une réputation de peau de vache. Les faibles mérites étaient tellement portés à l'extrême qu'ils devenaient des défauts.

Le docteur Chang, visiblement mal à l'aise en la présence de l'inspecteur, prit congé :

— Amusez-vous bien. Excusez-moi mais j'ai des cadavres à emporter.

Boris ignora son collègue pour s'adresser à Krepp :

— Alors, ta thèse se confirme ?

— Je pense que oui. Je vais vous montrer.

Il jeta un coup d'œil à Mila et leva un sourcil pour la saluer : il ne perdait pas de temps en échange d'amabilités.

La policière remarqua le revolver sur le lit et trouva étrange que le tueur l'ait abandonné. À moins que cela ne fît partie d'une mise en scène précise. Valin voulait que la police reconstitue les événements dans les moindres détails.

Krepp avait glissé l'arme dans un sachet transparent avant de la reposer à l'endroit où elle avait été retrouvée. Un écriteau la désignait avec la lettre A. Deux autres indiquaient une cartouche sur une table de nuit, épargnée par Belman dans ses tentatives de défoncer la porte, et la main droite du cadavre : ses doigts composaient le signe de la victoire.

Krepp parcourut une dernière fois la pièce pour s'assurer que tout était à sa place et lança la reconstitution.

— Bien, commença-t-il en ajustant ses gants. Voici plus ou moins comment se présentait la scène à notre arrivée. L'arme, un Smith & Wesson 686, était posée sur le lit. Le canon contient six coups, il en manque deux. Un projectile est logé dans le cœur du regretté M. Belman. L'autre, en revanche, toujours dans sa douille, se trouve sur la table de nuit à côté du lit.

Ils se tournèrent tous vers le meuble où était posée la cartouche .357 Magnum.

— L'explication me semble plutôt simple, poursuivit le technicien. Valin a voulu offrir une chance de survie à son hôte. Comme une roulette russe à l'envers. Il a éliminé une des cartouches du canon – celle qui se trouve sur la table de nuit – et a demandé à Belman de choisir un chiffre.

Mila regarda à nouveau la main droite du cadavre. Ce qui lui avait semblé un geste de victoire correspondait en fait au choix de la victime.

Le numéro deux.

— Belman avait une possibilité sur six d'échapper à la mort. Il n'a pas eu de chance, conclut Krepp.

— Valin voulait également tester la volonté de Belman de survivre à ses proches, intervint Mila, causant la stupeur des autres. Lui faire éprouver le désir de se venger, un jour, de l'exterminateur de sa famille. Et aussi la fragilité de sa condition, en équilibre instable entre la vie et la mort. Mais cela ne nous éclaire pas sur son mobile…

À ce moment-là, l'inspecteur Gurevich sortit de son coin et applaudit doucement.

— Bien, très bien, dit-il en approchant. Je suis content que vous ayez pu venir, agent Vasquez, ajouta-t-il d'une voix mielleuse.

Je ne pense pas avoir eu le choix.

— Je n'ai fait que mon devoir, monsieur.

Gurevich saisit peut-être le timbre faussé de sa voix. Il approcha encore et Mila observa son visage, dominé par son nez aussi fin qu'une lame. Ses tempes étaient dégarnies, son front osseux ressemblait à une carapace.

— Dites-moi, agent Vasquez : à la lumière de ce que vous venez d'entendre, seriez-vous en mesure de dresser un portrait de l'assassin ?

Mila, qui avait imprimé une copie du dossier pour réviser sa biographie durant le trajet en voiture, se lança.

— Pendant toute sa vie, Roger Valin s'est occupé de sa mère malade. Il n'avait qu'elle au monde. La femme souffrait d'une pathologie dégénérative rare qui nécessitait une assistance continue. Valin était comptable. La journée, quand il se rendait au bureau, il confiait sa mère à une infirmière spécialisée dont le salaire absorbait la quasi-totalité du sien. Au moment de sa disparition, ses collègues ne furent pas en mesure de décrire ses habitudes avec précision. Certains ne connaissaient même pas son prénom. Valin ne parlait à personne, il n'avait aucune relation au bureau, il n'apparaissait même pas sur les photos de Noël.

— Le portrait parfait du psychopathe qui cultive la rancœur pendant toute sa vie et se rend un jour au travail avec un AK-47, conclut Gurevich.

— Je crois que c'est plus compliqué, monsieur.

— Qu'est-ce qui vous fait dire ça ?

— Nous regardons la vie de Valin de notre point de vue. Pourtant, ce qui a l'air de l'existence malheureuse d'un homme otage de la maladie de sa mère est en fait très différent.

— C'est-à-dire ?

— Je ne remets pas en cause le fait que la situation ait pu lui peser au début, mais avec le temps Roger Valin a transformé son malaise en une sorte de mission. S'occuper de sa mère, prendre soin d'elle était devenu le but de sa vie. En d'autres termes : c'était son véritable travail. Tout le reste – le bureau, les relations avec les gens – était pénible pour lui. Avec la mort de sa mère, son monde s'est écroulé et il s'est senti inutile.

— Comment pouvez-vous l'affirmer ?

— J'ai lu un détail de son histoire qui peut sans doute expliquer beaucoup de choses. Quand sa mère est morte, Valin a veillé son cadavre pendant quatre jours. Ce sont les voisins qui ont alerté les pompiers à cause de l'odeur. Trois mois après l'enterrement, le comptable a disparu. Il est évident qu'il s'agit d'un individu d'une grande fragilité émotionnelle, incapable de gérer sa douleur. Dans ces cas-là le sujet ne pense pas à tuer, mais à se tuer.

— Vous croyez qu'il finira par le faire, agent Vasquez ? demanda Gurevich sur un ton provocateur.

— Je l'ignore, admit-elle.

Le regard de Krepp se posa sur elle dans un élan de solidarité silencieuse. C'est à ce moment-là que Mila comprit.

— Vous connaissiez déjà cette histoire, n'est-ce pas ?

— J'admets que nous n'avons pas été tout à fait corrects avec vous, confirma Gurevich.

La nouvelle secoua Mila. L'inspecteur lui remit une pochette transparente qui contenait des pages d'une revue scientifique. À côté de l'article, la photo de Thomas Belman.

— Je vous épargne la lecture : en bref, il est écrit que la société de Belman possède le brevet du seul médicament en mesure de permettre la survie des malades d'une pathologie rare, articula lentement Gurevich pour profiter de ce moment. Un médicament prodigieux, capable d'améliorer les conditions de vie des patients, parfois de retarder longtemps leur fin. Dommage qu'il coûte très cher. Devinez de quelle maladie rare il s'agit !

— Avec son salaire, Roger Valin ne pouvait plus se permettre de soigner sa mère, intervint Boris. Il a dilapidé tous leurs biens puis, quand il n'est plus rien resté, il a dû la regarder mourir.

Voici donc la source de tant de rancœur, pensa Mila. Elle comprit mieux l'étrange rituel de la roulette russe à l'envers.

— La balle en moins dans le canon du pistolet : il a offert à la victime une chance de survivre, que sa mère n'avait pas eue.

— Exactement, confirma Boris. Maintenant, nous avons besoin d'un rapport complet sur la disparition de Valin, y compris son profil psychologique.

— Pourquoi me le demander à moi ? Un criminologue ne serait-il pas plus adapté ?

— Qui a signalé la disparition de Valin il y a dix-sept ans ? intervint Gurevich.

La question n'avait aucun rapport avec les hésitations de Mila, mais elle répondit quand même.

— La société pour laquelle il travaillait, après une semaine d'absence injustifiée. Ils n'arrivaient pas à le joindre.

— Quand a-t-il été vu pour la dernière fois ?

— Personne ne s'en souvient.

— Tu ne le lui as pas dit, n'est-ce pas ? demanda l'inspecteur à Boris.

— Pas encore.

Mila les regarda.

— Me dire quoi ?

8

Le prologue du massacre avait eu lieu à la cuisine.

C'était là que Valin avait fait son apparition après être arrivé par le jardin et s'être présenté à la porte-fenêtre. Toutefois, cette pièce avait été qualifiée de « scène de crime secondaire » pour une autre raison.

Elle avait été le théâtre de l'épilogue d'une très longue nuit.

Gurevich, Boris et Mila retournèrent à l'étage du dessous. La policière suivit ses supérieurs sans un mot, certaine qu'elle aurait bientôt toutes les réponses. Ils descendirent un escalier de bois et se retrouvèrent dans une grande pièce qui ressemblait plus à un séjour qu'à une cuisine. Elle était entourée par des baies vitrées qui donnaient sur le jardin mais que la police scientifique n'avait pas recouvertes de tissu noir.

Pas de corps ici. Pourtant Mila ne sentit aucun soulagement, parce qu'elle comprit que ce qui l'attendait était pire encore.

— Quelle photo avez-vous utilisée pour chercher Valin après sa disparition ? lui demanda Gurevich.

— Celle qui figurait sur son badge du bureau, il venait de le renouveler.

— Comment apparaissait-il, sur cette photo ?

Mila repensa à la photographie sur le mur de la Salle des pas perdus des Limbes.

— Cheveux grisonnants, visage émacié. Il portait un costume gris clair, une chemise à fines rayures et une cravate verte.

— Costume gris clair, chemise à fines rayures, cravate verte, répéta lentement Gurevich.

La policière s'interrogea sur la raison de cette étrange question : l'inspecteur aurait dû connaître ces détails.

Pourtant, Gurevich ne lui fournit aucune explication. Il avança vers le centre de la cuisine, où un îlot tout équipé était surmonté par une grande hotte en pierre ornée de branches. Un peu plus loin, une table à manger en bois massif où traînaient toujours les assiettes sales de la veille au soir, mais où l'on apercevait aussi les restes d'un autre repas.

Un petit déjeuner.

Voyant que Mila avait relevé cette bizarrerie, Gurevich se posta devant elle :

— On vous a dit comment on a réussi à identifier Roger Valin ?

— Pas encore.

— Un peu après 6 heures du matin, à l'aube, Valin a libéré le petit Jes de la cave, il l'a emmené ici et il lui a préparé des flocons d'avoine, du jus d'orange et des pancakes au chocolat.

La normalité jaillit dans ce récit de terreur. C'étaient ces déviations inattendues qui troublaient le plus Mila.

D'habitude, le calme au milieu de la folie représentait un présage.

— Valin s'est assis avec l'enfant et il a attendu qu'il finisse de manger, poursuivit Gurevich. Comme vous l'avez dit vous-même, il y a dix-sept ans il a veillé le cadavre de sa mère pendant quatre jours. Ce matin, il a peut-être laissé le petit Jes en vie pour lui faire revivre la même expérience. Le fait est qu'il a profité de ce petit déjeuner pour lui dire exactement qui il était. Et pour s'assurer qu'il n'oublierait rien, il lui a même fait noter.

— Dans quel but ? demanda Mila.

Gurevich lui fit signe d'attendre.

— Jes est un petit garçon courageux, n'est-ce pas, Boris ?

— Très courageux.

— Malgré tout ce qui lui est arrivé, il est resté calme très longtemps. Puis il s'est laissé aller à des larmes de désespoir. Pourtant, avant, il a répondu à toutes nos questions.

— Quand on lui a montré la photo de Valin – celle où le comptable porte un costume gris clair, une chemise à fines rayures et une cravate verte –, il l'a reconnu sans hésiter, ajouta Boris. Mais quand on lui a demandé de nous décrire d'autres détails, par exemple comment il était habillé, il a de nouveau indiqué la photo et il a répondu : « Comme ça. »

— Ce n'est pas possible, laissa échapper Mila.

— En effet, admit Gurevich. Un type disparaît à trente ans, puis revient à l'âge de quarante-sept avec les mêmes vêtements que dix-sept ans plus tôt. Où a-t-il été pendant tout ce temps ? Enlevé par un OVNI ?

Il est sorti de la forêt. Est-ce qu'un vaisseau spatial l'a déposé devant la porte des Belman ? ironisa Gurevich.

— Il y a autre chose, dit Boris en indiquant le téléphone accroché au mur. Sur ordre de Valin, Jes a prévenu la police depuis ce téléphone, ce matin. Mais selon les relevés, cette nuit, plus ou moins vers 3 heures, l'assassin a interrompu sa boucherie pour passer un autre appel.

— Le numéro correspond à une laverie automatique du centre, ouverte vingt-quatre heures sur vingt-quatre, expliqua Gurevich. L'endroit est surtout fréquenté par des personnes âgées et des immigrés, c'est pour cela qu'il est doté d'un téléphone public.

— Pas de personnel ni de gardien, juste un système de vidéosurveillance pour décourager les vandales et les personnes mal intentionnées.

— Alors vous savez qui a répondu, affirma Mila.

— C'est bien le problème, admit Boris. Personne n'a répondu. Valin a laissé sonner un moment, puis il a raccroché et il n'a pas réessayé.

— Cela n'a aucun sens, n'est-ce pas agent Vasquez ? commenta Gurevich.

Mila comprit les raisons pour lesquelles ses supérieurs étaient inquiets, mais pas son rôle dans cette histoire.

— Qu'attendez-vous de moi ?

— Nous avons besoin de tous les détails de la vie passée de Valin pour comprendre où il est parti, parce que nous n'avons aucun doute : il a quelque chose en tête, affirma Gurevich. Qui a-t-il voulu appeler cette nuit ? Pourquoi une seule tentative ? A-t-il un complice ? Quelle est la prochaine étape ? Où est-il parti avec son fusil Bushmaster .223 ?

— Toutes les réponses sont reliées à une même question, conclut Boris. Qu'a fait Roger Valin pendant ces dix-sept années ?

9

La violence d'un tueur à la chaîne est cyclique.

Chaque cycle dure environ douze heures et se divise en trois stades : calme, incubation et explosion. Le premier advient après l'assaut initial. Le tueur éprouve un sentiment temporaire de satisfaction, suivi d'une nouvelle phase de couvaison : la haine se mêle à la rage. Les deux sentiments se comportent comme des éléments chimiques. Isolés, ils ne sont pas nécessairement nocifs mais, combinés, ils constituent un mélange hautement instable. Le troisième stade est alors inévitable : la mort, la seule conclusion possible.

Pourtant, Mila espérait agir à temps.

L'épilogue naturel de l'action d'un tueur de masse était le suicide et, si Valin ne l'avait pas encore commis, c'était qu'il avait un plan et qu'il s'y tiendrait.

Où frapperait-il, et qui, cette fois ?

L'après-midi touchait à sa fin, le ciel prenait les couleurs de l'été qui s'éteint. La Hyundai avançait lentement, Mila était penchée sur le volant pour lire les numéros des habitations.

Les pavillons étaient tous identiques : deux étages, toit incliné, petit jardin attenant. Seules leurs couleurs changeaient – blanc, beige, vert et marron –, bien que toujours dans des tons passés. À une époque désormais lointaine, ces maisons étaient habitées par de jeunes familles dont les enfants jouaient sur les pelouses dans une ambiance chaleureuse.

Maintenant, c'était un quartier de personnes âgées.

Les clôtures en bois blanc qui délimitaient les propriétés avaient été remplacées par des grillages. Dans l'herbe haute traînaient des déchets et des morceaux de ferraille. Arrivée à la hauteur du numéro quarante-deux, Mila s'arrêta. De l'autre côté de la rue se trouvait la maison où avait vécu Roger Valin.

Dix-sept ans avaient passé et elle appartenait désormais à une autre famille, mais c'était là que le tueur avait grandi. Il y avait fait ses premiers pas, joué sur la pelouse, appris à faire du vélo. Il était sorti chaque jour par cette porte pour se rendre à l'école, puis au travail. Le théâtre d'une routine. Et c'était aussi le lieu où Roger avait assisté sa mère malade, attendant avec elle une fin lente et inévitable.

Pendant sa carrière de chercheuse de personnes disparues, Mila avait appris que, aussi loin qu'on fuie, où qu'on aille, notre maison nous suit toujours. Même quand on déménage souvent, on reste toujours liés à une habitation. Comme si c'était nous qui lui appartenions, au lieu du contraire. Comme si nous étions constitués des mêmes matériaux – terre en guise de sang, bois dans les jointures, os de ciment.

Le seul espoir auquel Mila pouvait se raccrocher pour retrouver Roger Valin était que, malgré sa rage et son désir de mort, après tout le temps passé elle ne savait où, il ait été écrasé par un souvenir.

Elle gara la Hyundai et descendit. Le vent soufflait entre les arbres et les rafales apportaient par intermittence le bruit d'une alarme qui s'était déclenchée au loin. Dans le jardin de l'ancienne maison de Valin gisait la carcasse d'un break bordeaux sans roues, soutenu par quatre piles de parpaings. À l'intérieur, on distinguait les ombres des nouveaux occupants. Il était improbable que Roger se soit approché plus que cela. Pour trouver une preuve de cette visite, Mila devrait enquêter ailleurs. Elle tenta la maison d'en face.

Une femme âgée ramassait du linge étendu sur une corde tirée entre deux poteaux. Elle remonta les marches du perron. Mila se dirigea vers elle à pas rapides.

— Excusez-moi.

La femme lui lança un regard suspicieux. Mila sortit sa carte de police pour la rassurer.

— Bonjour, je suis désolée de vous déranger mais j'ai besoin de vous parler.

— Pas de problème, ma chère, répondit la femme en souriant.

Elle portait des chaussettes en éponge, dont l'une descendait en accordéon sur sa cheville, sa robe de chambre était tachée et élimée aux coudes.

— Vous habitez ici depuis longtemps ?

La femme sembla amusée par la question, mais ses yeux balayèrent le lieu avec une lueur mélancolique.

— Quarante-trois ans.

— Je me suis adressée à la bonne personne, déclara cordialement Mila.

Elle ne voulait pas l'effrayer en lui demandant directement si elle avait vu récemment son ancien voisin Roger Valin, disparu depuis dix-sept ans. En plus, étant donné l'âge de la femme, elle craignait de l'embrouiller.

— Vous voulez entrer ?

— D'accord.

La vieille femme lui ouvrit le chemin ; le vent ébouriffait encore plus ses quelques cheveux.

Mme Walcott avançait à petits pas en traînant ses pantoufles en laine sur les tapis et le vieux parquet, elle parcourait un sentier précis au milieu des meubles encombrants croulant sous les bibelots de toutes sortes – figurines en verre, porcelaines ébréchées et photographies de moments de vie lointains. Elle portait un plateau avec une théière et deux tasses. Mila se leva du canapé pour l'aider à le poser sur la table basse.

— Je vous remercie, ma chère.

— Il ne fallait pas vous déranger.

— C'est un plaisir. Je ne reçois pas beaucoup de visites.

Mila l'observa en se demandant si elle connaîtrait un jour une telle solitude. Le chat roux lové sur le fauteuil, qui entrouvrait les yeux de temps à autre pour scruter la situation avant de replonger dans le sommeil, était probablement l'unique compagnie de Mme Walcott.

— Satchmo n'est pas très sociable avec les étrangers, mais il est gentil.

Mila attendit que la femme prît place en face d'elle.

— Ce que je vais vous demander va vous sembler bizarre, parce que cela fait longtemps. Vous souvenez-vous par hasard des Valin, qui habitaient la maison d'en face ?

— Les pauvres, répondit Mme Walcott en s'assombrissant. Quand mon mari Arthur et moi avons acheté cette maison, ils venaient d'emménager, eux aussi. Ils étaient jeunes, comme nous, le quartier était tout récent. Un cadre harmonieux, idéal pour élever des enfants. C'est ce que nous avait dit l'agent immobilier, à juste titre. Du moins les premières années. Beaucoup de couples sont venus du centre-ville. Surtout des employés et des commerçants. Pas d'ouvriers, ni d'immigrés.

Ce commentaire politiquement incorrect était tout à fait naturel pour Mme Walcott, qui appartenait à une autre génération. Malgré sa gêne, Mila ne modifia en rien son attitude cordiale.

— Parlez-moi des Valin.

— Des gens comme il faut. La femme s'occupait de la maison, le mari avait une bonne place de vendeur. Elle était très belle, ils avaient l'air heureux. Nous sommes vite devenus amis. Tous les dimanches nous préparions un barbecue et nous passions les fêtes ensemble. Arthur et moi venions de nous marier, mais eux avaient déjà un enfant.

— Roger, vous vous en souvenez ?

— Comment aurais-je pu l'oublier, ce petit amour ? À cinq ans il savait déjà faire du vélo, il faisait des allers-retours dans la rue. Arthur avait une passion pour ce petit garçon, il lui avait même construit une cabane dans un arbre. Au bout d'un moment, il a été clair que nous n'aurions pas d'enfants à nous, mais aucun des deux n'en a fait un drame, surtout pour ne pas causer de peine à l'autre. Arthur était un brave homme, vous savez ? Il aurait été un excellent père, si Dieu l'avait permis.

Mila acquiesça. Comme beaucoup de personnes âgées, Mme Walcott multipliait les digressions et il fallait parfois réorienter son discours.

— Ensuite, qu'est-il arrivé aux parents de Roger ?

— Mme Valin est tombée gravement malade, dit la femme en secouant la tête. Les médecins ont annoncé qu'elle ne guérirait pas, mais ils ont aussi dit que le Seigneur ne la rappellerait pas immédiatement. Qu'elle endurerait d'abord douleur et souffrance. C'est peut-être pour cette raison que le mari a abandonné sa famille.

— Le père de Roger les a quittés ?

Cette information ne figurait pas dans le dossier.

— Oui, il s'est remarié et a coupé les ponts, il n'a même pas pris de nouvelles. Et Roger, qui était jusque-là un jeune garçon vif et actif, s'est progressivement éteint. Arthur et moi le voyions s'isoler de plus en plus. Pourtant il ne manquait pas d'amis, avant. Il passait des heures seul ou bien avec sa mère. Un vrai petit jeune homme responsable.

L'amertume de Mme Walcott était sincère, il serait probablement douloureux pour elle d'apprendre les crimes commis par Roger Valin la veille.

— Mon mari était vraiment désolé pour le garçon et en colère contre son père. De temps en temps je l'entendais en parler très mal. Dire qu'ils étaient si liés. Toutefois, il ne médisait jamais devant Roger. Arthur et lui avaient une relation particulière, il était le seul qui arrivait à le faire sortir de chez lui.

— Comment s'y prenait-il ?

— Les montres, dit Mme Walcott en posant sa tasse vide sur le plateau. Arthur les collectionnait. Il les achetait sur les marchés ou dans les ventes aux enchères. Il passait des journées entières à les démonter et à les réparer. Quand il était à la retraite, je devais lui rappeler de manger ou de venir se coucher. Il était entouré de montres mais oubliait le temps qui passait : incroyable, non ?

— Et il a transmis sa passion à Roger, conclut Mila qui était déjà au courant du hobby du tueur.

— Il lui a appris tout ce qu'il savait. Le garçon adorait ce monde de tic-tac et de précision. Arthur disait qu'il était doué.

L'infiniment petit fait rêver, quand on est malheureux. Un peu comme disparaître de la vue des autres tout en conservant une fonction dans le monde, aussi essentielle que celle de calculer le temps. Or Roger Valin avait choisi de disparaître, lui aussi.

— Il y a une mansarde là-haut. Au départ elle était destinée aux enfants que nous n'avons jamais eus. Nous parlions toujours de la louer, mais elle est devenue le laboratoire d'Arthur. Roger et lui s'y enfermaient, parfois tout l'après-midi. Puis mon mari est tombé malade et, du jour au lendemain, le garçon n'est plus venu chez nous. Arthur lui trouvait des excuses, disait que tous les adolescents sont ainsi, que Roger n'agissait pas par méchanceté. Et puis, il voyait sa mère agoniser, il n'avait pas envie d'assister au déclin d'un autre être humain, fût-il son seul ami, expliqua la femme en se séchant une larme avec un mouchoir sorti d'une poche de sa robe de chambre. Mais moi, je suis convaincue qu'Arthur l'a très mal vécu. Je crois que, dans son cœur, il a espéré chaque jour que Roger franchirait à nouveau le seuil de cette maison.

— Donc vos relations se sont interrompues, conclut Mila.

— Non. Quand mon mari est mort, Roger n'est même pas venu à l'enterrement. Pourtant, six mois après, un matin, il a frappé à ma porte. Il m'a demandé s'il pouvait monter dans la mansarde pour recharger les montres. Ensuite, il a pris l'habitude de venir, seul.

— Là-haut ?

— Oui. Il rentrait de l'école, allait s'occuper de sa mère et, quand elle n'avait plus besoin de lui, il montait passer quelques heures là-haut. Il a continué à le faire même après avoir commencé à travailler comme comptable, puis à un moment je n'ai plus eu aucune nouvelle.

Mila comprit qu'elle faisait allusion à sa disparition.

— D'après ce que vous me dites, hormis sa mère vous étiez la personne qui le voyait le plus en dehors du travail. Pourtant ce n'est pas vous qui avez alerté les autorités. Excusez-moi, mais cela ne vous a pas étonnée que Roger ne vienne plus ?

— Il entrait et sortait seul. L'accès à la mansarde se fait par un escalier extérieur, donc parfois nous ne nous croisions même pas. Il était silencieux mais, bizarrement, je savais quand il était là-haut. Je ne peux pas vous l'expliquer… c'était une sensation. Je sentais sa présence dans la maison.

Mila perçut une agitation dans le regard et sur le visage de la vieille femme. C'était la crainte de ne pas être crue, de passer pour une vieille folle. Mais il y avait autre chose. De la peur. Elle se pencha vers elle et posa une main sur la sienne.

— Madame Walcott, dites-moi la vérité : pendant les dix-sept dernières années, avez-vous ressenti la présence de Roger chez vous ?

Les yeux de la femme s'emplirent de larmes qu'elle tenta de réprimer en serrant les lèvres. Puis, avec un mouvement décidé de la tête, elle acquiesça.

— Si cela ne vous dérange pas, j'aimerais jeter un coup d'œil à la mansarde.

10

L'alarme qu'elle avait entendue dans le quartier sonnait toujours au loin.

En montant les marches qui conduisaient à la mansarde, Mila posa instinctivement la main sur l'étui de son arme. Elle ne pensait pas y débusquer Roger Valin, mais la réaction de Mme Walcott à sa dernière question l'avait troublée. Il pouvait s'agir du délire d'une femme seule et âgée, mais Mila était convaincue que les peurs n'étaient jamais infondées.

Il était possible que la maison ait hébergé un hôte silencieux et, surtout, indésirable.

Pour la deuxième fois de la journée, Mila fouilla une habitation. Le matin, chez les Conner, elle avait découvert une fillette fantôme dans la cave. Statistiquement, elle ne pouvait pas avoir autant de chance dans la mansarde.

La porte était verrouillée, mais Mme Walcott lui avait donné une clé. Alors qu'elle s'apprêtait à ouvrir, elle entendit à nouveau la sirène, avertissement inopportun qui semblait la mettre en garde et en même temps se moquer d'elle.

Mila posa la main sur la poignée et appuya, pleine d'espoir. Elle s'attendait à un grincement mais la porte s'ouvrit avec un soupir. Devant elle, le petit appartement sous le toit était tout en longueur. Il y avait un bahut, un sommier, un matelas roulé dans un coin, une petite cuisine avec deux plaques de cuisson à gaz et une toute petite salle de bains. Au fond, une lucarne projetait un rayon de lumière sur la table de travail appuyée contre le mur, surmontée par une vitrine poussiéreuse. Mila lâcha son arme et avança lentement. Elle avait l'impression de violer un espace privé.

Une tanière.

Il n'y avait aucune trace du passage de Roger Valin. Les objets semblaient ne pas avoir bougé ni servi depuis des années. Elle s'assit au bureau. Un étau était accroché à un coin de la planche, à côté d'une lampe ronde avec une loupe au centre. Quelques outils, bien ordonnés : des tournevis, des pinces, un petit couteau et un monocle d'horloger. Des boîtes pleines de composants et de pièces d'engrenage. Un petit coussin de montage, un marteau en bois, une burette. Et d'autres instruments que Mila ne connaissait pas.

Sans la maudite alarme qui sonnait toujours, elle se serait laissé emporter par le calme de ces objets. Elle leva les yeux vers la vitrine accrochée au-dessus du bureau. À l'intérieur, sur deux rangées, trônait la collection de montres de M. Walcott.

Immobiles dans l'enchantement de la seule force à même de vaincre le pouvoir du temps : la mort.

À vue de nez il y en avait une cinquantaine, bracelets et goussets. Elle les passa en revue à travers la vitre. Elle remarqua plusieurs Longines et une Tissot, une Revue Thommen au bracelet en cuir bleu et au boîtier argenté, une magnifique Girard-Perregaux en acier. Mila ne s'y connaissait pas en montres mais elle avait l'impression que M. Walcott avait laissé à sa femme un petit trésor dont elle n'avait pas conscience. En vendant quelques pièces elle aurait pu mener une existence plus confortable. Pourtant, qu'aurait pu désirer de plus une femme seule au monde ? Elle se contentait de l'affection d'un chat et d'une myriade de souvenirs qui avaient désormais la forme fatiguée de bibelots et de vieilles photos.

La lucarne de la mansarde donnait sur la villa d'en face. Mila essaya de se connecter à l'esprit de Roger Valin. *Tu pouvais voir ta maison, tu avais donc l'impression de ne pas laisser ta mère seule. En même temps, passer du temps ici te permettait de lui échapper un peu. Pourquoi as-tu disparu quand elle est morte ? Où es-tu allé ? Pourquoi es-tu revenu ? Quel sens a cette vengeance tardive ? Et que fais-tu, à l'heure qu'il est ?*

Les questions se fondaient avec la sirène de l'antivol en un crescendo oppressant. Pourquoi Valin, au moment où il avait massacré la famille Belman, portait-il les mêmes vêtements que quand il avait disparu ? Pourquoi avait-il appelé une laverie automatique cette nuit-là ? Pourquoi personne n'avait répondu ? *Donne-moi la preuve que tu es venu ici, Roger. Qu'au fond de ton âme tu as ressenti de la nostalgie pour le monde que tu avais fui et que tu as voulu faire un saut dans le passé, dans ton ancienne tanière.*

Soudain, l'alarme se tut. Cependant elle continua à résonner dans la tête de Mila, le silence mit un moment à remplir la mansarde et à la remplir elle-même.

C'est alors qu'elle perçut le tic-tac.

Aussi régulier qu'un message codé, aussi insistant qu'un rappel secret, il attira l'attention de la policière comme s'il répétait son nom. Mila ouvrit la vitrine et chercha la montre qui émettait cet obscur signal.

C'était une vieille Lanco sans valeur, le bracelet en faux crocodile, le boîtier rouillé, la vitre ébréchée et le cadran ivoire, bruni par le temps.

Il arrivait qu'une montre se remît en marche, exploitant une charge conservée pendant des années. Pourtant, en le prenant dans ses mains, Mila comprit que ce n'était pas le hasard qui avait réveillé l'objet de sa torpeur.

Quelqu'un avait activé la montre récemment, parce qu'elle indiquait l'heure exacte.

11

— Il est venu ici, cela ne fait aucun doute.

Mila était assise dans sa voiture garée devant chez Mme Walcott. Il était 22 heures passées et elle arrivait seulement à joindre Boris qui avait passé tout l'après-midi en réunion pour débattre de l'opportunité de divulguer ou non à la presse l'histoire du massacre et, par conséquent, la photo du coupable. Boris pensait que cela servirait à faire terre brûlée autour de Roger Valin ; si quelqu'un le reconnaissait ils résoudraient peut-être, au moins en partie, le mystère des dix-sept ans dans le néant. Pourtant, Gurevich s'était montré inflexible : il soutenait que la diffusion de la nouvelle flatterait le tueur et le pousserait à réitérer. L'éminence secrète du département avait eu gain de cause.

— Excellent travail, lui dit son ami l'inspecteur. Mais nous avons d'autres priorités, pour l'instant.

Après le massacre, Roger Valin avait disparu sans laisser de traces. Ils n'avaient rien, et une autre nuit commençait. Dans quelle maison allait-il s'introduire, cette fois ? Sur qui déverserait-il sa rancœur ?

— Le problème est que le mobile qui a poussé le tueur à éliminer les Belman était réel mais, en même temps, trop aléatoire. Exterminer la famille du patron d'un laboratoire pharmaceutique qui produit un médicament miracle trop coûteux ne veut pas dire qu'il a un plan, tu ne crois pas ? À qui va-t-il s'en prendre, maintenant ? Au président de l'association des maris qui quittent leur femme malade avec enfant à charge ?

Mila comprenait la frustration de Boris.

— Excuse-moi, poursuivit-il, la journée a été longue. Quoi qu'il en soit, tu as vraiment fait du bon travail. Je peux mettre la maison de Mme Walcott sous surveillance, en espérant que notre homme se manifeste.

— Je ne pense pas qu'il le fera, répondit Mila en regardant la villa de l'autre côté de la rue. Valin nous a laissé la montre comme une sorte d'indice.

— On est certains que ce n'est pas la vieille qui a remis le mécanisme en marche ? C'est une piste un peu faible, je ne sais pas dans quelle mesure elle nous aidera à retrouver Valin.

Boris n'avait pas tort et pour l'instant il était difficile de raisonner, étant donné la menace concrète que le tueur frappe à nouveau.

— Bien, on s'en occupera demain, dit la policière avant de saluer son ami et de prendre le chemin de son domicile.

À cette heure tardive, elle trouva une place à trois pâtés de maisons de chez elle. La nuit tombée, la température quasi estivale de la journée avait cédé la place à une humidité saisissante. Mila ne portait qu'un jean et un tee-shirt, elle accéléra le pas.

Le quartier, édifié plus ou moins un siècle auparavant, avait été récemment pris d'assaut par des yuppies et des architectes célèbres qui le transformaient lentement en nouvel épicentre branché. Cela arrivait de plus en plus souvent. La métropole était un magma en perpétuelle métamorphose. Seuls ses péchés étaient immuables. Les quartiers étaient restructurés, les rues renommées, ainsi les habitants pouvaient se sentir modernes et oublier qu'ils menaient les mêmes vies que leurs prédécesseurs, reproduisaient les mêmes gestes et les mêmes erreurs.

Victimes prédestinées de bourreaux prédestinés.

Avec son massacre, Valin avait peut-être tenté d'inverser le cycle. Belman était un homme important qui, tel un dieu païen, possédait le pouvoir de guérir et de donner la vie mais le distribuait selon son bon vouloir. Pourtant, Mila ne comprenait pas pourquoi Valin avait également fait expier les fautes du chef de famille à sa femme et à ses enfants.

Sur le chemin de chez elle, elle s'était arrêtée pour acheter deux hamburgers dans un fast-food. Elle en avait mangé un dans la voiture, l'autre était encore dans son sachet. En passant à côté d'une ruelle, elle le laissa sur le couvercle d'une poubelle, puis elle monta les marches d'un petit immeuble à quatre étages. Le temps d'introduire la clé dans la serrure, elle vit deux mains sales se tendre dans l'ombre pour récupérer le précieux sachet de nourriture. Ce SDF devrait bientôt quitter le quartier, lui aussi. Il n'aurait plus sa place dans le nouveau paysage, bien illustré par le grand panneau publicitaire qui recouvrait la façade de l'immeuble en face du sien, en ravalement : un trompe-l'œil représentant les futurs habitants du quartier.

Mila s'arrêta pour observer l'heureux couple de géants qui souriaient sur le panneau – c'était une sorte de rituel. Elle n'arrivait décidément pas à les envier.

Après avoir refermé la porte de son appartement, elle attendit quelques secondes avant d'allumer la lumière. Elle était épuisée. Elle profita du silence dans ses pensées. Mais cela ne dura pas.

Tu es à lui. Tu lui appartiens. Tu sais que ce que tu vas voir va te plaire.

C'était vrai. Elle avait ressenti une sensation familière en remettant les pieds sur une scène de crime, en contact direct avec les signes du mal. Les gens qui regardaient les journaux télévisés croyaient savoir, mais ils n'avaient pas idée de ce que signifiait se retrouver devant le cadavre d'une victime d'assassinat. Il arrive toujours quelque chose d'étrange aux policiers, une sorte de processus naturel, ils y passent tous. Au début, on ressent du dégoût. Puis on s'habitue. Enfin, cela devient une dépendance. Au départ on associe la mort à la peur – d'être tué, de tuer, de voir des gens assassinés. Ensuite l'idée s'immisce comme un mauvais gène dans la chaîne ADN. Il se réplique et finit par faire partie de soi. Alors la mort est la seule chose qui nous fait nous sentir vivants. Pour Mila, c'était l'héritage de l'affaire du Chuchoteur. Mais pas le seul.

Elle tendit enfin la main vers l'interrupteur et une lampe s'alluma à l'autre bout de la pièce. Des piles de livres étaient entassées dans le séjour, de même que dans la chambre, dans la salle de bains et même dans la petite cuisine. Romans, essais, textes de philosophie, d'histoire. Neufs, usagés. Elle les achetait en librairie ou à des bouquinistes.

Elle s'était mise à les accumuler peu après la disparition de son collègue des Limbes, Éric Vincenti. Elle craignait de finir comme lui, consumée par l'obsession des disparus.

Je les cherche partout. Je les cherche toujours.

Ou bien d'être engloutie par l'obscurité qu'elle explorait. Par certains aspects, les livres constituaient un lest pour rester ancrée à la vie, parce qu'ils avaient une fin. Peu lui importait qu'elle soit heureuse ou non, cela restait un privilège dont ne jouissaient pas toujours les histoires dont elle s'occupait au quotidien. Et puis, les livres étaient un excellent antidote au silence parce qu'ils remplissaient son esprit des mots nécessaires pour combler le vide laissé par les victimes. Surtout, ils représentaient une échappatoire. Sa façon de disparaître. Elle se plongeait dans la lecture et tout le reste – y compris elle-même – cessait d'exister. Dans les livres, elle pouvait être n'importe qui. Ce qui revenait à n'être personne.

Quand elle rentrait chez elle, seuls les livres l'accueillaient.

Elle s'approcha du comptoir qui séparait le salon de la petite cuisine. Elle y posa son pistolet dans son étui, son insigne et sa montre à quartz. Elle retira son tee-shirt et aperçut dans une vitre le reflet de son corps maigre couvert de cicatrices. Elle était contente de ne pas avoir de formes, autrement elle aurait été tentée de les creuser avec une lame. Les blessures dont elle s'était couverte au fil des ans témoignaient de la douleur qu'elle n'arrivait pas à ressentir pour les autres. Se taillader était la seule façon qu'elle avait trouvée pour se rappeler à elle-même que, dans le fond, elle était humaine.

Bientôt, elle pourrait fêter l'anniversaire de sa dernière blessure. Bien que ne s'étant rien promis, elle essayait. Cela faisait partie de son parcours personnel d'amélioration. Trois cent soixante-cinq jours sans se taillader, incroyable. Pourtant, se voir dans la glace représentait encore une invitation, son corps nu la tentait, aussi elle détourna le regard. Avant de se glisser sous la douche, elle alluma l'ordinateur portable qui était posé sur la table.

Elle avait un rendez-vous.

12

C'était devenu un rituel.

Enveloppée dans son peignoir, une serviette sur la tête, Mila emporta son ordinateur dans son lit. Elle l'installa sur ses jambes et ouvrit une application. Elle éteignit la lumière et se connecta à Internet. Quelque part, un système jumeau répondit et une fenêtre noire s'ouvrit sur son écran. Mila reconnut le son, faible mais continu. Il provenait de l'obscurité mais n'était pas hostile.

Une respiration.

Elle l'écouta un moment, se laissant bercer par son rythme tranquille. Au bout de quelques secondes, elle appuya sur une touche et l'écran noir céda la place à une image.

Une petite chambre éclairée par une lueur verte.

La caméra – identique à celle qu'elle aurait placée chez les Conner – sondait l'obscurité en mode infrarouge. On apercevait une armoire sur la droite, au centre un tapis moelleux, couvert de jouets, un poster de personnages de dessins animés, une maison de poupées et, sur la gauche, un lit à une place.

Sous les couvertures dormait une fillette.

Mila ne remarqua aucune étrangeté, tout semblait calme. Elle l'observa encore un moment, hypnotisée par la sérénité de la scène. Elle repensa à une autre fillette – le bébé fantôme enfermé dans la cave qu'elle avait sauvé quelques heures plus tôt. En se concentrant, elle sentait encore son poids dans ses bras. Elle n'éprouvait ni compassion ni tendresse, rien hormis une mémoire tactile, un peu de tristesse d'être condamnée à ne connaître aucune empathie. Toutefois, d'une certaine façon, la rencontre avec Mme Conner l'avait marquée.

Quelle mère serais-je, si je ne connaissais pas le nom de la poupée préférée de ma fille ?

Quelque chose se produisit dans la chambre. Une lumière s'insinua par la porte qui donnait sur un couloir, vite occultée par une ombre humaine. Une silhouette apparut sur le seuil, mais elle n'en distinguait pas le visage. La femme alla recouvrir la fillette, puis elle la regarda dormir.

Et toi, connais-tu le nom de sa poupée préférée ?

Soudain, elle se sentit de trop. Sans interrompre la connexion, elle ouvrit un fichier sur son ordinateur et le dossier de Roger Valin vint dissimuler la fenêtre des images en direct. Elle voulait le relire avant de s'endormir. Un point fondamental restait à résoudre.

Le mystère de l'appel à la laverie automatique.

Elle ne comprenait pas pourquoi le tueur avait eu besoin de téléphoner à quelqu'un. Même en supposant l'existence d'un complice, pourquoi n'avait-on pas répondu ?

Quelque chose ne cadrait pas. Il y avait forcément une explication. Ce comportement n'avait aucun sens, de même qu'elle ne comprenait pas pourquoi Valin portait les mêmes vêtements que sur une photo vieille de dix-sept ans.

Costume gris clair, chemise à fines rayures, cravate verte.

Après le massacre, le tueur avait pris son petit déjeuner avec le fils de Belman et en avait profité pour lui révéler son identité. Il avait même pris la peine de lui inscrire son nom sur un papier pour que Jes ne se trompe pas en le révélant à la police. Et surtout, il voulait que le jeune garçon mémorise bien son visage et sa tenue.

Gurevich avait ironisé sur le détail des vêtements, supposant que l'homme ait pu passer dix-sept ans aux mains des extraterrestres. Après sa visite chez les Walcott et la découverte des montres, Mila préférait comparer Valin à un voyageur du temps capable de passer par un trou noir reliant les époques. Ces deux hypothèses, aussi invraisemblables l'une que l'autre, témoignaient de leurs différentes approches de l'enquête : Gurevich, qui venait de la brigade criminelle, était habitué à se concentrer sur le présent, sur le « ici et maintenant » selon un critère de cause à effet ; aux Limbes, en revanche, on travaillait sur le passé.

C'était Éric Vincenti qui lui avait expliqué cette différence. Mila se rappelait les conversations avec son collègue, avant que celui-ci connaisse le même sort que ceux qu'ils recherchaient.

« Un homicide se concrétise au moment de la mort, disait Vincenti. En revanche, pour parler de disparition, il ne suffit pas de disparaître, il faut que du temps passe. Pas seulement les trente-six heures légales avant de commencer les recherches, bien plus. La disparition se cristallise quand ce que l'individu a laissé derrière lui commence à se détériorer : la compagnie d'électricité coupe la ligne, les plantes meurent sur le balcon parce que personne ne les arrose, les vêtements dans l'armoire passent de mode. Il faut chercher les motivations de ce délabrement en remontant dans le temps. » Éric Vincenti exagérait un peu, mais Mila savait qu'au fond il avait raison.

On disparaît bien avant la disparition effective.

Pour les enlèvements, elle a lieu quand le ravisseur remarque sa victime pour la première fois et contamine sa vie comme une présence invisible, l'observant à distance. Dans les cas d'éloignement volontaire, elle commence le jour où le futur disparu ressent pour la première fois une sensation de mal-être incompréhensible. Il la sent croître en lui comme un désir inassouvi, comme une blessure qui le démange : on sait qu'en obéissant à cette impulsion on empire la situation mais on ne peut s'en empêcher. On est comme contraint de répondre à cet appel. Et de le suivre dans l'ombre. C'est ce qui était arrivé à Roger Valin, et aussi au pauvre Éric Vincenti.

La raison d'une disparition se trouve dans le passé.

Mila se concentra à nouveau sur le tueur. Pas de lettre, pas de petit mot pour expliquer son geste. Un tueur de masse agit par haine, rancœur ou vengeance. Un tueur de masse s'exprime à travers ses gestes criminels et ne s'inquiète pas d'être compris.

Et si les vêtements, le coup de téléphone à la laverie et la montre à l'heure chez Mme Walcott faisaient partie d'un même message ?

La réponse était « le temps ».

Valin attirait l'attention sur le moment de sa disparition.

Mila ouvrit un moteur de recherches sur son ordinateur. *En portant ces vêtements, Valin nous communique qu'il faut raisonner comme si nous étions il y a dix-sept ans. Quand il a appelé la laverie, il n'a pas composé un faux numéro.*

Pour lui, c'était le bon numéro.

Mila entra dans un fichier d'archives téléphoniques de la police. Elle introduisit le numéro de la laverie pour remonter au nom et à l'adresse de l'abonné correspondant à ce numéro à l'époque de la disparition de Valin, puis elle lança la recherche.

Sur l'écran, une petite icône en forme de sablier scandait l'écoulement des secondes. Mila la regardait fixement, se mordant les lèvres d'impatience. La réponse arriva. Elle ne s'était pas trompée : dix-sept ans plus tôt, ce numéro était bien actif.

Il appartenait à la Love Chapel, située sur la route nationale menant au lac.

Mila chercha le numéro actuel du lieu mais découvrit que la Love Chapel avait cessé son activité depuis plusieurs années. Elle réfléchit. Que fallait-il faire ? Avertir immédiatement Boris ou attendre le lendemain ? Cette piste était sans doute trop faible, elle aussi, il pouvait s'agir d'un pur hasard.

Elle observa une dernière fois la fenêtre avec les images de la fillette qui dormait tranquillement. Elle ne l'espionnait pas, elle la protégeait. Elle repensa à ce qui était arrivé chez les Conner. *Je suis celle qui s'introduit chez les gens pour cacher des caméras.*

C'était grâce à son inconscience que ce matin-là une fillette fantôme avait été libérée de sa prison.

Mila savait qu'elle ne pourrait attendre.

Elle éteignit son ordinateur, se leva et se rhabilla.

13

La lune blanche brillait dans le ciel limpide.

La route du lac était déserte, la nuit comme le jour. Autrefois, ce lieu était une destination de villégiature, on y trouvait des hôtels, des restaurants et une plage aménagée. Une douzaine d'années auparavant, l'hiver, des poissons et des animaux lacustres étaient morts de façon inexplicable. Les autorités n'avaient pu identifier la cause, mais on avait accusé la trop forte pollution de l'eau. La psychose avait gagné les vacanciers, qui avaient déserté la zone. Très vite, le problème s'était réglé : la faune s'était repeuplée et l'écosystème avait recouvré son équilibre. Néanmoins le mal était fait, les vacanciers n'étaient pas revenus. Les structures qui les avaient accueillis pendant des générations avaient mis la clé sous la porte et s'étaient délabrées par manque d'entretien, condamnant la zone à un déclin inexorable.

La Love Chapel avait sans doute connu le même sort.

C'était un de ces endroits où les gens vont pour se marier. Elle offrait un service de cérémonies laïques pour les couples sans confession religieuse qui ne se contentaient pas d'un mariage à la mairie.

En passant un dos-d'âne, Mila aperçut à travers le pare-brise de sa Hyundai l'arche en maçonnerie qui tenait lieu à la fois d'entrée et d'enseigne. Au milieu, deux cœurs de dimensions différentes réalisés avec des néons désormais éteints. Ils étaient surmontés d'un cupidon en fer-blanc au visage partiellement dévoré par la rouille, qui en avait déformé l'expression. On aurait dit un ange déchu gardant un paradis trompeur.

Le complexe s'étendait derrière le parking, une série de constructions basses entourant ce qui ressemblait à une église postmoderne. La lumière de la lune la protégeait des ténèbres mais en même temps, sans pitié, elle en accentuait la désolation.

Mila gara sa voiture à côté du cottage qui servait de réception. Elle éteignit le moteur et descendit. Elle fut accueillie par le silence sauvage et inhospitalier d'un monde qui avait appris à se passer de présence humaine.

Située sur les hauteurs, la Love Chapel n'offrait pas le meilleur panorama, toutefois elle jouissait de la vue sur le lac. On distinguait les hôtels abandonnés qui se dressaient à plusieurs endroits du rivage.

Mila monta trois marches et découvrit que l'entrée de la réception était bloquée par des barres métalliques, impossibles à enlever. À côté de la porte, une fenêtre était obstruée par des planches de différentes dimensions. Néanmoins, elle lorgna à l'intérieur à travers les fentes. Elle prit sa lampe torche dans la poche de son blouson en cuir, s'approcha et éclaira la pièce.

Un visage souriant la surprit à espionner.

Mila recula d'un pas. Quand elle reprit ses esprits, elle comprit qu'il s'agissait du cupidon de l'entrée. L'espace d'un instant, elle crut qu'il avait quitté sa place pour lui faire peur, mais ce n'était qu'une silhouette en carton. Elle s'approcha à nouveau et, derrière le reflet de son visage sur la vitre, elle distingua un comptoir poussiéreux et un présentoir dont une partie des dépliants jonchait le sol. Sur un mur, une affiche présentait les différentes atmosphères que les couples d'amoureux pouvaient choisir pour couronner leur rêve. En effet, la chapelle pouvait être décorée de plusieurs façons, évoquées par des noms exotiques. On pouvait choisir Venise ou Paris, mais aussi un cadre inspiré du film *Autant en emporte le vent*, ou encore de *La Guerre des étoiles*. Tout en bas figuraient les prix des cérémonies, qui incluaient une mignonnette de champagne français offerte par la maison.

Une rafale de vent caressa le dos de Mila. Elle frissonna et se retourna. L'air poursuivit son chemin jusqu'à l'entrée de la chapelle et fit grincer l'un des battants du portail.

Apparemment, quelqu'un l'avait laissé ouvert.

La lune lui indiquait le chemin, aussi la policière éteignit sa lampe. Elle avança sur la place. Ses pas crépitaient sur l'asphalte émietté par les longs hivers. Le vent d'ombres la poursuivait, dansant entre ses jambes. Elle empoigna son arme. Les bâtiments bas autour d'elle étaient telles les ruines d'un cataclysme nucléaire. Portes et fenêtres étaient des bouches qui se refermaient sur des antres ténébreux, protégeant une obscurité de mondes secrets ou peut-être, simplement, le néant dont est faite la peur. Mila avançait. L'obscurité l'observait avec ses yeux noirs.

Elle aurait dû appeler quelqu'un. Boris. *Je me comporte comme une héroïne de film d'horreur qui veut se faire tuer.* Mais elle savait pourquoi. Il s'agissait d'une nouvelle étape d'un défi perpétuel. C'était le monstre qui faisait semblant de dormir à l'intérieur d'elle qui lui dictait sa conduite. Le même qui avait guidé sa main chaque fois qu'elle avait incisé sa chair avec une lame de rasoir. Elle le nourrissait avec sa douleur et sa peur dans l'espoir de calmer sa faim. Autrement, elle ne savait pas ce qu'il serait capable de faire. Ou de lui faire faire.

Arrivée devant l'entrée, elle s'arrêta un instant avant de monter les marches qui la séparaient du portail. Quand elle se pencha pour regarder à l'intérieur, elle sentit l'obscurité lui souffler sur le visage. Elle reconnut l'odeur. C'est un aspect positif de la mort : elle ne se cache pas, le message qu'elle adresse aux vivants est toujours clair. Puis elle entendit le bruit. Aussi léger qu'un froissement, aussi frénétique qu'une machinerie.

Elle pointa sa torche à l'intérieur et un amas grouillant de créatures se dispersa en une seconde. Certaines, ne prêtant pas attention à elle, restèrent pour accomplir leur œuvre.

Au centre d'une scénographie qui évoquait le Moyen Âge, un matelas crasseux où gisait une silhouette immobilisée par des sangles.

Mila tira un coup en l'air, qui résonna sur la place, jusqu'au lac, et les rats s'éloignèrent du corps. Un seul hésita, la fixa quelques longues secondes de ses petits yeux chargés de haine envers l'intruse qui avait interrompu son repas. Puis il disparut à son tour.

La policière observa le cadavre. C'était un homme, âge indéfinissable. Il portait un tee-shirt et un caleçon bleu.

Sa tête était dans un sachet en plastique fermé par du ruban adhésif.

Mila recula d'un pas et fit bouger sa lampe en récupérant son téléphone dans sa poche, mais un point lumineux persista sur le matelas. La lumière de la lune était entrée et faisait briller quelque chose sur la main du mort. La policière s'approcha pour regarder.

À l'annulaire décharné de sa main gauche, il portait une alliance.

14

La zone était devenue inaccessible.

La chaussée était barrée et, pour achever de décourager les touristes potentiels, un panneau lumineux signalait un éboulement le long de la route. Les agents de police étaient seuls dans le lieu abandonné.

En attendant l'arrivée de ses collègues à la Love Chapel, Mila s'était assise sur les marches de la fausse église. Elle avait vu l'aube forcer la ligne d'horizon pour envahir la vallée. L'eau du lac avait pris une coloration rouge vif, accentuée par les feuillages de l'automne qui débutait.

La faible lueur du jour avait dévoilé le terrible spectacle, mais Mila était étrangement calme. Comme éprouvée par la fatigue de la peur, elle ne sentait rien. Sans bouger, elle avait entendu les sirènes approcher, puis elle avait vu les gyrophares émerger au loin et se diriger vers elle, telle une armée libératrice.

Au moment où la scène de crime avait été éclairée par les halogènes, l'horreur avait cédé la place à la froideur de l'analyse.

La police scientifique avait sécurisé le périmètre, ramassé des indices, tout photographié et cristallisé les preuves éventuelles. Dans la chorégraphie habituelle qui se déroulait autour du cadavre, c'était maintenant au tour du médecin légiste de s'exhiber avec la patrouille des fossoyeurs.

— Tout est comme il paraît, rien n'est comme il paraît, fut la réponse tordue de Chang, penché sur la victime.

Alors que les agents allaient et venaient à l'extérieur, à l'intérieur de la chapelle, seuls Mila et Gurevich étaient présents en plus des experts.

— Vous pourriez être plus précis ? réclama ce dernier.

Chang souleva à nouveau le corps étendu sur le matelas maculé de matières organiques, en sous-vêtements, la tête dans un sac plastique.

— Non.

La réponse de Chang, qui témoignait de la terreur que lui inspirait l'inspecteur, énerva Gurevich.

— On doit savoir au plus vite à quand remonte la mort.

Le problème était les rats qui avaient altéré l'état de la dépouille. En particulier, les mains et les pieds du cadavre, presque entièrement décharnés. Les aisselles et l'aine présentaient les blessures les plus profondes. Ce massacre empêchait de remonter au moment du décès grâce à un examen objectif, aussi il était encore plus compliqué d'en imputer la responsabilité à Roger Valin.

Mais Mila considéra que, si c'était vraiment l'œuvre du tueur, le modus operandi était plus que radicalement différent. Le passage de l'utilisation d'un fusil semi-automatique Bushmaster .223, qui n'impliquait aucun contact physique avec les cibles, à ce qu'ils avaient devant les yeux était incompréhensible. C'était ce qui les inquiétait tant.

Boris les rejoignit dans la chapelle, il se posta dans un coin et écouta.

— Pour formuler une hypothèse plausible et savoir depuis combien de temps la victime était là, il faudrait faire une autopsie, expliqua le médecin légiste.

— Je ne vous demande pas un rapport, juste un avis, l'enjoignit Gurevich.

Chang réfléchit, comme s'il pensait déjà à une réponse mais qu'il avait peur de se prononcer et de commettre une erreur qui lui serait reprochée par la suite.

— Je dirais que le décès remonte à au moins vingt-quatre heures.

La réponse avait deux implications. La moins importante était que, même si quelqu'un avait élucidé plus tôt l'énigme du numéro de téléphone de la laverie automatique, l'homme à la tête dans le sac plastique n'aurait pas pu être sauvé pour autant. La seconde, plus importante, était que le coupable ne pouvait pas être Roger Valin.

Évidemment, cette éventualité n'enthousiasmait pas Gurevich.

— Un autre tueur. Une deuxième main. Bien, voyons qui est le mort.

Ils pouvaient enfin découvrir le visage de la victime. Cela pourrait peut-être contribuer à résoudre ce nouveau mystère.

— Je vais enlever le sac de la tête du cadavre, annonça Chang.

Il changea ses gants en latex et passa autour de sa tête une lampe frontale à LED. Il s'arma d'un bistouri et s'approcha du corps.

Avec deux doigts, il souleva un bord de cet étrange suaire qui adhérait à la peau, tandis que de l'autre main il procéda à une découpe précise dans le plastique, débutant à la hauteur de l'os pariétal.

Alors que toutes les personnes présentes, concentrées sur l'opération, attendaient la réponse avec impatience, Mila fixait toujours l'alliance à l'annulaire gauche du cadavre. Elle pensait à la femme qui ne savait peut-être pas encore qu'elle était veuve.

Chang acheva l'incision sous la gorge de la victime. Il reposa sa lame avant de retirer délicatement le pan qu'il avait dégagé.

Il découvrit enfin le visage de l'homme.

— Merde, commenta Gurevich, qui l'avait reconnu.

— C'est Randy Philips, confirma Klaus Boris. Page 3, ajouta-t-il en sortant de sa poche le journal du matin.

Il ouvrit le quotidien sur la photo d'un homme raffiné au sourire arrogant. Il n'y avait pas de doute, mais Gurevich confronta l'image avec le visage du cadavre, puis lut le titre :

— « Philips rate son entrée »… « Le juge condamne l'accusé parce que son avocat ne se présente pas à l'audience. »

Tandis que Chang complétait l'examen de la tête, Boris s'adressa à l'équipe :

— Randall « Randy » Philips, trente-six ans, spécialisé en affaires de maltraitance conjugale. La plupart du temps, il défendait les méchants maris. Sa stratégie était de débusquer les pires horreurs sur les épouses et petites amies. Quand il n'en trouvait pas, il en inventait. Il avait l'art de rouler les malheureuses dans la boue, de les faire passer pour des moins-que-rien. Il était incroyable : même quand la pauvrette arrivait au tribunal couverte de bleus, avec un œil au beurre noir ou en fauteuil roulant, Philips arrivait à convaincre les jurés qu'elle l'avait cherché.

Mila remarqua les regards amusés que s'échangeaient les hommes de Chang. Cette solidarité masculine grossière et si banale lui rappela les interventions de Randy Philips à la télévision. La devise de l'avocat était : « Il est toujours facile de juger une femme… Même si ce sont d'autres femmes qui la jugent. » Il obtenait le non-lieu pour ses clients dans la majorité des cas, et pour les autres les peines étaient réduites au minimum. Il avait gagné le surnom de « terrasseur d'épouses » et celui, moins ironique, de « Randy le salaud ».

— On peut peut-être reconstituer la dynamique des faits, annonça Chang après un examen sommaire. D'abord il a été étourdi avec un pistolet électrique, un taser ou un aiguillon pour bovins, expliqua-t-il en indiquant une brûlure sur la gorge, due à une brève décharge. Ensuite, il a été immobilisé avec des sangles. Enfin, on lui a placé le sac sur la tête. L'acidose respiratoire a vite causé la mort.

Un silence suivit.

— Randy Philips était marié ?

Ils se tournèrent vers Mila, étonnés par sa question. Gurevich l'observa d'un air suspicieux.

— Je peux me tromper, mais il me semble que non, affirma Boris.

La policière indiqua la main gauche du cadavre et l'alliance qu'elle avait remarquée grâce au reflet de la lune au moment où elle avait découvert le corps.

Personne ne prononça un mot.

Une sorte de loi du talion.

— Randy contraint d'épouser sa propre mort dans la chapelle de l'amour, vous y croyez ? ironisa Chang, pas assez fort pour être entendu de Gurevich. Comme pour dire : tu es coincé dans un mariage auquel tu ne peux pas échapper.

Exactement comme les femmes piégées dans un rêve d'amour qui cache un cauchemar. Elles ne peuvent demander le divorce parce qu'elles n'ont pas de revenus ni de travail, elles sont obligées de subir les maltraitances parce que la peur des coups n'est pas aussi forte que celle de tout perdre. Des femmes ayant trouvé le courage de dénoncer la violence mais qui, grâce à Randy, voyaient leur bourreau sortir libre du procès.

— Il faudra établir si le tueur était seul ou non, affirma Gurevich tandis que Krepp et ses hommes reprenaient possession des lieux pour achever leur travail, interrompu pour laisser le champ libre au médecin légiste.

— Un seul assassin, répondit l'expert de la scientifique d'un ton catégorique.

— Tu es sûr ? demanda Boris.

— Quand nous sommes arrivés, nous avons préservé la scène. J'ai demandé à mes hommes de relever les empreintes sur le sol de la chapelle – la poussière accumulée au fil des ans nous a bien aidés. Hormis celles de l'agent Vasquez, les autres appartenaient à la victime et à une seconde personne qui chaussait du trente-huit.

— Poursuivez, l'encouragea Gurevich.

— Sur la place, nous n'avons pas retrouvé de traces de pneus. Il reste à comprendre comment Philips et son assassin sont arrivés jusqu'ici. Il serait judicieux de demander aux plongeurs de fouiller le lac.

La seule raison pour laquelle le tueur aurait pu vouloir se débarrasser de la voiture de Randy Philips était pour ne pas gâcher la surprise à la personne qui découvrirait le corps. Une mise en scène parfaite.

— Il faut peut-être observer cette alliance de plus près, remarqua Krepp.

— S'il y a une empreinte dessus, ordonna Gurevich, trouvez-la !

Krepp bougonna quelque chose avant de s'agenouiller et de soulever la main décharnée du cadavre avec une telle grâce que le geste eut quelque chose de romantique. Il retira la bague pour l'emporter dans son fourgon garé à l'extérieur.

Sur la place, un agent apporta des cafés à Gurevich et à Boris. Il ne s'occupa pas de Mila. La policière se tenait à bonne distance de ses supérieurs mais tendait l'oreille.

— Personne n'a signalé la disparition de Randy.

— S'il vivait seul, rien d'étonnant. Il lui arrivait sans doute de ne pas se rendre au bureau ou de ne pas informer sa secrétaire de ses déplacements. Il multipliait les trafics et les cachotteries. Mais, s'interrogea Boris, si l'on exclut Roger Valin – je ne vois pas quel mobile il aurait eu –, alors qui l'a tué ?

Mila avait l'impression que cet événement faisait partie d'un dessein plus complexe. Malgré son envie de participer à la conversation, elle n'approcha pas.

— Qu'en pensez-vous, Vasquez ? finit par lui demander Gurevich. Quelqu'un a enlevé l'avocat et l'a amené ici pour le tuer. Comment l'expliquez-vous ?

Mila fit quelques pas vers eux.

— Je ne pense pas que le tueur ait enlevé l'avocat Philips, trop risqué et trop compliqué. Je pense qu'il l'a attiré ici par la ruse. Après l'avoir étourdi, il l'a attaché et il a fait le reste.

— Pourquoi Randy, qui était un type intelligent, serait-il venu dans ce lieu isolé ?

La question de Gurevich ne remettait pas en cause la pertinence de l'observation de Mila, il essayait d'aller plus loin.

— Je pense à plusieurs hypothèses qui auraient pu pousser l'avocat à accepter une invitation ici : l'assassin possédait ou a fait semblant de posséder quelque chose que Philips voulait – peut-être des informations compromettantes sur la femme ou la compagne d'un de ses clients. Ou bien ils se connaissaient déjà, aussi la victime n'avait pas de raison de se méfier.

— Dites-nous le fond de votre pensée, agent Vasquez, dit Gurevich qui sentait que Mila avait une autre conviction.

— À mon avis, c'est une femme.

— Pourquoi ? demanda Boris.

— Philips nous considérait comme des êtres inférieurs, il était convaincu de pouvoir gérer la situation : il s'est trop fait confiance. Et puis, seule une femme pouvait avoir des raisons de se venger de l'avocat.

— Tu penses à une vengeance, comme pour Valin ?

— Je ne pense à rien, il est trop tôt. Mais je sais que la naïveté de Philips et la taille de son alliance

– plus adaptée à une femme – font pencher pour cette explication.

— Il y a quelque chose, les interrompit Krepp depuis son fourgon.

L'expert était assis à sa table de travail. Il regardait l'alliance au microscope.

— Il n'y a pas d'empreintes, annonça-t-il, mais une inscription tout à fait intéressante.

Il tendit le bras pour allumer un écran relié à l'appareil, et l'inscription apparut, agrandie : « 22 septembre ».

— La date des noces, je présume.

— C'est aujourd'hui ! s'exclama Boris.

— Oui, mais l'inscription a été gravée il y a plusieurs années, spécifia Krepp. Elle est recouverte d'une patine opaque.

— Bon anniversaire, commenta Gurevich.

— Il y a autre chose. L'expert fit tourner l'anneau sous le microscope, dévoilant une autre inscription, ajoutée plus tard. En effet, la graphie était très différente de la précédente. Très rudimentaire, elle ne pouvait pas être l'œuvre d'un orfèvre. Dans les sillons – presque des griffures – le métal était plus brillant.

— Elle est récente, confirma Krepp.

H 21.

Gurevich regarda Boris d'un air inquiet.

— 22 septembre, 21 heures. Apparemment, en plus de deux assassins à qui donner la chasse, maintenant nous avons un ultimatum.

15

Personne ne savait ce qui se passerait à 21 heures.

Entre-temps, on avait établi que Randy Philips était arrivé à la Love Chapel dans sa Mercedes. La voiture avait été retrouvée au fond du lac, comme Krepp l'avait prévu. L'assassin avait donc son véhicule, dans lequel il était reparti après le crime.

Une fois l'enlèvement exclu, il s'agissait de comprendre comment l'avocat avait pu tomber dans le piège et se rendre dans ce lieu abandonné. L'intuition de Mila sur l'implication d'une femme avait pris racine.

Un groupe de policiers passait au crible les archives du cabinet de Randy Philips à la recherche d'une affaire à la date indiquée sur l'alliance.

Le 22 septembre, cette date constituait la seule prise au milieu d'une multitude de points obscurs.

Tout d'abord, le lien entre le massacre à la villa et l'homicide de la chapelle. Un lien découvert grâce à l'intuition de Mila sur l'ancien numéro de téléphone.

Les victimes ne se connaissaient apparemment pas, donc la seule connexion possible était entre les tueurs.

Pendant les années où il avait disparu, Roger Valin avait rencontré quelqu'un – une femme ? – et ensemble ils avaient élaboré un plan.

C'était l'explication à laquelle était arrivée Mila en déambulant dans les couloirs du département. Pourtant, les questions sur ce qui s'était passé étaient occultées par celles sur ce qui pourrait se passer.

Maintenant, l'urgence était l'ultimatum.

Les heures passant, on imaginait des manœuvres pour empêcher ou décourager un nouveau crime. De nombreux policiers furent rappelés, les tours de garde intensifiés. Le ou les assassins devaient penser que la ville était occupée, aussi on plaça des barrages et on augmenta le nombre de voitures de patrouille. On demanda aux informateurs habituels de tendre l'oreille et d'ouvrir grand les yeux. La présence massive des forces de police dans la ville conduisit quelques gros bonnets du crime organisé à collaborer, au moins pour faire cesser au plus vite l'occupation des rues qui nuisait tant aux trafics en tout genre.

Pour ne pas éveiller les soupçons des médias, un communiqué fut diffusé pour annoncer un gros coup de filet contre la pègre. Journaux, télévision et Internet se déchaînèrent contre la énième inutile trouvaille propagandiste du département aux frais des contribuables.

En attendant, au QG, les réunions se succédaient pour élaborer une stratégie. Celles de premier niveau étaient présidées par le Juge. Pour les autres, on descendait l'échelle hiérarchique. Malgré sa contribution à l'enquête, Mila fut reléguée aux moins importantes. Elle eut la nette impression que quelqu'un voulait la tenir à l'écart de l'enquête.

Vers 17 heures, elle quitta les étages supérieurs du département pour retourner aux Limbes. Le soir approchait, la peur de ce qui allait arriver augmentait, mais Mila n'avait pas dormi depuis longtemps et elle sentait le besoin de se reposer, au risque de perdre sa lucidité.

Elle se réfugia dans un ancien débarras où elle avait installé un lit de camp pour les jours où elle restait au bureau très tard. Elle retira ses baskets et utilisa son blouson en cuir comme couverture. La petite pièce, refuge secret accueillant, était plongée dans l'obscurité, hormis le rai de lumière jaunâtre qui filtrait sous la porte. Cela lui suffisait pour se sentir en sécurité, comme si quelqu'un, dehors, veillait sur elle. Allongée sur un côté, les jambes remontées et les bras croisés, elle eut du mal à trouver le sommeil. Finalement, l'adrénaline chuta et la fatigue prit le dessus.

— On l'a.

Mila entrouvrit les yeux, se demandant si elle avait rêvé. On avait prononcé la phrase sur un ton calme pour ne pas l'effrayer et poussé la porte de façon à ce que la lumière ne l'éblouisse pas. Au pied de son lit était assis le capitaine Steph, une tasse fumante entre les mains. Il la lui tendit, mais Mila l'ignora pour regarder l'heure.

— Il est 19 heures, on n'est pas encore à l'ultimatum.

— Qu'est-ce qu'on a, alors ? demanda la policière en se relevant pour saisir la tasse.

— Les recherches au cabinet de Philips ont porté leurs fruits : on a un nom… Nadia Niverman.

Bien qu'elle ait été la première à le supposer, Mila fut étonnée d'entendre un nom de femme.

— Nadia Niverman, répéta-t-elle.

— Il s'agit de la dernière affaire de disparition dont s'est occupé Éric Vincenti, annonça Steph. Ils viennent d'appeler : apparemment, les gros bonnets ont encore besoin de toi.

Mila passa les dix minutes suivantes au téléphone avec Boris. Tout d'abord, depuis l'ordinateur d'Éric Vincenti, elle lui envoya par mail le fichier de l'enquête sur la disparition de la femme, survenue deux ans auparavant.

Nadia Niverman était une femme au foyer de trente-cinq ans, un mètre soixante-dix, blonde. Elle s'était mariée le 22 septembre. Trois ans plus tard, elle avait obtenu la séparation parce que son mari la battait.

— Évidemment, l'avocat de son époux était Randy Philips, dit Boris au téléphone. Ce qui constitue un bon mobile de vengeance.

La policière n'était pas convaincue.

— Mila, que se passe-t-il ? Qu'est-ce que c'est que cette histoire de disparus qui reviennent ?

— Je ne sais pas.

Elle ne comprenait pas. C'était incompréhensible, et c'était cela qui l'effrayait.

Roger Valin et Nadia Niverman avaient disparu à des années d'intervalle.

— S'ils l'apprenaient, les médias les surnommeraient « le couple assassin ». Ici tout le monde devient fou, le Juge a convoqué une réunion d'urgence.

— Je sais, Steph vient de monter.

— Je ne comprends pas pourquoi Nadia n'a pas tué son mari, plutôt que l'avocat. Peut-être que l'ultimatum est pour lui.

— Vous l'avez prévenu ?

— On a mis John Niverman en lieu sûr. Même sous surveillance, il est mort de trouille.

Comme pour Valin, la photo de Nadia n'avait pas été diffusée par les médias. À la différence du comptable, la disparition de la femme était relativement récente, il y avait donc plus d'espoir de découvrir où elle avait été pendant ce laps de temps.

— Boris, qu'est-ce que tu veux que je fasse ? J'y vais ?

— Pas besoin. On va cuisiner le mari pour savoir si ce salaud trouillard nous a caché des détails de la vie de son ex-épouse à l'époque de la disparition. Ensuite, grâce au dossier de la femme, on va essayer de comprendre si quelqu'un a pu l'aider à disparaître, peut-être une connaissance ou une amie. Je voudrais que tu fasses pareil. Retrouve d'éventuelles notes d'Éric Vincenti qui ne figurent pas dans le dossier officiel, s'il te plaît.

Ils raccrochèrent, Mila se mit immédiatement au travail.

Elle fit défiler le dossier sur l'écran de l'ordinateur. Son collègue l'avait organisé par ordre chronologique ascendant. Cette méthode n'était employée que dans les affaires de disparition. À la criminelle, par exemple, on partait toujours de la fin, c'est-à-dire de la mort de la victime.

Éric Vincenti soignait beaucoup la rédaction de ses rapports, on aurait dit des nouvelles.

« Il est nécessaire de préserver l'impact émotionnel de certaines histoires pour en alimenter le souvenir, disait-il toujours. Les personnes qui liront le dossier à l'avenir doivent s'attacher à la personne disparue. »

Vincenti soutenait que c'était le seul moyen pour que son successeur s'engage vraiment dans la recherche de la vérité. Exactement comme lui.

Je les cherche partout. Je les cherche toujours.

La policière regarda les photos jointes au dossier. Elles témoignaient du passage des ans sur le visage de Nadia Niverman, mais la couleur de ses yeux avait vieilli plus vite que le reste. Et une seule chose pouvait produire un tel résultat.

Mila connaissait bien les effets corrosifs de la douleur.

16

Nadia Niverman avait été une belle jeune fille. Celle qu'au lycée tous les garçons auraient voulu épouser. Championne d'athlétisme, excellente élève, comédienne dans la troupe de théâtre du lycée. Ses premières années d'université, en philosophie, laissaient entrevoir une brillante carrière. À vingt-quatre ans, Nadia était une femme mature et indépendante. Elle avait obtenu un master de journalisme avant d'être embauchée à temps partiel à la rédaction d'une chaîne de télévision. Elle menait sa barque. Mais un jour, elle avait croisé le mauvais homme.

John Niverman n'était rien, comparé à elle. Scolarité interrompue avant la terminale, service militaire interrompu, mariage interrompu. Il avait hérité de son père une entreprise de transport, petite mais florissante, qu'il avait réussi à couler.

Un destructeur.

Nadia avait rencontré John à une fête. Bel homme, grand, air de crapule sympathique, il plaisait à tout le monde. Elle était tombée dans le panneau. Ils s'étaient mariés deux mois plus tard.

Mila imaginait la suite. Nadia savait depuis le début que John était porté sur la boisson, mais elle était convaincue qu'il savait être raisonnable et elle pensait réussir à le changer, avec le temps.

Cela avait été sa plus grosse erreur.

D'après ce que la femme avait raconté aux services sociaux, les problèmes avaient commencé quelques mois après les noces. Ils se disputaient pour les mêmes raisons futiles que depuis toujours, mais désormais Nadia sentait dans la discussion un élément nouveau qu'elle ne savait pas définir. C'était surtout une sensation liée à certaines attitudes de John. Par exemple, il s'était mis à l'insulter, et chaque fois il s'approchait un peu plus. Un centimètre à la fois. Il reculait au dernier moment.

Un jour, il l'avait frappée.

Par erreur, avait-il dit. Elle l'avait cru. Pourtant, elle avait remarqué une lueur nouvelle dans ses yeux.

Une lueur méchante.

Éric Vincenti avait rassemblé toutes ces informations intimes et personnelles en lisant les plaintes de Nadia déposées à la police au fil des ans. Toutes retirées au bout de quelques jours. Sans doute par gêne que des amis ou des parents l'apprennent, ou par angoisse de devoir affronter un procès. Ou bien parce que, quand John rentrait sobre et lui demandait pardon, il était tellement convaincant que Nadia lui offrait une seconde chance. Il en avait eu un certain nombre. Mais pas autant que sa femme n'avait eu de bleus. Au début, c'étaient des contusions, faciles à cacher sous un pull à col roulé et une bonne dose de fond de teint. Nadia considérait qu'elle n'avait pas à s'inquiéter tant qu'il n'y avait pas de sang. Mila savait comment cela fonctionnait : il suffit d'augmenter un tout petit peu le seuil de tolérance pour continuer à mener sa vie quotidienne. Quand les blessures arrivent, on est soulagé d'avoir échappé à la fracture. Et quand un os se brise, on se convainc que, dans le fond, cela aurait pu être pire.

Pourtant, les coups n'étaient pas le plus douloureux. Nadia vivait avec un sentiment d'impuissance et de peur. Savoir que la violence était toujours en embuscade et pouvait se déchaîner pour un rien. Si elle avait un mot ou un geste qui ne plaisait pas à John, la punition tombait. Une question de trop, même une question banale comme demander à quelle heure il rentrait. Ou bien, simplement, si son mari trouvait quelque chose d'inadapté dans sa façon de s'adresser à lui ou dans le ton de sa voix. Le moindre détail pouvait se transformer en prétexte.

Mila se rendait compte que quelqu'un qui n'avait jamais expérimenté cela s'étonnerait du fait que Nadia ne se soit pas enfuie immédiatement. Et arriverait à la conclusion que ce n'était peut-être pas si terrible, puisqu'elle était disposée à l'accepter. Or Mila connaissait le mécanisme de la violence de couple, où les rôles sont clairs et immuables. C'est justement la peur qui, par son effet paradoxal, préserve l'attachement de la victime au bourreau.

Dans l'âme blessée de Nadia, la seule personne qui pouvait la protéger de John était John lui-même.

Nadia n'avait tenu tête à son mari que sur un point. Il voulait un enfant, mais elle prenait la pilule en cachette.

Bien que convaincue que les rapports sexuels ivres et oublieux auxquels John la contraignait de temps à autre ne représentaient aucun danger, elle avait pris sa décision. Elle ne pouvait pas imposer à une nouvelle créature ce qu'elle-même tolérait.

Pourtant, un matin de mars, elle rentra du supermarché avec une étrange sensation dans le ventre. Sa gynécologue lui avait dit que, même sous pilule, il y avait une infime probabilité de tomber enceinte. Nadia comprit qu'elle attendait un enfant.

Le test le lui confirma.

Elle voulait avorter mais n'arriva pas à se convaincre que c'était le bon choix.

Elle réussit à le dire à John et constata, à sa grande surprise, que la nouvelle semblait le calmer. Elle craignait que sa rage n'explose d'un coup. Les disputes quand il avait bu continuèrent mais il ne la touchait plus. Son ventre lui servait de bouclier. Elle avait du mal à y croire. Lentement, elle se sentit à nouveau heureuse.

Un matin, alors que Nadia se préparait pour aller faire une échographie, John s'offrit de l'accompagner parce qu'il neigeait. Il avait l'air absent et un peu triste des alcooliques au réveil. Aucun signe de rage. Nadia enfila son manteau, elle prit son sac et s'apprêtait à mettre ses gants, en haut de l'escalier de la maison. Cela dura un instant. La pression violente et inattendue des mains derrière son dos, le monde qui disparaissait soudain sous ses pieds, elle ne sut plus où étaient le haut et le bas. Elle rebondit une première fois sur une marche, les mains sur le ventre, geste instinctif de protection. Une deuxième galipette, cette fois avec plus d'élan. Le mur qui vient vers son visage, le coin de la rampe sur sa joue, ses mains qui, vaincues par la force centrifuge, lâchent leur prise. Un autre choc, puis le troisième, à la merci de la gravité. Le ventre qui amortit le coup. La chute qui s'arrête enfin. Pas de douleur, pas de bruit et, pire, pas de réaction. Tout semblait calme à l'intérieur, trop calme. Nadia se rappelait le visage de John, en haut de l'escalier. Impassible. Puis il était parti, la laissant par terre.

L'absence d'empathie empêchait Mila de comprendre ce qu'avait ressenti Nadia. La seule émotion à laquelle elle avait accès était la rage. Bien sûr, elle était désolée pour cette femme, mais elle craignait de ressembler plus à John.

La police ne put ignorer cette nouvelle agression, avec ou sans dépôt de plainte. Ce qui était arrivé ressemblait trop à une tentative de meurtre. Les agents avaient clairement laissé entendre à Nadia que si elle racontait des salades pour protéger John, par exemple en affirmant qu'elle avait trébuché, il essaierait à nouveau. Et cette fois, à la place de l'enfant, ce serait elle qui mourrait.

Alors elle avait trouvé le courage. Après avoir porté plainte, elle avait contacté un refuge pour femmes victimes de violences où il ne pourrait la retrouver. Quand John avait été arrêté, il avait résisté aux agents, ce qui l'avait empêché d'obtenir la liberté conditionnelle. La plus grande victoire de Nadia n'avait pas été de supporter toutes ces années avec ce monstre, mais d'obtenir une séparation rapide.

Ensuite, Randy Philips était arrivé.

L'avocat avait exhibé au tribunal une paire de chaussures à talons. Aucun témoin, aucune preuve de quel genre de femme elle était. Une femme qui, même enceinte, n'était pas prête à renoncer à sa coquetterie, même si elle représentait un danger pour la stabilité de sa démarche, un jour de neige. Une femme qui ne savait pas penser au bien-être de la créature qu'elle avait dans le ventre.

Ce jour-là, John avait été libéré. Et Nadia avait disparu.

Elle n'avait emmené ni vêtements, ni aucun objet de sa vie passée, peut-être pour faire croire à tout le monde que c'était son ex-mari qui s'était débarrassé d'elle. John avait été interrogé. Cependant, d'après Randy Philips, il n'y avait aucune preuve contre lui. Nadia avait perdu le dernier set.

Une fois la lecture du dossier achevée, Mila réfléchit. Elle devait rester lucide, ne pas se laisser gagner par la colère. Après ce qu'elle avait traversé, Nadia ne méritait pas qu'on lui donne la chasse comme à un animal. Valin, peut-être que oui. Même si le désespoir de l'homme à la mort de sa mère avait été authentique et compréhensible, il aurait pu aller de l'avant. Roger avait eu dix-sept ans pour s'en remettre, tout de même.

Le couple assassin, comme les avait définis Boris, était en réalité composé de deux individus très différents. À un moment de sa vie de cavale – parce que c'était ainsi que Mila voyait une femme fuyant un mari violent –, Nadia avait rencontré Roger et ils s'étaient raconté leurs vies, ils avaient découvert qu'ils possédaient le même secret et, peut-être, la même haine envers le monde. En unissant leurs rancœurs, ils avaient créé une association criminelle.

« Je ne comprends pas pourquoi Nadia n'a pas tué son mari, plutôt que l'avocat, avait dit Boris au téléphone. Peut-être que l'ultimatum est pour lui. »

Mila n'en était pas certaine. Si Nadia avait vraiment voulu le tuer, elle aurait commencé par lui. Quel sens cela avait-il d'éliminer Randy de façon si éclatante, sinon ? Elle pouvait être certaine que son ex-mari serait protégé par la police. Si elle avait fait le contraire, personne n'aurait soupçonné qu'elle voulait aussi tuer Philips.

L'ultimatum n'est pas pour John Niverman. Boris avait affirmé que l'homme était mort de peur. La vengeance que la tueuse avait choisie pour l'avocat était une alliance et une mort douloureuse dans la chapelle réservée aux époux. Pour son ex-mari, c'était la peur. Elle ne voulait pas que John meure d'une mort rapide. Il devait vivre ce qu'elle avait vécu, se sentir en danger, savoir qu'à tout moment son heure pouvait arriver, et éprouver ainsi l'insupportable attente d'un destin certain.

Le téléphone sur le bureau d'Éric Vincenti sonna. Mila sursauta et hésita un instant avant de répondre.

— Qu'est-ce que tu fais encore ici ? demanda Steph. Il est 23 heures passées, l'ultimatum a pris fin il y a un moment.

— Alors ? demanda Mila, qui n'avait pas vu le temps passer.

— Rien de rien. Juste des types qui se sont battus dans un bar avec un couteau et un gars qui a essayé de descendre son associé.

— Tu as vu le Juge ?

— Il nous a renvoyés il y a un quart d'heure. Je me doutais que tu serais encore là. Rentre chez toi, Vasquez. Compris ?

— Compris, capitaine.

17

Une petite brume froide nimbait le sol des rues comme un fleuve fantôme.

Vers minuit, Mila alla récupérer sa voiture sur le parking extérieur du département. Elle découvrit que sa Hyundai avait deux pneus à plat. Cette surprise l'inquiéta : dans sa tête, l'imprévu se transforma en danger. Quelqu'un avait pu dégonfler ses pneus pour l'agresser dans la rue. Pourtant, Mila parvint à écarter sa paranoïa, effet collatéral de l'affaire dont elle s'occupait. En effet, les voitures garées à côté de la sienne avaient subi le même traitement. Sans doute l'œuvre de voyous qui en voulaient aux flics du département. Cela s'était déjà produit le mois précédent.

Mila se dirigea donc vers la station de métro la plus proche.

Il n'y avait personne dans la rue, les semelles de ses chaussures crissaient à cause de l'humidité, ses pas résonnaient entre les immeubles. Devant la bouche de métro, elle fut assaillie par un courant d'air créé par une rame à l'arrivée. Elle descendit les marches en courant, dans l'espoir de l'attraper. Elle introduisit son ticket dans le tourniquet mais il ressortit. Elle essaya encore, en vain. Elle entendit la rame repartir, renonça et se dirigea vers la machine pour acheter un nouveau ticket.

— Tu as quelque chose pour moi ?

Mila se retourna d'un bond. Un jeune garçon portant un sweat-shirt à capuche lui tendait la main en quête d'une pièce. Malgré son envie de lui casser le nez, elle versa toute la monnaie que lui cracha la machine dans sa main et le regarda s'éloigner, satisfait.

Elle franchit enfin la barrière des tourniquets et descendit l'escalier roulant qui s'actionnait automatiquement dès que quelqu'un posait le pied sur la première marche. Elle arriva sur le quai au moment où le train provenant de la direction opposée déchargeait un petit groupe de passagers. Il repartit quelques secondes plus tard, à moitié vide.

Mila leva les yeux vers l'écran, qui indiquait une attente de quatre minutes.

Elle était seule dans la station, mais cela ne dura pas. Elle entendit un son mécanique, se retourna et remarqua que l'escalier roulant fonctionnait à nouveau. Un deuxième passager aurait dû arriver, mais Mila ne voyait personne. Les marches glissaient toujours vers le bas comme une cascade d'acier, mais vides. *C'est trop long*. À ce moment-là, elle repensa à une leçon apprise durant l'affaire du Chuchoteur.

L'ennemi n'apparaît jamais à l'improviste, d'abord il crée une diversion.

Mila posa la main sur son arme et se tourna vers le quai d'en face. Elle la vit.

Au-delà des voies, Nadia Niverman la fixait de ses yeux vides, le visage vieilli, comme si elle rentrait d'un long voyage. Ses bras pendaient le long de son corps. Elle était fatiguée. Elle portait un duffle-coat trop grand.

Elles restèrent immobiles pendant un temps qui sembla une éternité, puis Nadia porta sa main droite à son visage. Un doigt sur les lèvres, elle lui fit signe de se taire.

Quelques papiers se soulevèrent des rails, telles des marionnettes suspendues à des fils invisibles, et dansèrent brièvement devant elles. Mila ne saisit pas tout de suite que le souffle qui les avait déplacés anticipait un courant d'air froid, mais elle comprit quand elle entendit un train approcher, sur l'autre voie.

Il s'imposerait bientôt comme une barrière entre elles.

— Nadia, appela-t-elle.

Quand elle vit la femme avancer d'un pas, elle prit peur. Son cœur lui indiqua plus vite que sa tête qu'il fallait agir. Sans réfléchir, elle s'apprêta à sauter sur les voies avec l'intention de franchir ce fleuve invisible de poussière et de vent. Les lumières du train apparurent dans le tunnel. Il allait vite, trop vite.

— Attends, dit-elle à la femme qui l'observait sans bouger un muscle.

Le train était à une cinquantaine de mètres. Mila fut giflée par un courant d'air.

— Je t'en prie, non, supplia-t-elle au moment où un galop métallique couvrait sa voix.

Nadia sourit. Un autre pas.

Quand le premier wagon freina, la femme se laissa tomber sur la voie avec une grâce que Mila n'oublierait jamais. Un seul bruit, sourd, immédiat, puis le crissement des freins.

La policière scruta le rideau de tôle qui s'était interposé entre elle et la scène puis elle monta les escaliers en courant, descendit sur le quai opposé et se retrouva à l'endroit où stationnait Nadia quelques secondes plus tôt.

Quelques usagers descendus de la rame s'étaient rassemblés au bout du quai, avant le tunnel. Mila se fraya un chemin.

— Police, annonça-t-elle en sortant son insigne.

Le conducteur était fou de rage.

— Putain, c'est la deuxième fois que ça m'arrive cette année. Pourquoi ils ne vont pas faire ça ailleurs ? Putain !

Mila observait la voie. Elle ne s'attendait pas à voir du sang, ni des restes humains. C'est toujours comme ça, on dirait que le train a englouti la personne.

En effet, entre les rails, elle n'aperçut qu'une chaussure de femme.

Bizarrement, cette image lui rappela sa mère, la fois où elle avait trébuché en l'accompagnant à l'école. Elle, toujours impeccable, qui soignait tant son apparence, était tombée par terre, victime d'un talon cassé. Elle la revoyait décoiffée, une chaussure manquante, son bas couleur chair filé à la hauteur du genou. Sa beauté discrète, que les hommes ne manquaient jamais de souligner du regard, avait été désacralisée par le rire d'un type qui ne s'était même pas arrêté pour l'aider.

Mila avait ressenti de la rage pour ce rustre et de la peine pour sa mère – c'était une des dernières fois qu'elle avait ressenti quelque chose dans son cœur, avant qu'arrive le vide.

— Éloignez-vous, enjoignit-elle à la petite foule amassée derrière elle.

Elle remarqua le jeune homme au sweat-shirt à capuche qu'elle avait croisé plus tôt. Alerté par la confusion, il était descendu voir, sans trop s'éloigner des escaliers. Pourtant, le regard de Mila se posa sur l'objet qu'il tenait dans ses mains d'un air interrogateur.

— Hé, toi, appela-t-elle.

Le jeune homme se tourna vers elle.

— Lâche ça, ordonna-t-elle.

Le jeune homme recula d'un pas, effrayé.

— Je l'ai trouvé ici, dit-il en indiquant le quai. Je ne voulais pas le voler, je le jure.

Il lui tendit un écrin en velours, un étui de bague.

— File, ordonna Mila en le lui prenant des mains.

L'autre obéit. La policière examina l'objet, qu'elle relia à la mort de Randy Philips. Mais si l'alliance était au doigt du cadavre, alors que contenait le petit écrin ?

Mila ouvrit prudemment, craignant secrètement ce que cet écrin allait lui révéler. Elle identifia sans peine le contenu, l'examina sans en comprendre le sens.

C'était une dent incrustée de sang.

18

— J'en ai vu, des cadavres, croyez-moi.

Le jeune sergent s'était demandé où était passée la prémolaire de la victime et pourquoi l'assassin avait emporté ce souvenir.

— Certains choisissent une oreille ou un doigt. Une fois, sous le lit d'un dealer, nous avons retrouvé la tête d'un drogué qu'il avait tué quelques heures plus tôt. Je me demande encore comment il a eu l'idée de l'emmener chez lui.

L'anecdote ne surprit pas Mila et Boris. Sans eux, l'épisode de la dent aurait été relégué au statut de bizarrerie à raconter aux collègues pendant la pause déjeuner. Mila n'avait pas envie d'entendre des histoires truculentes alors qu'à quelques kilomètres de là les fossoyeurs retiraient le cadavre de Nadia des rails sur lesquels avait roulé cette maudite rame.

Heureusement, le jeune sergent se tut. Ils traversèrent une cuisine rustique, puis une chambre à coucher laquée de gris, un séjour de style victorien et encore une cuisine, moderne : les pièces d'exposition d'un grand magasin de meubles d'occasion. Mila repensait à ce qui s'était passé ce soir-là, à commencer par les pneus crevés de la Hyundai : sans doute un piège imaginé par Nadia pour l'attirer dans le métro. Avant de se tuer, la femme lui avait fait signe de se taire. Puis elle lui avait remis cet indice. Mila ne revenait pas de la facilité avec laquelle ils étaient remontés à la nouvelle scène de crime. Ils avaient inséré le mot « dent » dans l'ordinateur et ils étaient tombés sur un homicide commis le matin même, à l'aube, exactement à l'heure où les meilleurs esprits de la police fédérale étaient concentrés sur la Love Chapel.

— Nous n'avons pas trouvé trace de l'assassin, affirma le sergent. Pas une empreinte, pourtant il y avait une mare de sang. C'est l'œuvre d'un professionnel, croyez-moi.

La victime, un homme d'une cinquantaine d'années d'origine arabe, s'appelait Harash.

— Son surnom était « le croque-mort », son business consistait à vider les maisons des morts. Quand quelqu'un passait l'arme à gauche, il se présentait chez la famille et faisait une offre pour ses affaires. Il achetait tout en bloc. Beaucoup de gens vivent seuls, vous savez ? L'héritier est un fils ou un neveu qui ne sait pas quoi faire des meubles et de l'électroménager. Harash réglait le problème et l'autre n'en revenait pas de tirer de l'argent de ces vieilleries. Le fossoyeur lisait les annonces nécrologiques pour débusquer les meilleures affaires. Sinon, tout le monde sait qu'il a démarré en prêtant de l'argent à des taux usuraires. Toutefois, à la différence des autres prêteurs, quand quelqu'un ne pouvait pas le rembourser, Harash ne lui brisait pas les os. Il s'emparait de ses biens puis les revendait, gardant le bénéfice comme avance sur les intérêts.

Mila contempla les objets qui l'entouraient. Ils provenaient d'un autre temps, d'autres vies. Chacun d'entre eux possédait une histoire. Qui s'était assis sur ce canapé ? Qui avait dormi dans ce lit ou regardé cette télévision ? Ils représentaient les restes d'existences, une enveloppe à recycler après la mort.

— C'est ainsi que Harash a ouvert cet endroit, poursuivit le sergent. À un moment, il n'a plus eu besoin de prêter d'argent. Ses activités étaient légales. Il a eu de la chance parce que, au total, il n'a fait que deux ans de prison. Il aurait pu se ranger mais, tout au fond, son âme d'usurier a refait surface. Il est difficile de changer les vieilles habitudes, comme on dit. Harash était avide, ça oui, mais je pense que sa motivation était surtout de dominer la vie de ces malheureux dans le besoin.

Le sergent s'arrêta devant une porte coupe-feu. Il appuya sur la large poignée et se retrouva dans un dépôt encombré de meubles de qualité inférieure à ceux qui étaient exposés. Le policier les conduisit au fond du local, où se trouvait un petit bureau.

— Ça s'est passé ici.

Il leur montra l'endroit où le cadavre avait été retrouvé, sur le sol. Il ne restait que le contour du corps, tracé avec du ruban adhésif jaune.

— L'assassin lui a arraché les dents, une par une, avec une pince. Il voulait le convaincre de lui révéler le code de ce truc-là, expliqua-t-il en indiquant un coffre-fort encastré dans le mur. C'est un vieux modèle, à double poignée.

Sur le mur, quelqu'un avait noté une séquence d'une écriture hésitante, au feutre noir.

6 – 7 – d – 5 – 6 – f – 8 – 9 – t

Mila et Boris examinèrent le coffre : il était toujours fermé.

— Il n'a pas réussi, commenta le sergent en devinant leurs pensées. Ce grippe-sou de fossoyeur était obstiné, il pensait pouvoir résister. Le voleur lui a extorqué la combinaison chiffre par chiffre et lettre par lettre, mais Harash est mort avant la fin. Le médecin légiste affirme que son cœur gras n'a pas supporté le stress. Vous saviez qu'on ressent autant de douleur quand on nous arrache une dent que quand on se prend une balle ? demanda-t-il en secouant la tête, mi-incrédule, mi-amusé. Il lui en a enlevé huit. On en a trouvé sept, c'est vous qui avez la dernière. Je me demande pourquoi il l'a emportée…

— Parce que ce n'est pas vous qui deviez découvrir la raison pour laquelle l'assassin est venu ici, affirma Mila.

— Quoi ?

— Vous étiez censés croire qu'il s'agissait d'un braquage qui a mal tourné.

Mila sortit de sa poche une paire de gants en latex, les enfila et s'approcha du coffre-fort.

— Qu'est-ce qu'elle fait ? demanda le sergent à Boris qui, au lieu de répondre, lui fit signe de regarder et de se taire.

Mila manœuvra les poignées, une avec les chiffres, l'autre avec les lettres. Elle les faisait tourner de façon à composer la série marquée au feutre noir.

— Il n'est pas exact de dire que l'assassin de Harash ne lui a pas extorqué toute la combinaison. C'est juste que la fin est écrite ailleurs.

Après la séquence notée sur le mur, Mila ajouta h – 2 – 1.

Quand elle ouvrit la porte, elle eut la confirmation que l'incision à l'intérieur de l'alliance retrouvée au doigt de Randy Philips n'était pas un ultimatum.

— Merde alors ! s'exclama le sergent.

L'antre métallique croulait sous les liasses de billets, et il y avait aussi un pistolet. En apparence, pourtant, personne n'avait touché à rien.

— J'appelle Krepp, annonça Boris, excité. Je veux qu'un spécialiste retourne cet endroit pour trouver des empreintes.

— La section locale de la police scientifique a fait du bon travail, se défendit le sergent, vexé par le manque de confiance de son supérieur.

Dans le fond, pour lui Boris et Mila n'étaient pas des collègues mais deux intrus envoyés par le département pour remettre ses méthodes en question.

— N'en faites pas une affaire personnelle, sergent, répondit l'inspecteur. Remerciez vos hommes de notre part, mais nous avons déjà perdu beaucoup de temps. Nous avons besoin des meilleurs spécialistes.

Il s'éloigna pour passer un appel depuis son portable.

Mila observait toujours l'intérieur du coffre-fort. Elle était déçue. Elle s'attendait à trouver l'indice décisif. *C'est tout ?* Elle espérait presque se tromper. *C'est impossible, je n'y crois pas.*

En attendant, dans son dos, les escarmouches se poursuivaient.

— Faites comme vous voulez mais vous commettez une erreur, monsieur, affirmait le sergent, clairement agacé. Si vous pouviez m'écouter encore une minute, je voudrais vous dire que l'assassin…

— C'est justement ça : l'assassin, l'interrompit Boris. Vous persistez à parler d'un unique coupable mais il est possible qu'ils aient été deux, peut-être trois. Il n'y a encore aucun moyen de le savoir, non ?

— Non, monsieur, il était seul, répondit le sergent avec fermeté.

— Comment pouvez-vous en être certain ?

— On a une vidéo.

19

Le film pouvait donner une nouvelle tournure à l'enquête.

Le sergent avait organisé une projection dans son bureau, profitant de l'enthousiasme inattendu déchaîné par sa révélation.

Il était 2 heures du matin et Mila sentait les effets du manque de sommeil et de sucre. Avant la projection, elle avait acheté une barre chocolatée à un distributeur automatique situé à côté des ascenseurs.

— Je ne sais pas pourquoi, mais maintenant je m'attends à tout, lui dit Boris à voix basse tandis qu'ils s'installaient devant l'écran.

Mila ne répondit pas.

— Nous sommes certains que l'assassin est entré dans le magasin de meubles par l'entrée principale, annonça le sergent. Il est arrivé soit juste avant la fermeture, soit en même temps que d'autres clients, puis il s'est caché en attendant le meilleur moment pour agir – ça, nous ne le savons pas. En revanche, une fois son méfait accompli, il est sorti par la porte arrière. La chance a voulu que, à quelques mètres de là, se trouvât la caméra d'une pharmacie.

La police du secteur s'était empressée de saisir la vidéo.

Le projecteur était relié à un ordinateur manipulé par un policier expert en informatique.

— Tout est assez rapide, précisa-t-il. Il vous faudra être attentifs.

La rue déserte apparut, en grand-angle. Plusieurs voitures étaient garées. En haut de l'écran, une inscription indiquait l'heure : 5 h 45 du matin. La qualité était mauvaise, l'image avait du grain et sautait parfois. Soudain, une ombre passa juste sous la caméra, avant de disparaître tout aussi vite.

— C'est notre homme qui s'éloigne après le meurtre, annonça le sergent.

— C'est tout ? demanda Boris.

— Le meilleur arrive maintenant.

L'autre policier appuya sur une touche et l'écran changea : c'était une autre rue, filmée dans la longueur. La date et l'heure étaient les mêmes.

— Après avoir repéré le suspect, nous l'avons suivi en utilisant d'autres caméras de sécurité du secteur, et nous avons pu reconstituer ses déplacements : cette caméra, par exemple, appartient à un supermarché.

Cette fois, l'assassin passa sous l'objectif. On distinguait clairement qu'il portait un imperméable et une casquette.

— Malheureusement, son visage est caché par la visière, regretta le sergent.

Ils visionnèrent ensuite les images d'un distributeur et d'une salle de sport, puis celles d'une caméra de contrôle de la circulation à un carrefour. Pourtant, aucun objectif n'avait immortalisé les traits du suspect.

— Il le sait, dit Mila. Il sait comment avancer sans que son visage soit filmé. Il a été malin.

— Je ne crois pas, répondit le sergent. Il y a au moins une quarantaine de caméras dans le secteur et elles ne sont pas toutes repérables. Personne ne pourrait toutes les éviter.

— Pourtant, c'est ce qu'il a fait, affirma Mila avec certitude.

Ils regardèrent toutes les vidéos, dans l'espoir que l'assassin ait commis une erreur. Le montage dura encore cinq minutes. Soudain, le suspect tourna à un coin de rue et disparut.

— Qu'est-ce qui s'est passé ? s'écria Boris, mécontent.

— On l'a perdu.

— Qu'est-ce que ça veut dire, vous l'avez perdu ?

— Je ne vous avais pas promis un visage, mais la confirmation qu'il a agi seul.

— Alors pourquoi nous avoir montré dix minutes de ces trucs ?

L'inspecteur était hors de lui. Le sergent ne sut que répondre. Visiblement embarrassé, il fit un signe au technicien.

— Nous allons le revoir au ralenti.

— J'espère pour vous qu'on va remarquer quelque chose, cette fois.

— Attendez, les arrêta Mila. Vous avez aussi les vidéos de l'après-midi précédant le crime ?

— Oui, nous avons saisi celles de toute la journée. Pourquoi ?

— Il savait où étaient placées les caméras. Il a fait un repérage.

— Mais il n'est pas dit qu'il l'ait fait le jour du crime.

Une idée se formait dans l'esprit de Mila. Il *veut* être reconnu, mais pas par ces amateurs. Comme pour les vêtements de Roger Valin et l'alliance de Nadia Niverman. Il nous met à l'épreuve. Le tueur veut être certain que les bonnes personnes se trouvent devant l'écran : en l'occurrence, celles qui s'occupent déjà de l'affaire. Pourquoi ?

— Essayons tout de même, dit Mila. Nous aurons peut-être de la chance.

Pourtant, elle était convaincue que ce n'était pas une question de chance.

— Si elle a raison, l'appuya Boris, la vidéo d'une seule caméra suffit. Laquelle on choisit ?

— Celle qui contrôle la circulation : la vision est plus large et les images plus nettes.

Le sergent fit signe au technicien de s'exécuter.

Sur l'écran apparut la même rue qu'avant, mais à la lumière du jour. Un va-et-vient de voitures et de passants.

— Passez en accéléré, demanda Mila.

Hommes et véhicules accélérèrent l'allure. On aurait dit un comique du cinéma muet. Mais personne n'avait envie de rire, la tension était palpable. Mila priait pour ne pas s'être trompée. C'était leur seule possibilité, mais son intuition pouvait être erronée.

— Le voici, annonça le sergent triomphant en pointant son doigt vers le coin de l'écran.

Le technicien ralentit les images. Ils virent l'homme à la casquette qui marchait sur le trottoir, au fond du cadre. Il avait la tête basse et les mains dans les poches de son imperméable. Il s'arrêta à la hauteur du carrefour, avec les autres passants qui attendaient que le feu des piétons passe au vert.

Tu vas forcément regarder vers le haut. Sinon, comment peux-tu localiser les caméras ? Allez, vas-y.

Les piétons avancèrent, signe que le feu avait changé. Mais leur homme resta immobile.

— Qu'est-ce qu'il fait ? demanda le sergent, perplexe.

Mila commençait à comprendre ce comportement étrange. *Il a choisi la caméra de la circulation pour la même raison que nous : l'angle est plus large et les images plus nettes.* Elle était certaine qu'il allait leur montrer quelque chose.

Le suspect se pencha à côté d'une bouche d'égout pour renouer un lacet. Ensuite, il regarda la caméra. Puis – avec un calme extrême – il leva une main, retira sa casquette et l'agita.

C'était eux qu'il saluait.

— Ce n'est pas Roger Valin, dit Boris.

— Salaud, explosa le sergent.

Ils ne l'avaient pas reconnu.

Une seule personne dans la pièce se souvenait de lui : Mila. Pas tant parce que son visage était placardé sur le mur de la Salle des pas perdus. La véritable raison était qu'elle l'avait eu devant les yeux tous les jours, en chair et en os, pendant longtemps, assis au bureau en face du sien, aux Limbes.

Je les cherche partout. Je les cherche toujours.

Ainsi parlait Éric Vincenti avant de disparaître.

BERISH

Dossier 511 - GJ/8

Transcription du texto envoyé par l'assassin de Victor Moustak - noyé à XXXX, le 19 septembre XXXX - depuis le téléphone portable de la victime :

« *La longue nuit a commencé. L'armée des ombres est déjà en ville. Ils préparent sa venue, parce que bientôt il sera ici. Le Magicien, l'Enchanteur des rêves, le Maître de la nuit : Kairus a plus de mille noms.* »

20

Tout le monde voulait parler à Simon Berish.

Quelque chose en lui poussait les gens à s'ouvrir, à révéler des détails intimes et personnels. Ce n'était pas nouveau, il avait fini par comprendre qu'il avait toujours eu ce talent. Comme quand la maîtresse lui avait confié qu'elle avait une liaison avec le directeur. Pas exactement en ces termes, mais c'était le sens : « Simon, M. Jordan a lu ta rédaction chez moi, l'autre jour. Il dit que tu n'écris pas mal du tout. »

Un jour, Wendy, la plus jolie fille du collège, lui avait révélé qu'elle avait embrassé sa voisine de classe. « Ça a été *magiqueux* », avait-elle commenté, allant jusqu'à inventer un adjectif pour étayer ses propos. Mais pourquoi le confier au garçon le plus minable de l'établissement ?

Dans le fond, des années avant Wendy ou la maîtresse, son père avait agi plus ou moins de même : « Si un de ces jours tu n'entends pas ma voiture remonter l'allée, ne t'en fais pas pour moi et occupe-toi de ta mère. » Ce n'était pas la recommandation idéale pour un enfant de huit ans. Son père n'avait pas voulu le responsabiliser mais se soulager d'un poids.

Ces souvenirs avaient refait surface tous ensemble et lui encombraient l'esprit. Ils n'étaient ni tristes ni désagréables. Simplement, après tout ce temps, il ne savait pas quoi en faire.

— … et Julius était tellement ivre qu'il est entré dans la mauvaise étable et, au lieu d'une vache, il s'est retrouvé nez à nez avec un taureau d'une tonne.

Fontaine rit de bon cœur à la fin de l'histoire et Berish l'imita, bien qu'il ait raté la moitié de l'anecdote. Les aventures de l'agriculteur avaient occupé la dernière demi-heure. Il se détendait, c'était bon signe.

— Combien tu fais d'avoine ? demanda Berish.

— Je remplis deux silos par saison. Pas mal, je dirais.

— En effet, je n'aurais pas cru. Et cette année, comment ça va ? J'ai appris que vous aviez eu des soucis avec la pluie.

— Quand ça va mal on se serre un peu la ceinture, on augmente la proportion de jachère et l'année suivante je sème du maïs et je me rattrape.

— Je croyais que c'était un cycle continu, qu'il n'y avait plus besoin de laisser la terre se reposer.

Berish puisait dans les souvenirs de ses cours d'agronomie au lycée, mais il avait joué toutes ses cartes. Il ne pouvait pas se permettre de perdre le contact avec Fontaine, il sentait qu'ils s'étaient beaucoup rapprochés, au cours de la dernière heure. Il devait changer de sujet sans que la transition paraisse trop brusque.

— Je parie que la moitié de ce que tu gagnes va au fisc.

— Oui, ces salauds ont toujours les mains dans mes poches.

Les impôts, excellent sujet de conversation, toujours efficace. Qui créait de la complicité, juste ce dont il avait besoin. Il en rajouta une couche.

— Il y a deux personnes qui me collent des sueurs froides quand elles m'appellent : mon comptable et mon ex-femme.

Ils rirent ensemble. Berish n'avait jamais été marié. Il avait utilisé ce mensonge pour insérer un mot interdit dans la conversation.

Femme.

Il était 4 heures du matin et ils n'en avaient pas encore parlé. C'était toutefois la véritable raison pour laquelle ils se trouvaient là, pour laquelle Simon Berish avait parcouru soixante-dix kilomètres. Il se dit que, si quelqu'un les observait, il ne ferait aucune différence entre eux et deux types qui se sont rencontrés dans un bar et bavardent pour passer le temps devant une bière. À la différence qu'ils ne se trouvaient pas dans un bar.

La salle d'interrogatoires de la police, dans ce petit poste de campagne, était étroite et puait le tabac froid.

Les commissariats de police étaient les derniers lieux publics où fumer était encore autorisé. Berish avait permis à Fontaine d'apporter son tabac et ses feuilles à rouler. Ses collègues considéraient les cigarettes comme une prime. Légalement, ils ne pouvaient pas interdire aux accusés d'aller aux toilettes, de même qu'ils devaient leur fournir nourriture et boisson s'ils le demandaient. Pourtant, ils tardaient à les autoriser à aller se soulager, ils leur apportaient des bouteilles d'eau chaude comme de la pisse, au risque de récolter une plainte pour abus de moyens coercitifs. La cigarette, en revanche, ne faisait pas partie de la liste des droits, et si la personne interrogée était un fumeur, alors l'abstinence pouvait constituer un moyen de pression efficace. Berish n'y croyait pas. De même qu'il ne croyait pas aux menaces ou à la tactique « gentil flic/méchant flic ». Peut-être parce qu'il n'avait jamais eu besoin de ces trucs, ou parce qu'il savait que les déclarations obtenues dans un climat de tension n'étaient pas fiables. Certains policiers s'en contentaient. Berish, lui, pensait qu'il existe une unique confession, faite dans un lieu unique pendant un unique laps de temps, et que certains péchés ne peuvent être avoués en plusieurs fois.

En particulier l'homicide occasionnel.

Tout ce qui suivait – les déclarations au procureur ou répétées au tribunal pour les jurés – n'était que du bluff corrompu par la nécessité de négocier avec soi-même pour le crime commis. Parce que la réelle difficulté n'est pas d'affronter le jugement des autres, mais de vivre chaque jour et chaque nuit avec l'idée de ne pas ressembler au brave type que l'on pensait être.

Ainsi, pour se libérer la conscience, il n'existait qu'un seul moment, magique.

Celui de Fontaine était très proche, Berish le sentait. Il le comprit à la réaction de l'agriculteur quand il prononça le mot « femme ».

— Les femmes, un vrai casse-tête, commenta l'inspecteur.

Il ouvrait ainsi la porte au fantôme de Bernadette Fontaine, qui entra dans la pièce et s'assit entre eux, silencieuse.

C'était la quatrième fois que le mari était convoqué au sujet de sa femme dont on n'avait plus de nouvelles depuis presque un mois. On ne parlait pas de disparition, encore moins d'homicide, parce qu'il manquait des éléments pour faire pencher la balance d'un côté ou de l'autre.

Légalement, le juste terme était « introuvable ».

Cela dérivait de l'habitude de Bernadette d'abandonner le domicile conjugal dès qu'un homme lui promettait de l'arracher à son mari stupide qui sentait le fumier. D'habitude, c'étaient des routiers ou des voyageurs de commerce. Voyant à quel point elle était sensible aux flatteries, ils lui disaient qu'elle était trop jolie et intelligente pour rester dans ce trou perdu. Elle tombait toujours dans le panneau, elle montait dans leur véhicule mais n'allait jamais plus loin que le premier motel. Ils y passaient quelques jours et, quand il était lassé, le type la renvoyait avec une paire de claques à l'incapable qui l'avait épousée. Fontaine la reprenait sans rien demander. Probablement, Bernadette le méprisait encore plus pour cela. Elle aurait peut-être aimé être giflée, une fois de temps en temps. Au contraire, tout ce qu'elle avait dans la vie était un homme inutile qui – elle en était sûre – ne l'avait jamais aimée.

Parce que, quand on aime vraiment, on est capable de détester.

Son mari était son geôlier. Il la tenait en laisse avec la conviction qu'elle ne trouverait jamais rien de mieux. Chaque jour, la vue de cet homme lui rappelait que, bien que plus jolie et intelligente que les autres, elle ne méritait pas mieux que lui.

Les fugues de Bernadette prenaient généralement fin au bout d'une semaine, pourtant celle-ci durait.

Personne n'aurait rien soupçonné si, après une fugue avec un représentant d'engrais, des témoins n'avaient pas affirmé l'avoir vue rentrer chez elle, à la ferme. Pourtant elle n'était plus allée faire les courses au village, ni à la messe le dimanche. Le bruit courait que Fontaine s'était lassé du rôle du mari idiot et l'avait tuée.

Les policiers du secteur avaient accordé du crédit à ces ragots parce que, selon une amie de Bernadette qui était allée voir pourquoi elle ne répondait plus au téléphone et ne sortait plus, toutes ses affaires se trouvaient chez elle. Quand une patrouille était venue contrôler, le mari avait confirmé qu'elle était partie dans la nuit, vêtue d'un pyjama et d'une robe de chambre. Sans chaussures ni argent.

Évidemment, son histoire ne convainquait personne. Pourtant les flics, au vu des précédents de Bernadette, n'avaient aucune preuve pour incriminer Fontaine.

S'il l'avait vraiment tuée, le moyen le plus simple pour se débarrasser du corps était de l'enterrer dans un champ.

Les agents avaient perquisitionné une partie de la propriété avec des chiens mais, étant donné la taille du terrain, il aurait fallu des centaines d'hommes et des mois de recherches.

Ainsi, Fontaine avait été convoqué trois fois au poste de police. Il avait été cuisiné pendant des heures, les agents s'étaient relayés, mais en vain. L'agriculteur persistait à nier. Chaque fois, ils avaient dû le renvoyer chez lui. Pour le quatrième interrogatoire, on avait fait appel à un expert de la ville. Un homme qui, de l'avis général, connaissait bien son métier.

Tout le monde voulait parler à Simon Berish.

L'agent spécial savait que ses collègues n'avaient pas fait du bon travail. Le plus difficile à faire avouer à un homme n'est pas le crime, mais l'endroit où il a caché le corps. C'est la raison pour laquelle dans quatre pour cent des affaires d'homicide le cadavre n'est pas retrouvé. Même s'il réussissait à faire admettre à Fontaine qu'il avait tué sa jeune épouse, il ne saurait rien de l'endroit où le cadavre était caché, il en était certain.

C'était une attitude courante. Elle permettait à l'assassin de ne pas accepter l'idée de ce qu'il avait commis. La confession devenait objet de compromis : je vous dis que c'était moi si vous me permettez d'oublier pour toujours la victime en la laissant là où elle se trouve.

Naturellement, un tel accord n'aurait pas été possible du point de vue juridique. Mais Berish savait que pour le policier qui conduit l'interrogatoire, il suffit d'alimenter l'illusion du coupable.

— J'ai été marié qu'une fois, mais pour moi c'était la fois de trop, ironisa l'agent spécial, poursuivant sa mise en scène. Trois ans d'enfer et, heureusement, pas d'enfants. Même si maintenant je suis obligé de les entretenir, elle et son chihuahua. Tu peux pas imaginer combien me coûte ce maudit chien qui, par ailleurs, me déteste.

— Moi j'ai deux bâtards, ils sont forts pour monter la garde.

Il avait changé de sujet. Il fallait le ramener en arrière.

— Il y a des années, j'ai pris un hovawart.

— C'est quoi, comme race ?

— Son nom veut dire « gardien de ferme ». C'est un beau chien au poil long et blond.

L'agent spécial ne mentait pas : il l'avait appelé Hitch.

— Le chien de ma femme est aussi inutile qu'un moustique. Pourtant, mon père disait toujours : quand tu épouses une femme, tu es responsable d'elle et de tout ce qu'elle aime.

Ce n'était pas vrai. Son père – ce salaud – avait reporté toutes ses obligations sur les épaules d'un enfant de huit ans. Mais pour le moment, il avait besoin d'un géniteur très intègre, capable de mémorables leçons de vie.

— Mon père m'a appris à travailler dur, dit Fontaine, s'assombrissant. C'est grâce à lui que je suis devenu ce que je suis. J'ai hérité du travail de la terre et de tous les sacrifices que ça implique. C'est pas une vie facile, croyez-moi.

L'homme secouait lentement la tête, perdu dans une étrange tristesse.

Il se fermait.

Berish sentit sur lui le regard du fantôme de Bernadette qui lui reprochait d'avoir laissé son mari digresser. Il devait le récupérer, au risque de le perdre. Sa seule chance était de tenter un coup de poker, mais s'il ratait c'était terminé. S'il avait bien compris, le père de Fontaine était au moins aussi salaud que le sien, aussi il dit :

— Ce n'est pas de notre faute si on est ce qu'on est. Ça dépend de qui nous a précédés dans ce putain de monde.

Il avait introduit une notion importante, la faute. Si Fontaine était susceptible ou s'il pensait avoir eu le meilleur père du monde, il se vexerait et ce « bavardage » de six heures partirait en fumée. Si au contraire l'agriculteur éprouvait du ressentiment pour s'être comporté comme un faible, alors Berish venait de lui offrir la possibilité de reporter ses fautes sur quelqu'un d'autre.

— Mon père était sévère, admit l'homme. Je devais me lever à 5 heures et m'occuper de la ferme avant d'aller à l'école. C'était lui qui décidait. Et j'avais pas intérêt à désobéir.

— Moi aussi j'ai connu les baffes.

— Moi, c'était la ceinture. Mais il avait raison. Parfois j'écoutais rien, ou je rêvassais.

— Quand j'étais petit, j'étais passionné par les bandes dessinées de science-fiction, je rêvais toute la journée à des voyages dans l'espace.

— Moi je sais même pas à quoi je pensais. J'essayais de rester concentré, mais au bout d'un moment mon esprit s'évadait, j'y pouvais rien. Tous mes enseignants disaient que j'étais lent. Mais mon père voulait rien entendre, parce que dans le métier d'agriculteur on n'a pas le droit d'être distrait. Alors chaque fois que je faisais mal quelque chose, il me donnait une correction. Et moi j'apprenais.

— Je parie qu'après tu n'as plus fait d'erreurs.

— Il y a un lopin de terre à côté de l'étang où rien ne poussera cette année, dit l'homme à voix basse après une brève pause.

Pendant un instant, Berish ne fut pas certain qu'il avait vraiment prononcé cette phrase. Il ne répondit pas, il laissa le silence s'installer entre eux comme un rideau. Si Fontaine était gêné, c'était lui qui devait le tirer pour lui dévoiler ce qu'il y avait derrière – la suite terrifiante de cette histoire. Il ajouta :

— C'est sans doute de ma faute, j'y ai mis trop de désherbant.

Il avait employé le mot « faute » et la première personne, dans la même phrase.

— Tu m'emmènerais voir ce terrain près de l'étang ? J'aimerais vraiment le voir… proposa calmement Berish.

Fontaine acquiesça et le regarda. Sur son visage, l'ombre d'un sourire. Il avait été difficile de garder cette histoire pour lui, mais il était enfin libre, il pouvait cesser de faire semblant.

L'agent spécial se retourna. Le fantôme de Bernadette était parti.

Peu après, les voitures de police filèrent à travers la campagne. Pendant le trajet, l'assassin se montra très calme. En un sens, il méritait un peu de sérénité. Fontaine avait accompli son devoir, il avait pris soin de sa femme, Bernadette aurait un enterrement et une sépulture dignes de ce nom.

Tout le monde avait envie de parler à Simon Berish.

Mais, dans le fond, il aurait été plus juste d'affirmer que tout le monde voulait avouer à Simon Berish quelque chose d'inavouable.

21

Éric Vincenti conservait un exemplaire de *Moby Dick* dans un tiroir de son bureau.

Mila avait du mal à imaginer qu'un homme qui avait trouvé le sens de sa vie en lisant Melville soit un assassin capable d'arracher les dents de sa victime dans le seul but de le torturer à mort.

Son collègue soutenait que ce roman contenait tout ce qu'il y avait à savoir sur leur métier, parce que Achab cherche le cachalot blanc exactement comme ils cherchaient des personnes perdues dans l'océan du néant. « Parfois on ne comprend pas qui est le méchant, le véritable monstre de cette histoire, disait-il. Moby Dick ou le capitaine ? Pourquoi Achab persiste-t-il dans sa quête de ce qui ne veut pas être trouvé ? »

Cette question résumait ses doutes sur le sens de leur travail.

L'assassin de Harash « le croque-mort » était un homme d'une profondeur incroyable, capable de gestes d'une gentillesse désarmante, comme apporter un café à Mila chaque matin, quand il prenait son service aux

Limbes. Quand il travaillait, il laissait sa petite radio allumée sur une chaîne de musique lyrique, à un volume quasi imperceptible, et il fredonnait les airs d'opéra. C'était toujours Éric Vincenti qui, quand il allait parler aux parents d'un disparu, prenait soin d'emporter un mouchoir propre au cas où ils auraient besoin de pleurer. Éric Vincenti qui offrait volontiers des bonbons à la menthe qu'il sortait de ses poches, Éric Vincenti qui ne s'énervait jamais. Éric Vincenti, le flic le moins flic qu'elle ait rencontré.

— Éric buvait, lui confia Steph à voix basse. Il était esclave de l'alcool.

— Je ne m'en suis jamais aperçue.

— Parce qu'il n'était pas comme le mari de Nadia Niverman, qui défoulait sa méchanceté en cognant sa femme. Éric était ce qu'on appelle un professionnel de la bouteille. Des gens qui savent répartir une cuite lente à l'alcool fort sur toute la journée, qui ne laissent rien transparaître parce qu'ils ne sont jamais ivres. Tu le prenais pour un type normal, mais il y a toujours un tribut à payer à sa propre part obscure. Tout le monde porte un masque pour la cacher. Celui d'Éric était les bonbons à la menthe.

En même temps, les agents de la brigade criminelle emportaient toutes les affaires du bureau de Vincenti – hormis *Moby Dick*, qui avait disparu avec lui des années auparavant – dans l'espoir de trouver un indice les conduisant à la case suivante de ce mystère.

Cette fois, ils n'avaient rien retrouvé qui annonçât le prochain crime.

Pas de signe dans le coffre-fort de Harash « le croque-mort », ni sur son corps. L'idée que tout était terminé pouvait être rassurante, mais les flics sont méfiants par nature. Souvent à juste titre. Mila, par exemple, avait fait confiance à Éric : maintenant, elle en payait les conséquences.

— Nadia est venue se tuer devant moi, dans le métro, pour me laisser l'indice de la dent... parce que moi seule pouvais reconnaître Éric sur cette vidéo. Mais pourquoi Harash ? Quel rapport entre un usurier et Vincenti et son vice de la boisson ?

Le mobile de la vengeance personnelle qui avait valu pour Roger Valin et Nadia Niverman ne semblait pas fonctionner, cette fois. En plus, la femme s'était suicidée, tandis qu'Éric Vincenti et Roger Valin avaient disparu à nouveau dans le néant. L'affaire se compliquait.

— La malédiction d'Éric était cet endroit, poursuivit Steph. Son visage figurait déjà parmi les photos de la Salle des pas perdus, simplement il ne s'en était pas encore aperçu, et moi non plus. J'aurais dû sentir qu'il arrivait au point de rupture, qu'il ne supportait plus la responsabilité de toutes ces vies irrésolues. Chaque flic doit régler ses comptes avec son métier et les horreurs qu'il contient. Mais nous, aux Limbes, on ne chasse pas des voleurs ou des assassins, notre ennemi est le vide, il est fait d'air et d'ombre. Plus on le regarde, plus il nous semble réel. Il engloutit les personnes et ne les recrache pas – du moins pas comme avant. Tout flic court le risque de déraper, mais nous, un jour, le vide se met à nous parler et, parfois, il devient attirant. Il nous offre un indice et nous convainc que nous pourrons en trouver d'autres. On lui cède progressivement des parties de soi. Or on ne peut pas vivre avec le vide, on ne pactise pas avec le vide. On lui ouvre la porte de chez soi, comme à un ami bienveillant. Le vide s'engouffre et pille tout ce qu'il y a à piller.

— Exactement comme un usurier, intervint Mila.

— Oui, comme Harash, s'étonna Steph qui n'y avait pas pensé. Je crois que Vincenti a choisi de le tuer parce que « le croque-mort » était un parasite, il profitait des souffrances qui poussent souvent les gens à disparaître.

Qui est le monstre, Achab ou Moby Dick ?

Le visage du capitaine se détendit.

— En toute franchise, je ne me sens pas de condamner Éric pour ce qu'il a fait à ce salaud.

C'était une affirmation forte de la part de Steph, un compromis avec les ténèbres. Il aurait dû dire « nous ici, lui là-bas ». Mais l'ombre essaye toujours de gagner du terrain. Parfois, même les hommes de justice ne résistent pas à la tentation de lorgner de l'autre côté. Dans le fond, tout le monde a besoin d'un cachalot blanc pour faire semblant de lui donner la chasse.

— La réunion va commencer là-haut. Quoi qu'ils disent sur Éric, on ne changera pas d'avis sur lui, affirma Steph avant d'ajouter : Les péchés des Limbes restent aux Limbes.

Mila acquiesça. Son geste tint lieu d'absolution.

22

Au département, un briefing avait été organisé d'urgence.

Les gros bonnets étaient présents, ainsi que les sous-chefs et les analystes de la brigade antigang. Une cinquantaine de personnes en tout : la plus grande confidentialité était de rigueur.

Mila entra dans la salle avec le capitaine Stephanopoulos. En général, un simple agent n'était pas autorisé à participer à ces réunions au sommet, elle ne se sentait donc pas à sa place. Steph lui fit un clin d'œil, pour le moment ils devaient être solidaires parce qu'une sorte de faute collective pesait sur les membres des Limbes à cause de l'implication d'Éric Vincenti – ils étaient regardés avec suspicion uniquement parce qu'ils avaient travaillé avec lui. Toutefois, la policière se sentait mal à l'aise également parce qu'elle était la seule femme.

Pourtant, dans cette assemblée quasi masculine, ce qui détonnait le plus était l'absence du Juge.

Bien que le chef ne daignât pas intervenir, son esprit flottait. Mila était convaincue que la caméra de sécurité placée en hauteur d'un côté de la salle n'était pas aussi inerte qu'elle en avait l'air.

— Messieurs, asseyez-vous, nous allons commencer, annonça Boris pour faire cesser les conversations au sein du groupe rassemblé autour d'une table basse où étaient posés deux thermos de café.

Quelques secondes plus tard, les lumières s'éteignirent et un écran s'éclaira. Mila eut une sensation étrange. Un frisson à la base du cou, qui l'avertissait qu'un changement se préparait, irrémédiable.

Cela faisait sept ans que cela ne lui était pas arrivé.

Il ne s'agissait pas nécessairement d'un danger. Cela pouvait être simplement l'obscurité tapie à l'intérieur d'elle-même qui se manifestait, réclamait sa dose de considération.

Un rayon de lumière poussiéreuse traversa la salle jusqu'à l'écran derrière Boris. Les photos de Roger Valin, de Nadia Niverman et d'Éric Vincenti apparurent.

— Six victimes en moins de quarante-huit heures, attaqua l'inspecteur. Au sujet des responsables, pour le moment nous n'avons que des questions. Pourquoi ces personnes ont-elles choisi de disparaître, il y a des années ? Où ont-elles été pendant tout ce temps ? Pourquoi reviennent-elles pour tuer ? Quel est le dessein derrière tout ça ? Comme vous voyez, les points obscurs sont nombreux et pas toujours évidents à relier entre eux. Pourtant, nous avons une certitude : en tout état de cause, nous les arrêterons.

Dans le jargon des flics, ces phrases devaient transmettre un sentiment de sécurité et de détermination.

Néanmoins, lors de ces présentations musclées, Mila n'y lisait que de l'impuissance et de l'égarement.

Quand l'ennemi nous bat, au lieu de réagir nous nous occupons de cacher notre faiblesse.

Elle avait commis une erreur, elle aussi. Elle avait cru que Valin et Nadia Niverman s'étaient rencontrés après avoir fui le monde, qu'ils avaient relié leurs drames respectifs et leurs rancœurs pour mettre sur pied un plan de mort. Or l'ajout d'un troisième protagoniste remettait en question la théorie du couple homicide. La présence d'Éric Vincenti prouvait qu'il s'agissait d'un phénomène plus large et imprévisible. Elle aussi avait peur, elle espérait que cette réunion donnerait lieu à des contre-mesures rassurantes.

— Après nous nous être longuement entretenus avec le Juge, nous avons établi une stratégie. Pour perturber la suite des événements, il faut d'abord les déchiffrer, dit Boris en faisant un signe à Gurevich qui se leva pour le remplacer sur l'estrade.

— Nous nous trouvons face à une organisation paramilitaire de nature extrémiste, affirma ce dernier.

L'espace d'un instant, Mila se demanda si elle avait bien compris. Mais Gurevich était sérieux. Terrorisme ? C'était de la folie.

— C'est évident, poursuivit l'inspecteur. C'est le dernier homicide de la série qui nous a ouvert les yeux. Si l'on exclut la rancœur, et dans la mesure où le lien entre le tueur et sa victime n'est pas encore prouvé, il ne reste qu'une explication : la subversion.

Une vague de murmures inquiets partit du fond de la salle.

— S'il vous plaît, coupa l'inspecteur. Les cellules qui frappent sont composées d'un seul individu. Elles agissent pour des raisons apparentes de vengeance, mais en vérité leur but est de susciter la panique en déstabilisant l'ordre établi. Nous savons bien que la peur est plus puissante que mille bombes. Ils veulent de la publicité, mais nous la leur avons niée en imposant la plus stricte confidentialité sur cette affaire.

Cette reconstruction est tout simplement folle. Dans le fond, les policiers étaient habiles pour forcer la réalité : quand ils se retrouvaient dos au mur, plutôt que d'admettre qu'ils étaient en difficulté, ils interprétaient les faits pour prouver qu'ils avaient toujours le contrôle de la situation. Par ailleurs, pour eux le mobile d'un crime était l'affaire des tribunaux. Les flics s'intéressaient à *qui* et *comment*, le *pourquoi* était tantôt très relatif, tantôt considéré comme allant de soi.

Derrière Gurevich, la vidéo où Éric Vincenti marchait sur le trottoir démarra. Il s'arrêta au carrefour avec les autres piétons, se pencha sur une bouche d'égout pour renouer son lacet, puis souleva sa casquette pour saluer avec insolence ceux qui l'observaient.

Mila trouvait ridicule qu'ils évoquent son collègue des Limbes comme un fanatique en lutte contre la société et ses symboles. Pourtant, Éric avait l'air vraiment différent, sur ces images.

— Inutile de nier qu'il sera difficile de prévoir la prochaine cible, poursuivit Gurevich en croisant les mains derrière son dos. En plus, les trois assassins qui ont agi jusqu'ici n'avaient aucun antécédent judiciaire, ils n'étaient donc pas fichés : Roger Valin a été identifié parce qu'il a révélé son nom au seul survivant et grâce à une description de ses vêtements, Nadia Niverman grâce à l'alliance au doigt de sa victime et Éric Vincenti a été reconnu par une collègue.

Mila lui fut reconnaissante de ne pas avoir prononcé son nom.

— Cela confirme l'hypothèse qu'il ne s'agit pas de criminels professionnels, aussi à l'avenir il est probable que nous ne trouverons dans nos archives ni empreintes digitales, ni sang, ni ADN. D'ailleurs, nous n'en avons pas besoin. Nous déclenchons le plan antiterrorisme. La priorité sera la chasse à l'homme : il faut capturer Roger Valin et Éric Vincenti, identifier leurs complices et ceux qui couvrent leur cavale. Primo : Valin a utilisé un fusil Bushmaster .223 : où se l'est-il procuré ? Un comptable ne trouve pas seul un tel joujou. Secundo : nous passerons Internet au crible à la recherche de proclamations délirantes, nous analyserons les sites où les fanatiques conspirent et échangent des points de vue contre le gouvernement et des conseils pratiques pour mettre en œuvre leurs projets monstrueux. Tertio : je veux que vous mettiez sous surveillance les activistes politiques, les trafiquants d'armes et tous ceux qui dans le passé ont pu envisager, même de loin, de frapper l'ordre établi. Nous attraperons ces salauds, soyez-en sûrs.

Des applaudissements retentirent. Pourtant, leur moteur était l'incertitude, plus que la conviction : en applaudissant ils la chassaient, mais c'était comme cacher la poussière sous un tapis. Mila se rendait compte que toutes les personnes présentes avaient peur de se retrouver piégées dans une affaire incompréhensible. Gurevich leur indiquait une porte de sortie facile et, bien que les éléments pour étayer sa théorie fassent cruellement défaut, les policiers sentaient bien qu'ils n'avaient pas le choix. Or l'inspecteur commettait une grossière erreur : qualifier les assassins de « terroristes » était rassurant parce que cela évitait de se demander ce qui se passait réellement.

— Si nous faisons terre brûlée autour d'eux et que nous coupons court à toutes leurs initiatives, nous découragerons les nouvelles agressions, conclut Gurevich, satisfait.

Sans s'en apercevoir, Mila secoua la tête un peu trop énergiquement, au point d'attirer l'attention de l'inspecteur.

— Vous n'êtes pas d'accord ?

Tout le monde se retourna vers Mila, qui comprit alors que c'était à elle que son supérieur s'adressait. Elle sentait une brûlure diffuse sur sa peau, comme si elle se trouvait dans un four à micro-ondes géant.

— Si, monsieur, mais…

— Bien, Vasquez. Vous avez peut-être une suggestion ?

— Je ne pense pas qu'il s'agisse de terroristes, dit-elle à sa propre surprise. Roger Valin était un faible. La question n'est peut-être pas *comment* il a changé pendant ces années mais *qu'est-ce* qui a provoqué ce changement en lui, qui l'a poussé à empoigner un fusil d'assaut pour massacrer des gens. Honnêtement, je ne pense pas que sa vengeance soit imputable à une idéologie subversive. Il doit y avoir une explication plus intime, plus personnelle.

— Pour moi, c'est le cas typique d'un homme quelconque ayant couvé une rancœur contre la société qui ne prête pas attention à lui.

— Quant à Nadia Niverman, poursuivit Mila, elle n'arrivait pas à se rebeller contre son mari qui la cognait si fort qu'elle a failli en mourir. Franchement, j'ai du mal à croire qu'elle ait pu commettre un attentat.

Dans la salle, on entendit des commentaires désobligeants. Boris et Steph l'observaient, inquiets.

— Sans parler d'Éric Vincenti, un collègue qui se consacrait entièrement à la recherche des personnes disparues et qui vivait entouré de fantômes, poursuivit Mila malgré l'hostilité évidente de ses collègues.

— Vous essayez de nous attendrir, avec cette histoire ? Vous affirmez peut-être qu'ils étaient des victimes ? Je vous conseille de surveiller vos propos, agent Vasquez, parce qu'ils risquent sérieusement d'être mal interprétés.

— Je me référais au fait que, comme vous l'avez dit, aucun des trois n'avait d'antécédents, et que c'étaient des gens que le monde avait abandonnés bien avant qu'ils n'abandonnent le monde.

— Exact. Ils constituaient donc la cible parfaite d'une organisation subversive : ils n'avaient rien à perdre, ils étaient en conflit perpétuel avec la société, ils voulaient se venger des torts qu'ils avaient subis. Il est évident que quelqu'un les a recrutés, en les aidant à disparaître. Ce quelqu'un leur a fourni une couverture et a procédé à leur instruction. Ensuite, il leur a confié une mission.

— Vous avez raison, il existe un but, convint Mila. Mais nous ne pouvons pas commettre l'erreur de nous contenter d'une première impression uniquement parce qu'elle est dictée par l'expérience.

Dans la salle, les critiques allaient bon train. Alors la policière leva les yeux vers la caméra qui surveillait la conversation depuis le début, immobile et silencieuse.

— Je dis qu'il y a sans doute un dessein derrière tout ça. Je dis qu'il n'y a aucune façon de prévoir la prochaine victime ou le prochain coupable. Je dis seulement que je souhaite de tout mon cœur qu'il s'agisse de terrorisme. Parce que, si ce n'est pas le cas, ça sera difficile à arrêter.

23

Cela faisait plus d'une heure qu'elle avait entrepris de changer les pneus de la Hyundai.

À la fin de la réunion, Mila aurait voulu rentrer directement chez elle. Or, en arrivant au parking, elle avait retrouvé la désagréable surprise qu'elle avait totalement oubliée. Cela avait été comme la vivre à nouveau, avec rage, cette fois.

Elle avait dû appeler une dépanneuse pour amener sa voiture au garage. Maintenant, elle suivait l'opération avec un calme qui n'était qu'apparent. Son esprit vagabondait.

Elle n'avait pas été chassée de la réunion mais, après son intervention, la discussion s'était poursuivie comme si elle n'avait jamais ouvert la bouche. Elle s'était rassise, ignorée de tous. Ce qui la mettait en colère était de s'être ridiculisée. De plus, elle en voulait à Éric Vincenti parce qu'elle se sentait trahie par un homme qu'elle estimait.

Étais-tu Achab ou Moby Dick ? Ni l'un ni l'autre, ou peut-être les deux, c'est pour cela que je ne m'en suis jamais aperçue.

L'homicide commis par son collègue – si on pouvait appeler homicide le fait d'arracher les dents de quelqu'un jusqu'à provoquer sa mort – manquait d'un mobile clair. Mila était gênée par tant de cruauté gratuite. En plus, elle ne disposait d'aucune indication sur le crime suivant. À ce sujet, la nervosité des enquêteurs était palpable.

Ils ne savaient pas qui frapperait, ni où, cette fois. Parce qu'ils partageaient une seule certitude : c'était loin d'être terminé.

Jusque-là, la chaîne des événements avait été révélée par des indices précis. Des petites énigmes, comme une chasse au trésor : les vêtements de Valin, la dent de Harash, la vidéo avec Vincenti… Oui, mais pourquoi ce dernier avait-il pris soin de ne laisser aucune empreinte ni ADN sur la scène de crime ? Et pourquoi avait-il organisé cette parade sous la caméra ?

La solution est peut-être tellement simple que nous ne la voyons pas.

Pourtant, au lieu de se concentrer sur le maillon suivant de la chaîne, au département on se perdait en folles conjectures. Terroristes ? Pensaient-ils vraiment qu'il suffisait d'assigner un nom à la peur ?

Très vite, on lui rendit sa Hyundai équipée de pneus neufs. Mila sortit ses lunettes de soleil de la boîte à gants et démarra. La journée était magnifique, seuls quelques nuages épars maculaient le ciel bleu, disséminant des taches d'ombre fugaces tout autour.

Mais Mila regardait au-delà de la route. Les images de la vidéo avec Éric Vincenti défilaient devant ses yeux en permanence. La séquence prenait fin et recommençait du début.

Elle avait toujours eu la conviction que son collègue

reviendrait un jour. Que les ténèbres le recracheraient comme une bouchée indigeste, le rendraient aux Limbes comme le témoignage vivant qu'il est toujours possible de revenir en arrière.

Elle imaginait qu'Éric franchirait à nouveau le seuil de son bureau, lui apporterait un café, se rassiérait comme si de rien n'était, allumerait sa radio et se remettrait au travail sur fond d'airs d'opéra.

En réalité, Mila l'avait revu là où elle s'y attendait le moins.

Elle n'oublierait jamais la silhouette de la vidéo. L'homme à l'imperméable qui se penche sur une bouche d'égout pour renouer son lacet et qui – geste effronté et, dans le fond, terrifiant – retire sa casquette pour saluer la caméra.

Pourquoi cette comédie ? Uniquement pour être reconnu ?

On aurait dit une revendication, ce qui confirmait la thèse subversive. Or Mila voyait autre chose dans ces images : son collègue – qu'elle avait encore du mal à définir comme *ex* – avait subi le baptême des ténèbres. La mise en scène devant la caméra signifiait surtout une chose.

Que désormais Éric Vincenti dansait avec les ombres.

Le soleil de l'après-midi inondait de lumière le séjour de l'appartement de Mila, poursuivant la poussière autour des piles de livres comme s'il voulait la débusquer. De l'autre côté de la rue, sur l'affiche, le couple de géants souriait aux passants – et même au SDF qui poussait un caddie de supermarché croulant sous les sacs en plastique et les vieilles couvertures. Plus tard, Mila lui laisserait de la nourriture sur la poubelle à l'entrée de la ruelle. Pas de hamburger, cette fois, peut-être une soupe au poulet.

Une fois calmée, la policière s'installa devant son ordinateur et l'alluma. Quelques minutes plus tard, le programme connecté à la microcaméra était lancé. Sur l'écran apparut la chambre de la fillette qu'elle surveillait à distance.

La petite était assise à une table basse ronde et dessinait. Autour d'elle, une assemblée organisée de poupées.

Quelle est sa préférée ?

Ses longs cheveux blonds cendrés étaient relevés en une queue-de-cheval qui lui découvrait la moitié du visage. Elle tenait un feutre de couleur et son expression indiquait qu'elle était très concentrée sur son travail – une parfaite petite demoiselle de six ans. Mila augmenta le volume mais pour le moment elle n'entendait qu'un bruit de fond.

La même femme que l'avant-veille entra dans le champ ; elle portait un plateau sur lequel étaient posés un verre de lait, des biscuits et des comprimés dorés. Elle portait bien sa cinquantaine.

— Le goûter, annonça-t-elle.

La fillette se retourna mais ne lâcha pas son dessin.

— Attends.

— Tu finiras après, là il faut prendre tes vitamines, insista la femme.

— Je peux pas.

La femme s'approcha et lui retira le feutre des mains. La fillette ne fit aucun commentaire. *Aucun danger, tout va bien.* Puis la petite prit une poupée rousse et la serra contre elle, comme une sorte de barrière. Une moue boudeuse se dessina sur son visage.

Quelle mère serais-je, si je ne connaissais pas le nom de la poupée préférée de ma fille ?

— Lâche ce truc, lui enjoignit la femme sur l'écran.

Elle ne sait pas. Zut, elle ne sait pas.

— C'est pas un truc, protesta la fillette.

La femme soupira en lui tendant les comprimés de vitamines et le verre de lait.

— Quel désordre, ici !

Profitant de la distraction de la femme, la fillette fit mine de lacer sa chaussure et cacha les comprimés dans la robe de sa poupée.

Mila sourit devant tant d'habileté. Pourtant son sourire s'éteignit soudain. Ses yeux quittèrent l'écran. Comme dans son esprit si les images étaient remplacées par d'autres.

Éric Vincenti qui s'arrêtait à un carrefour et attendait que le feu passe au vert. Éric Vincenti qui, au lieu de traverser, se penchait sur une bouche d'égout pour renouer son lacet. Éric Vincenti qui soulevait sa casquette pour saluer.

Non, ce n'est pas exact. Il ne se contente pas de saluer. Il veut être reconnu, bien sûr, mais aussi... attirer l'attention. Éric connaît les flics, il sait comment les embrouiller.

Il savait qu'ils se perdraient en conjectures compliquées, pour ne pas admettre qu'ils étaient en difficulté : l'option terroriste en était la preuve.

Pourtant, la solution est tellement simple que nous ne la voyons pas. Mila se remémora chaque instant de la séquence, comme si elle se la passait au ralenti.

Peut-être que Vincenti, comme la petite fille avec ses vitamines, avait caché quelque chose pour eux sur le trottoir.

24

La rue était envahie par des piétons pressés de rentrer chez eux.

De l'autre côté de la chaussée, Mila observait le va-et-vient de chaussures à talon, tennis, mocassins et sandales. Des gens qui ignoraient que sous leurs pieds se cachait peut-être un indice important dont dépendait la vie ou la mort de quelqu'un.

La policière ne voulait rien laisser au hasard : elle traversa pour accomplir les mêmes gestes que ceux d'Éric Vincenti sur la vidéo.

En premier lieu, elle marcha sur le trottoir en gardant les yeux baissés. Son allure détonnait avec celle des autres piétons, qui se plaignaient parfois d'être ralentis. Malgré cela, Mila continua à scanner le trottoir centimètre par centimètre, jusqu'à la bouche d'égout à côté de laquelle Vincenti s'était penché avant de saluer la caméra.

Elle répéta le geste de son collègue. Le dos voûté, immobile dans le flot de piétons contraints de la contourner, elle observa le couvercle en fonte où étaient gravés l'emblème de la municipalité et le nom de la fonderie qui l'avait réalisé. Des détails auxquels personne ne prêtait attention, d'habitude. Un objet que tout le monde foulait mais qui rentrait à peine dans le champ de vision des passants.

Mila passa ses doigts sur les fissures tout autour et découvrit un petit papier plié. Elle tenta de l'extraire mais il était glissé tout au fond. Elle s'obstina, se cassa un ongle, se blessa le doigt qui saigna. Elle réussit enfin.

En suçant sa blessure pour arrêter l'hémorragie, elle se releva. Sans quitter le papier des yeux, aussi curieuse qu'une enfant qui vient de découvrir avant les autres un indice de chasse au trésor, elle s'engouffra dans une rue secondaire pour échapper à la foule. Les mains tremblantes, elle déplia le papier.

C'était une coupure de journal.

Plus exactement, il s'agissait d'un bref entrefilet qui reportait le compte rendu d'un homicide commis le 19 septembre – la veille de la tuerie de Roger Valin.

L'événement avait gagné une place dans les faits divers à cause des modalités cruelles et absurdes de la mort. Cependant, la victime n'étant qu'un petit dealer, la nouvelle avait été reléguée en bas de page.

Mila lut.

Selon les déclarations de son frère, Victor Moustak détestait l'eau. Pourtant il était mort noyé. Dans trois centimètres d'un liquide trouble. L'assassin lui avait attaché les pieds et les mains et lui avait plongé le visage dans une écuelle en métal habituellement utilisée pour donner à boire aux chiens.

Les enquêteurs avaient relevé les empreintes digitales du tueur sur une des cordes qui avaient attaché

Moustak. N'étant pas fiché, le coupable était resté sans identité.

Le journaliste rapportait une autre bizarrerie.

Avant de partir, l'assassin avait utilisé le téléphone portable de Moustak pour envoyer un texto au frère de sa victime – mais il était possible que ce contact ait été choisi au hasard dans le carnet d'adresses. La police n'avait pas tenu à diffuser le contenu du message.

Quand elle acheva sa lecture, Mila aperçut trois lettres griffonnées au crayon au bas de la page.

VPH.

Elle prit son portable et composa un numéro.

— Stephanopoulos, répondit le capitaine des Limbes.

— La série de crimes a peut-être commencé avant l'affaire Roger Valin.

— Comment tu le sais ?

— Éric Vincenti m'a laissé un indice.

Steph marqua une pause, Mila comprit qu'il n'était pas seul.

— On peut en reparler plus tard ? demanda-t-il.

— J'ai besoin que tu consultes les archives du département.

— Donne-moi dix minutes, je te rappelle depuis mon bureau.

Quinze minutes plus tard, le portable de Mila sonna.

— Qu'est-ce que c'est que cette histoire ? Il faut que tu avertisses Boris et Gurevich.

— Pour avaliser leur thèse du complot terroriste ? Pas question. Je les appellerai quand j'aurai les idées plus claires.

— S'il te plaît, Mila.

— Sois tranquille.

Elle lui raconta brièvement comment elle avait découvert l'article de journal dans la bouche d'égout, puis lui demanda de contrôler l'affaire Victor Moustak dans les archives.

— Je veux connaître le contenu de ce texto.

Il fallut un certain temps au capitaine pour lire et résumer les différents rapports de police. Quand il arriva à la partie sur le texto, il laissa échapper un petit rire.

— Qu'y a-t-il de drôle ?

— C'est une fausse piste, Mila, crois-moi.

— Tu me le lis, oui ou non ?

— *La longue nuit a commencé. L'armée des ombres est déjà en ville. Ils préparent sa venue, parce que bientôt il sera ici. Le Magicien, l'Enchanteur des rêves, le Maître de la nuit : Kairus a plus de mille noms.*

— Qu'est-ce que c'est que cette histoire ? demanda Mila qui jugeait pourtant que l'armée des ombres était une définition parfaite.

— La raison pour laquelle la police n'en a pas touché mot à la presse : une affaire ridicule. Fais-moi confiance, laisse tomber.

— Je veux en savoir plus, insista Mila. Ensuite, peut-être que je laisserai tomber.

Steph soupira, conscient de se trouver face à un mur.

— Une seule personne peut tout te raconter. Mais avant que tu le rencontres je dois t'informer de deux ou trois détails sur son compte.

— C'est-à-dire ?

— Autrefois c'était un flic de terrain, du genre muscles et insigne. Mais il s'est recyclé : il a étudié l'anthropologie.

— L'anthropologie ?

— Il est devenu le plus grand expert en interrogatoires du département.

— Alors pourquoi je n'en ai jamais entendu parler ?

— C'est un autre aspect de sa personnalité, mais tu le découvriras toute seule. Je voulais juste te prévenir : ne joue pas avec lui. Tu vas devoir le convaincre de collaborer, ça ne sera pas simple.

— Comment s'appelle-t-il ?

— Son nom est Simon Berish.

— Où puis-je le trouver ?

— Il prend son petit déjeuner tous les matins au restaurant des flics, dans le quartier chinois.

— Bien. J'ai également besoin que tu vérifies si, dans l'affaire du noyé, les empreintes digitales de l'assassin se trouvent dans le fichier des VPH. Il y avait une note au crayon sur la coupure de journal.

— Je transmets ta demande à Krepp, mais sans lui dire pourquoi j'en ai besoin.

— Merci.

— Vasquez…

— Oui ?

— Fais attention à Berish.

— Pourquoi ?

— C'est un paria.

25

Le restaurant chinois était le quartier général des flics.

À l'instar des pompiers, les policiers choisissaient une cantine et n'en changeaient plus. L'alchimie qui déterminait leur choix restait un mystère – souvent cela ne dépendait ni de la qualité de la nourriture, ni du service, ni même de la proximité de leur lieu de travail. Il était tout aussi difficile de remonter aux origines de ces habitudes. Quel agent avait mis le premier le pied dans ce restaurant ? Pourquoi les autres l'avaient-ils imité ? En tout cas, ces endroits devenaient des territoires exclusifs où les autres clients – les « civils » – représentaient une minorité tolérée mais peu appréciée. Les propriétaires ne s'en plaignaient pas, pour eux c'était une manne : la recette était assurée et, en plus, cela offrait une assurance spéciale contre les voleurs, les personnes malintentionnées et les fournisseurs frauduleux.

Quand Mila franchit le seuil, elle fut assaillie par l'odeur pénétrante de friture. Les vociférations des uniformes bleus qui grouillaient dans la salle lui furent tout aussi désagréables. Elle fut accueillie par une serveuse chinoise qui, l'identifiant comme nouvelle cliente, lui annonça que les plats traditionnels étaient servis à l'heure du déjeuner mais que le petit déjeuner était international. Mila fut tentée de lui demander pourquoi un restaurant de cuisine cantonaise servait des œufs au bacon jusqu'à 9 heures du matin, mais elle la remercia pour l'information et regarda autour d'elle. Un coup d'œil lui suffit pour comprendre ce qu'avait voulu dire Steph quand il avait décrit comme un paria l'homme qu'elle s'apprêtait à rencontrer.

Au milieu des dizaines de flics qui petit-déjeunaient en bavardant et en plaisantant, Simon Berish mangeait seul.

Mila se fraya un chemin entre les tables jusqu'à la dernière de la rangée, coincée entre deux parois. L'homme en costume cravate, concentré sur son journal, sirotait un café. À sa gauche, une assiette contenait des reliefs d'œufs au bacon, à côté d'un verre d'eau avec glaçons et citron. À ses pieds somnolait un chien de taille moyenne au pelage blond.

— Excusez-moi, l'interpella Mila. Agent spécial Berish ?

— Oui, répondit l'homme en baissant son journal avec étonnement.

— Je m'appelle Mila Vasquez, nous sommes collègues.

Elle lui tendit la main mais au lieu de la serrer Simon Berish l'observa comme si c'était un pistolet. Mila s'aperçut que tous les regards de la pièce convergeaient vers eux, à croire qu'elle venait de violer un tabou.

— Je voudrais vous parler d'une affaire sur laquelle vous avez travaillé.

— Quelle affaire ?

— Le Magicien, l'Enchanteur des rêves, le Maître de la nuit. Kairus.

L'agent spécial se raidit.

Mila se sentait de plus en plus mal à l'aise.

— Je ne vous volerai que quelques minutes.

— Je ne pense pas que ça soit judicieux, lâcha Berish en regardant autour de lui pour s'assurer que personne n'avait entendu.

— Expliquez-moi au moins le pourquoi et je vous laisserai en paix. Qui est le Magicien, l'Enchanteur des rêves, le Maître de la nuit ?

— Un personnage de conte. Il tient compagnie au grand méchant loup et au monstre du Loch Ness. Il y a vingt ans les gens lui ont donné naissance dans une sorte de suggestion collective, une hystérie qui n'a épargné personne. Les médias le ressortaient chaque fois que quelqu'un disparaissait : ils pimentaient la nouvelle avec un de ces noms pour faire grimper l'audimat. C'était comme avoir un costume sombre dans son armoire : on peut le mettre à un enterrement, mais cela convient aussi pour un mariage.

— Pourtant vous y croyiez.

— C'était il y a longtemps, vous n'étiez qu'une enfant. Maintenant, si vous voulez bien m'excuser, j'aimerais finir mon petit déjeuner, déclara-t-il en se replongeant dans son journal.

Mila allait partir quand les agents de la table voisine se levèrent. L'un d'eux passa près de la table de Berish et heurta l'assiette que celui-ci avait laissée sur le bord. Des éclaboussures d'œuf giclèrent sur la cravate de l'agent spécial. Le geste avait été délibéré. La tension était palpable, même le chien sous la table leva le museau.

Mila imaginait déjà le pire, mais Berish rendormit l'animal d'une caresse. Puis, avec un calme olympien, il sortit de sa veste un mouchoir bien repassé, le trempa dans son verre et nettoya sa cravate. Mila était atterrée. Un subalterne avait ostensiblement manqué de respect à un supérieur, en public en plus, et il repartait sans en payer les conséquences. Il alla même jusqu'à offrir un sourire fier à ses collègues. Elle s'apprêtait à intervenir quand Berish lui saisit le poignet.

— Laisse tomber.

Son ton gentil éclaira Mila sur la raison pour laquelle il ne l'avait pas invitée à s'asseoir à sa table. Il n'était pas impoli, simplement peu habitué à avoir de la compagnie. Étrangement, Mila le comprenait. Pas par empathie, mais par expérience. Selon le code d'honneur tacite des flics, les raisons pour lesquelles on pouvait être étiqueté comme paria étaient peu nombreuses mais insurmontables. Les plus graves étaient la trahison et la délation. La peine équivalait à la perte partielle des droits civiques mais, surtout, de la sécurité. Parce que les personnes chargées de faire régner l'ordre aux yeux de la loi ne levaient plus le petit doigt. Néanmoins, Berish semblait bien supporter cette situation.

Mila accepta le mouchoir et nettoya les éclaboussures de nourriture qui avaient également atteint son blouson en cuir.

— Tu veux manger quelque chose ? lui demanda soudain Berish. Je t'invite.

— Des œufs et du café, merci, répondit la policière en s'asseyant en face de lui.

L'agent spécial attira l'attention d'une serveuse, passa la commande et réclama un deuxième café.

— Pourquoi une femme portant un beau prénom espagnol comme le tien décide-t-elle de se faire appeler Mila ? l'interrogea-t-il en repliant son journal.

— Qu'est-ce qui te dit que ce n'est pas mon vrai prénom ?

— María Elena, n'est-ce pas ?

— C'est un prénom qui ne m'appartient pas, ou auquel je n'appartiens pas.

Berish prit acte. Il l'observait de ses yeux sombres mais cela ne gênait pas Mila. Il y avait une belle lumière dans ses yeux et elle ne détestait pas être regardée ainsi. Berish semblait à l'aise. Son attitude réfléchie, son physique tonique, les muscles que l'on devinait sous sa chemise donnaient à son costume élégant un air de carapace. Il n'avait pas toujours été ainsi. Steph lui avait expliqué que Berish avait étudié l'anthropologie. Pour l'instant elle ne cherchait pas à savoir ce qui l'avait conduit à ce changement radical.

— Alors, tu vas me parler de Kairus ?

— Dans quinze minutes cet endroit sera désert, répondit-il en consultant sa montre. Savoure ton petit déjeuner, ensuite je répondrai à tes questions. Puis nous prendrons congé et nous ne nous reverrons pas. Compris ?

— Marché conclu.

La commande arriva. Mila mangea ses œufs et Berish but son café. Peu après, le restaurant se vida. Les serveuses débarrassèrent les tables. Le brouhaha des voix laissa la place au bruit des assiettes.

Le chien aux pieds de Simon dormait toujours.

— Je ne veux pas savoir pourquoi tu es venue ici, ça ne m'intéresse pas, attaqua l'agent spécial. J'ai occulté cette histoire il y a des années. Je vais te dire ce que je sais, même si tu aurais pu le lire dans le dossier.

— C'est mon capitaine, Stephanopoulos, qui m'a conseillé de venir te parler.

— Ce vieux Steph. Il a été mon premier commandant, à ma sortie de l'école.

— Je ne savais pas, je pensais que Steph avait toujours été aux Limbes.

— Non, il dirigeait le programme de protection des témoins.

— Jamais entendu parler.

— En effet, il n'existe plus. C'était l'époque du crime organisé et la ville multipliait les procès pour coincer les chefs mafieux. Ensuite, l'unité a été dissoute et nous avons tous été affectés ailleurs. En revanche, toi…

— Moi quoi ?

— C'est toi, n'est-ce pas ?

— Je ne comprends pas.

— Tu étais impliquée dans l'affaire du Chuchoteur, maintenant je m'en souviens.

— Tu as bonne mémoire. Mais, si ça ne te dérange pas, pour cette fois on va s'occuper de tes fantômes, pas des miens. Parle-moi de Kairus.

Berish inspira profondément. Ce fut comme s'il ouvrait une porte fermée depuis longtemps à l'intérieur de lui. Comme Mila l'avait pressenti, derrière cette porte les vieux spectres dansaient toujours. Ils refirent surface tour à tour sur le visage de l'agent spécial au moment où il commença son récit.

26

En général, le jour qui précède la fin du monde est paisible.

Les gens vont au travail, prennent le métro, payent leurs impôts. Ils ne soupçonnent rien. Pourquoi le devraient-ils ? Ils font ce qu'ils ont toujours fait en se fondant sur un constat très simple : si aujourd'hui est égal à hier, pourquoi demain devrait-il être différent ? C'était en gros le sens du discours de Berish, auquel Mila adhérait.

Parfois le monde prend fin pour tous ses habitants. Parfois seulement pour certains.

Il arrive qu'un matin un type se réveille sans savoir que c'est le dernier jour de sa vie. Dans certains cas la fin est silencieuse, voire invisible. Elle mûrit paisiblement pour se révéler ensuite dans un détail ou une formalité.

L'affaire du Maître de la nuit, par exemple, avait commencé par une contravention pour interdiction de stationner.

La voiture portait sur son pare-brise le macaron qui autorisait les résidents à se garer dans cette rue. Or deux roues dépassaient de la zone autorisée. Les agents municipaux zélés avaient relevé l'infraction. La contravention avait fini sous un essuie-glace, un mardi matin. Le lendemain, une contravention identique était venue la rejoindre. Et de même toute la semaine, jusqu'à ce qu'un autocollant soit apposé sur la vitre, enjoignant le propriétaire de déplacer immédiatement son véhicule. Vingt jours plus tard, une dépanneuse de la mairie s'en était chargée. La voiture – une Ford gris métallisé – avait fini au dépôt judiciaire. Pour la récupérer, le propriétaire aurait dû payer une petite fortune. Comme prévu par la loi, quatre mois après l'enlèvement, le séquestre avait été demandé, marquant le début d'une période de soixante jours concédés au propriétaire pour payer, avant que le bien soit vendu à l'encan. Or les enchères avaient été désertes et la Ford avait fini à la casse. Pour récupérer son crédit, la mairie avait envoyé un officier judiciaire saisir les biens du malheureux propriétaire à son domicile.

C'est à ce moment-là qu'on s'était aperçu que l'homme – un certain André García, sans famille, qui avait quitté l'armée à cause de son homosexualité et vivait de sa pension – avait disparu depuis plusieurs mois.

Tracts et dépliants publicitaires s'étaient accumulés dans sa boîte aux lettres. L'eau, le gaz et l'électricité avaient été coupés pour défaut de paiement. Dans le frigo, la nourriture était en état de putréfaction.

À l'époque, les journalistes étaient à l'affût de scandales dans lesquels les politiciens spoliaient les citoyens de leur argent en utilisant les méthodes les plus perverses, sous couvert de la loi et avec la complicité de l'administration.

Ainsi, André García avait fini dans le journal.

L'article racontait comment un mécanisme de persécution s'était déclenché et comment personne, avant l'intervention de l'officier judiciaire, n'avait eu l'idée d'aller frapper à la porte de ce citoyen pour lui demander pourquoi diable il ne déplaçait pas sa voiture d'un demi-mètre. Les journaux avaient titré : « Le monde l'oublie, mais la mairie n'oublie pas ! » Ou encore « Le maire déclare : "García, donne-nous notre argent !" »

En réalité, personne ne s'interrogeait sur le destin du pauvre André. Il aurait pu avoir quitté la ville ou s'être jeté dans le fleuve, mais dans la mesure où rien n'indiquait qu'il avait été victime d'un crime, quelle que soit la fin qu'il ait choisie, il était dans son plein droit. Un mérite lui revenait : il avait servi d'exemple. Et comme le public aimait s'indigner, les médias avaient cherché des affaires similaires où la mairie, les banques ou le Trésor public avaient continué d'encaisser l'argent de personnes mortes et enterrées, ou bien plongées dans le coma à la suite d'un accident.

Six autres affaires avaient éclaté au grand jour. Au départ, il s'agissait presque d'une blague. Quatre hommes et deux femmes, entre dix-huit et cinquante-neuf ans, évanouis lors des douze derniers mois.

Les insomniaques.

— C'étaient des gens ordinaires, ils ressemblaient à la serveuse qui nous apporte le petit déjeuner tous les matins au restaurant, au gars qui lave notre voiture le week-end ou à celui qui nous coupe les cheveux une fois par mois, expliqua Berish. Ils étaient seuls. Comme tant d'autres, pourrait-on objecter. Pourtant leur solitude était différente. Une plante grimpante avait poussé sur eux. Peu à peu elle les avait enveloppés et avait occupé tout l'espace, cachant ce qu'il y avait en dessous. Ils évoluaient parmi leurs semblables avec ce parasite sur le corps, qui se nourrissait non pas de leur sang mais de leur âme. Ils n'étaient pas invisibles, on pouvait interagir avec eux, échanger deux mots ou un sourire en attendant son café ou la monnaie. On les rencontrait très souvent, mais on les oubliait tout de suite. C'était comme s'ils n'avaient jamais existé. Ils revenaient à la vie la fois suivante, puis s'évanouissaient à nouveau. Parce qu'ils étaient insignifiants, ce qui est pire qu'être invisibles. Destinés à ne laisser aucune trace dans la vie des autres.

« Au cours de leur existence ils n'avaient éveillé aucun intérêt chez ceux qui les entouraient. Avec leur disparition, soudain non seulement tout le monde les apercevait, mais en plus ils devenaient des objets de considération tardive.

« Comment pourrais-je oublier ce jeune livreur, ou cette étudiante qui collectionnait les licornes ? Le professeur de sciences à la retraite et la veuve à qui ses trois enfants ne rendaient jamais visite ? Ou bien cette femme avec un handicap à la jambe qui tenait une boutique de linge de maison, ou encore la vendeuse de grand magasin qui passait ses samedis soir à la table d'un bar, toujours la même, dans l'espoir que quelqu'un la remarque ?

« De façon un peu arbitraire, les médias avaient relié entre elles les sept disparitions, supposant qu'elles avaient été guidées par la même raison, peut-être la même main. Comme souvent dans ces affaires, la police avait suivi et enquêté sur d'éventuelles responsabilités de tiers. On n'en parlait pas ouvertement mais certains faisaient allusion à un possible tueur en série.

« On aurait dit une téléréalité, à une époque où elles n'existaient pas encore, commenta Berish, dont les sept disparus étaient les protagonistes. Tout le monde se sentait le droit de parler d'eux, de fouiller leurs vies, de les juger. Même la police fédérale était sous les feux de la rampe, au risque de faire mauvaise figure. Le seul absent était la véritable star : l'assassin. Présumé, évidemment, parce qu'il n'y avait pas de cadavre. En l'absence d'un nom, il avait écopé de plusieurs surnoms. *Le Magicien*, parce qu'il faisait disparaître les gens. *L'Enchanteur des rêves*, parce qu'on ne retrouvait pas les corps – la définition était un peu gothique mais vendeuse. Toutefois, c'était *Le Maître de la nuit* qui avait le plus marqué les esprits, parce que la seule donnée qui avait émergé de l'enquête – et aussi leur seul point commun – était que tous prenaient des somnifères pour dormir.

« S'il n'y avait pas eu autant de pression, la police fédérale n'aurait guère accordé d'importance à une affaire fondée sur un lien aussi ténu.

« L'attention était si forte que nous n'aurions pas pu ignorer l'affaire. Même si personne ne croyait qu'il s'agissait vraiment d'une affaire. Cela se termina comme beaucoup l'avaient prévu : il n'y eut pas d'autres disparitions d'insomniaques, les gens se lassèrent de l'histoire et les médias trouvèrent un autre os à ronger. Cela avait démarré comme une farce, avec le PV pour interdiction de stationner du pauvre soldat André García, cela s'acheva comme une farce : l'affaire resta sans coupable et depuis rien n'a changé.

— Jusqu'à aujourd'hui, ajouta Mila.

— C'est la raison pour laquelle tu es venue, j'imagine. Mais moi, je ne veux rien savoir.

Il était 10 heures passées et le restaurant chinois accueillait de nouveaux clients. Des civils qui profitaient de l'absence d'uniformes pour revendiquer de la nourriture et un peu d'attention.

— Tu m'as expliqué les surnoms du monstre présumé, mais tu ne m'as pas dit pourquoi Kairus, dit Mila.

— En fait, c'est la première fois que j'entends ce nom.

La policière remarqua que l'agent spécial avait soigneusement évité son regard. Berish était peut-être le meilleur expert en interrogatoires du département mais il mentait mal. Néanmoins, il avait collaboré et Mila ne voulait pas heurter sa sensibilité en l'accusant de cacher quelque chose.

— Je te le laverai, dit-elle en désignant le mouchoir qu'il lui avait prêté pour se nettoyer. Et merci pour le petit déjeuner.

— Pas de quoi.

Le portable de la policière émit le bip qui la prévenait de l'arrivée d'un texto. Elle le lut puis remit son téléphone dans sa poche avec le mouchoir.

— Qu'est-ce que Steph t'a dit sur moi ? demanda Berish alors qu'elle s'apprêtait à partir.

— Que tu es un paria, et de faire attention.

— Très sage de sa part.

Mila se pencha pour caresser le chien de l'homme.

— Pourtant, je me suis demandé… pourquoi me conseiller de te contacter et en même temps me mettre en garde ?

— Tu sais ce qui arrive à ceux qui font preuve de solidarité envers un flic paria, n'est-ce pas ? C'est comme une infection.

— Je ne devrais pas avoir peur, cette position a l'air de te convenir.

Berish encaissa en souriant le sarcasme de Mila.

— Tu vois cet endroit ? demanda-t-il en indiquant le restaurant. Il y a des années, deux agents de patrouille sont entrés par cette porte à l'heure du petit déjeuner et, exactement comme tu l'as fait, ont demandé à consommer des œufs et du café. Le propriétaire, qui soit dit en passant venait d'arriver de Chine, avait deux possibilités : dire que ce plat ne figurait pas au menu, et probablement perdre deux clients, ou bien aller battre des œufs à la cuisine. Il a choisi la deuxième option et, depuis ce jour-là, trois heures par jour il sert de la nourriture qui n'a rien à voir avec la tradition culinaire cantonaise mais qui a fait sa fortune. Uniquement parce qu'il a appris une leçon très importante.

— Que le client a toujours raison ?

— Non. Qu'il est plus facile d'adapter une culture millénaire que de faire changer d'avis un flic qui veut manger des œufs au bacon dans un putain de restaurant chinois.

— Si ça peut te faire plaisir, je me fiche de ce que les collègues pensent de moi.

— Tu crois que c'est un jeu où on gagne des points en jouant les durs, mais tu te trompes.

— C'est pour ça que tu n'as pas réagi quand un subalterne t'a manqué de respect ?

— Tu as dû me prendre pour un tocard, mais ce type n'en avait pas après moi, affirma Berish, amusé. Quand je suis seul à ma table, personne ne vient me déranger. Ils font comme si je n'étais pas là, au pire ils me regardent comme un cheveu dans leur assiette : ça les dégoûte, mais ils le retirent et continuent leur repas… Ce qui s'est passé ce matin est dû à ta présence. C'était toi qu'ils voulaient prévenir, le message était clair : Reste loin de ce type, sinon il t'arrivera la même chose. À ta place, je suivrais leur conseil.

— Alors pourquoi tu viens ici tous les matins ? Steph était certain que je t'y trouverais. Tu es masochiste, ou quoi ?

— Je viens ici depuis que je suis dans la police et je n'ai jamais envisagé de changer de restaurant. Même si, à dire la vérité, ce n'est pas très bon et la puanteur de friture imprègne les vêtements. Mais si je ne venais plus, je donnerais raison à tous ceux qui voudraient me chasser de la police.

Mila ne connaissait pas le péché que Berish expiait et savait qu'il n'existait pas de remède, mais elle avait compris quelque chose sur l'affaire Kairus. Elle posa une main sur la table et se pencha vers l'agent spécial.

— Steph m'a envoyée parce que, à la différence de tous les autres, tu n'as pas trouvé la paix, n'est-ce pas ? Tu as continué à chercher la vérité sur ces sept disparitions, alors que les autres se défilaient. C'est alors que tu as commis l'erreur qui t'a transformé en paria. Pourtant, à mon avis, tu n'as toujours pas renoncé à savoir. Tu voudrais, mais une partie de toi t'en empêche. La paix dont tu t'entoures comme un moine zen n'est autre que de la rage transformée en silence. La vérité est que si tu laissais tomber, tu ne te le pardonnerais jamais.

— Qu'en sais-tu ?

— Pour moi, ça serait pareil.

L'agent spécial sembla touché par la réponse. Il était habitué à des jugements sévères, parfois injustes, mais dans la police il n'avait jamais rencontré personne qui ne craigne pas la malédiction qu'il portait.

— Tu ferais bien d'oublier cette histoire, je dis ça pour ton bien. Kairus n'existe pas et le reste n'a été qu'une hallucination collective.

— Tu sais ce que signifie VPH ? demanda Mila à brûle-pourpoint.

— Où veux-tu en venir ?

— Victimes potentielles d'homicide. Des archives leur sont consacrées, aux Limbes. Nous conservons des empreintes, du sang, de l'ADN de personnes disparues qui pourraient avoir été tuées, et aussi des objets personnels – une télécommande, une brosse à dents, un cheveu emprisonné dans un peigne, un jouet. Ces pièces sont conservées dans l'éventualité où l'on doive identifier des restes humains.

— Pourquoi tu me racontes ça ?

— Il y a quatre jours, un dealer a été tué. Pour la précision, on l'a noyé dans trois centimètres d'eau sale dans une écuelle pour chien. L'assassin a laissé des empreintes sur les cordes qui immobilisaient le corps, mais malgré cela il n'a pas été identifié.

— Il n'était pas fiché.

— Il l'était, mais pas dans les archives des criminels : dans celles des victimes… VPH. Il y a cinq minutes j'ai reçu ce texto, poursuivit Mila en sortant son portable de sa poche pour le montrer à Berish. Selon la police scientifique, les empreintes digitales appartiennent à un certain André García, ex-militaire homosexuel dont on était sans nouvelles depuis vingt ans.

Berish blêmit.

— Maintenant, si tu veux, tu peux me dire que tu te fiches de savoir le reste. Pourtant, apparemment, une des victimes présumées du Maître de la nuit est revenue.

27

La policière avait compris.

Elle l'avait laissé seul avec l'écho de cette phrase qui annonçait le retour d'André García du monde des ombres.

Il ne s'agissait pas d'un événement imprévisible ou lié au hasard. Il était revenu pour tuer. Ce qui mettait en danger un certain équilibre que Simon Berish, malgré lui, avait décidé de protéger.

L'agent spécial se balançait sur la chaise de son bureau, les yeux dans le vide, tel un équilibriste en suspens sur ses propres pensées.

Hitch l'observait depuis son coin habituel – l'un des avantages d'être un paria était qu'on pouvait emmener son chien au bureau sans que personne proteste.

Dehors, le service était en ébullition, comme toujours. Mais la frénésie ne franchissait jamais le seuil, pas plus que les collègues de Berish, qui gardaient leurs distances. Pour lui, ils n'étaient que des ombres derrière la vitre opaque de sa porte.

Son bureau était son exil.

Pourtant, il le maintenait en ordre, comme s'il attendait un hôte. Les dossiers étaient parfaitement rangés sur les étagères. Sur le bureau, une lampe loupe, un pot à crayons, un calendrier et un téléphone étaient alignés. Devant, deux chaises.

C'était la routine qui l'avait sauvé de ces années d'isolement forcé.

Il s'était construit une barrière d'habitudes qui lui permettait de résister au mépris des autres et à la solitude. Après être tombé dans la poussière, il avait dû s'inventer une vie et une nouvelle façon d'être policier. La perte de l'estime de ses collègues aurait dû le contraindre à la seule solution sensée, la démission. Pourtant, ce qu'il ne digérait pas était de devoir affronter une condamnation sans appel. S'il avait renoncé à son insigne, il aurait plongé dans l'abîme. De cette façon, il avait freiné sa chute.

Malgré le prix qu'il payait chaque jour, les gestes irrespectueux et les regards malveillants lui offraient un prétexte pour lutter.

La bataille avait commencé quand il avait acheté son premier livre d'anthropologie. Il avait toujours été un homme d'action, mais il avait décidé d'exploiter la partie de lui qu'il avait trop longtemps occultée, et il avait fait en sorte qu'elle remplace son pistolet.

Son esprit était devenu son arme.

Il s'était jeté corps et âme dans l'étude de cette matière. Cela avait démarré comme une simple curiosité, mais il en avait vite saisi le potentiel. Une leçon à appliquer au travail quotidien de la police.

L'anthropologie lui avait ouvert de nouveaux horizons, lui avait permis de mieux se comprendre lui-même et de mieux comprendre les autres.

Dans son service, on l'avait pris pour un fou : il passait ses heures de service retranché dans son bureau à étudier. Dans le fond, il n'avait rien d'autre à faire. Ses supérieurs ne lui confiaient plus de dossiers et ses collègues ne voulaient plus travailler avec lui.

Ils espéraient tous qu'il démissionne.

Il devait occuper le vide de ses journées. Les manuels étaient un excellent remède. Au début, il les croyait écrits dans une langue incompréhensible, il avait été tenté plus d'une fois d'en envoyer un contre le mur. Mais peu à peu le sens des phrases avait émergé des pages, comme les restes d'une civilisation perdue ressortant de l'océan.

Ses collègues l'observaient avec méfiance transporter des cartons de livres dans son bureau. Ils se demandaient ce qu'il avait en tête. En réalité, même Berish lui-même ne savait pas à quoi tout cela pourrait lui servir. Pourtant il était convaincu de le découvrir, tôt ou tard.

C'était arrivé quand, des années plus tard, il avait interrogé un suspect. Au lieu de forcer la confession ou de la lui extorquer, il s'était mis à son niveau et avait transformé la discussion en bavardage. Le secret de son succès résidait en un simple constat.

Les gens n'aiment pas parler mais, sans aucun doute, ils aiment être écoutés.

Pour certains, c'était comme un oxymore. Ceux qui saisissaient la différence n'étaient pas nombreux. Berish en faisait partie, et depuis il ne s'était plus arrêté. La réputation de son talent n'avait pas supplanté celle de paria mais on la gardait comme un secret maçonnique, remède extrême pour les cas désespérés. Quand on ne pouvait pas faire autrement, on l'appelait.

Il s'était donc créé un espace au milieu de ses collègues, tout en restant invisible.

Mila Vasquez avait mis en danger le fragile équilibre qu'il avait cultivé avec peine au fil des ans. Et pour ne rien simplifier Berish avait l'impression qu'il y avait d'autres affaires, en plus de celle d'André García.

Des disparus qui revenaient pour tuer.

Ces derniers temps, il avait perçu une certaine tension au sein du département. Bien sûr personne n'en parlait avec lui, mais il était certain qu'il se passait quelque chose. Si la policière s'était contentée de lui révéler que les empreintes digitales de García avaient été retrouvées sur la scène de crime d'un dealer, l'agent spécial se serait inquiété, à juste titre.

Mais elle avait mentionné Kairus. Et cela le terrorisait.

Au restaurant chinois, il avait essayé de cacher sa surprise, il avait affirmé à Mila Vasquez que c'était la première fois qu'il entendait ce pseudonyme. Or ce n'était pas vrai.

Elle a compris. Elle sait que je lui ai menti.

Il arrivait souvent que lors des enquêtes les plus délicates on évitât de diffuser certains détails déterminants, dans le but de démasquer d'éventuels mythomanes ou bien pour vérifier la véracité d'un témoignage. Le choix de ne pas rendre public le nom de Kairus avait été dicté par des raisons bien plus graves. Seules les personnes réellement impliquées dans l'affaire pouvaient connaître ce nom.

Stephanopoulos avait conseillé à son agent de venir le voir : si son ancien capitaine avait pris un aussi gros risque, il y avait une raison.

Simon Berish eut la désagréable sensation qu'une présence se manifestait depuis l'invisible.

Il avait peut-être expédié Mila Vasquez avec un peu trop de hâte.

28

Cela faisait plus de trente-six heures qu'aucun autre crime n'avait été découvert.

Tandis qu'au département on attendait la prochaine manœuvre de ce qu'ils croyaient être une organisation terroriste, Mila était de plus en plus convaincue d'être sur la bonne piste. Pour le moment, elle n'avait pas l'intention de partager ses découvertes avec ses supérieurs.

Cela représentait un risque, mais cela faisait partie de sa nature.

Sa conversation avec Berish au restaurant chinois lui avait ouvert les yeux. Elle était certaine que l'agent spécial ne lui avait pas dit toute la vérité. Le capitaine Steph lui avait recommandé de faire attention à cet homme, mais il avait omis de lui signaler qu'il l'avait eu sous ses ordres dans le passé, quand Berish venait de sortir de l'école et qu'il dirigeait le programme de protection des témoins.

Malgré tout, Mila s'était fait une idée. Quoi qu'il se soit passé dans sa carrière et qui l'ait transformé en paria, l'agent spécial n'avait pas renoncé. Il n'avait pas choisi la bouteille pour transformer sa frustration et sa rancœur en consolation alcoolique, comme le faisaient de nombreux flics déçus. Il avait adopté une autre stratégie.

Il avait changé.

Après avoir quitté le restaurant chinois, Mila était retournée au département. Depuis la réunion lors de laquelle elle s'était ridiculisée, Boris et Gurevich ne l'avaient plus contactée, ils étaient probablement occupés à donner la chasse à un tueur de masse et à un policier devenu assassin.

Personne ne soupçonnait que la chaîne des crimes ne s'arrêtait pas à l'homicide perpétré par Éric Vincenti. Au contraire, elle se poursuivait avec la mort par noyade d'un dealer survenue le 19 septembre – la veille des meurtres commis par Roger Valin. La méthode suggérée était claire : la policière trouverait les réponses à ses questions en remontant le temps. Elle devait reconstituer ce qui s'était passé vingt ans auparavant et le confronter aux événements actuels.

Il existait un lien évident entre présent et passé.

Les archives situées au sous-sol des Limbes constituaient la machine à remonter le temps.

Mila descendit les escaliers qui se perdaient dans le souterrain aveugle. Arrivée en bas, elle tendit le bras dans le noir et actionna l'interrupteur. Les néons se réveillèrent un à un et éclairèrent un dédale de couloirs aux murs recouverts d'armoires.

L'odeur des fondations et une humidité fraîche l'enveloppèrent. C'était un lieu loin du monde, la lumière du jour n'y entrait pas et les portables ne captaient pas. De quoi avoir peur d'y entrer.

Mila se dirigea d'un pas assuré vers la gauche.

Les meubles qui défilaient à côté d'elle portaient des numéros progressifs et à travers leurs parois vitrées on distinguait leur contenu, des objets divers préservés dans des sachets en plastique, étiquetés. Il y avait des piles de vêtements bien pliés, des brosses à dents, des chaussures dépareillées – il aurait été inutile de les conserver par paires. Ou bien des lunettes, des chapeaux, des peignes. Des mégots de cigarettes. Et aussi des télécommandes pour télévisions, des taies et des draps tachés, des couverts sales, des appareils téléphoniques.

Tout ce qui pouvait conserver les produits organiques du disparu était joint à son dossier.

Les agents des Limbes se procuraient toujours un objet ayant été en contact avec la personne qu'ils cherchaient, dans le but de retrouver son ADN ou, simplement, ses empreintes digitales. Quand on soupçonnait qu'il ne s'agissait pas d'un éloignement volontaire, la personne était classée comme VPH – victime potentielle d'homicide.

La procédure était standard pour les enfants, mais elle était suivie à l'identique dans les cas où la disparition laissait supposer un crime violent.

Tout adulte sain de corps et d'esprit était libre de s'évanouir dans le néant s'il le souhaitait. « Nous, aux Limbes, nous ne forçons personne à revenir, disait toujours Steph. Nous voulons seulement nous assurer qu'il ne s'est rien produit de grave. »

Chaque fois qu'elle entrait aux archives, Mila pensait aux paroles du capitaine.

Après un bref trajet, appris par cœur au fil de ses visites, elle déboucha dans une sorte de pièce – en réalité, un espace carré au milieu des armoires – qui constituait le cœur du labyrinthe.

Au centre, une chaise, une table en formica et, dessus, un vieil ordinateur.

Mila accrocha son blouson au dossier et posa les objets qui alourdissaient ses poches sur une étagère. Entre les clés de chez elle, de sa Hyundai et son portable, elle sortit le mouchoir que Berish lui avait prêté au restaurant chinois. Instinctivement, elle le renifla.

Il sentait l'eau de Cologne.

Un peu trop, se dit-elle pour chasser l'idée que ce parfum lui plaisait. Elle le posa avec le reste et décida de l'oublier, puis partit à la recherche du dossier qui résumait l'affaire des sept disparitions survenues vingt ans auparavant. La numérisation des archives démarrait à l'année suivante, aussi on ne pouvait le consulter que sous forme papier.

Elle alla le chercher et revint à la table en formica.

Quand elle l'ouvrit, elle y découvrit les procès-verbaux des disparitions individuelles – toutes classées comme VPH. Rien de plus. Aucune allusion au Magicien, à l'Enchanteur des rêves ou au Maître de la nuit, encore moins à Kairus. Juste une petite référence au fait que la même main pouvait se trouver derrière les disparitions.

Mila eut l'impression que le dossier avait été « nettoyé », c'est-à-dire que les données réelles de l'affaire se trouvaient ailleurs et que ceci n'était qu'un dossier miroir – ainsi appelait-on les actes séquestrés pour des raisons d'opportunité ou de sécurité.

Mais elle avait André García.

L'homme de la contravention impayée, l'ex-militaire, aurait pu être comparé au patient zéro d'une pandémie. L'origine de tout.

Il avait été le premier dont on avait perdu la trace. Parmi les quatre assassins des derniers jours, il avait été le premier à revenir.

Et à frapper.

Elle aurait pu apprendre beaucoup d'André García. Exactement comme un épidémiologiste qui part à la recherche du foyer de la contagion pour comprendre comment la maladie s'est propagée.

Qu'est-ce qui reliait García à Roger Valin, à Nadia Niverman et à Éric Vincenti ?

Quand quelqu'un décide de disparaître, en général il ne prépare pas de bagages. Tout ce qu'il possède lui rappellerait la vie qu'il a voulu fuir. Si le disparu emporte quelque chose avec lui, alors il peut arriver que l'objet – ou mieux, le lien affectif qu'il représente – fonctionne comme une soupape de sécurité, un parcours que l'on peut effectuer à l'envers pour rentrer chez soi. Mais le plus souvent la fuite n'est pas préméditée. Et ces affaires sont les plus difficiles à élucider.

Parfois on le fait, c'est tout. On fuit quelque chose – une obsession, une douleur, quelqu'un – et la seule solution est de s'annuler complètement. Pour retrouver ces personnes, aux Limbes on se fiait à quelques trucs et à la chance.

L'espoir était toujours que le disparu change d'avis, ou bien qu'il commette une imprudence, comme utiliser sa carte de crédit pour retirer de l'argent ou payer. Ou encore qu'il essaye d'acheter des médicaments qu'il prenait régulièrement. Par exemple, si le sujet était diabétique, il aurait besoin d'insuline. Pour cette raison les agents des Limbes parlaient avec les médecins des victimes et, durant le premier examen du domicile, ils faisaient l'inventaire du contenu de l'armoire à pharmacie.

C'était cette pratique qui avait créé un déclic dans l'esprit de Mila.

Elle démarra le vieil ordinateur, pour éviter de remonter à son bureau, et accéda aux archives numériques des Limbes.

Elle tapa sur le clavier les noms de Roger Valin, Nadia Niverman et Éric Vincenti. Leurs dossiers s'ouvrirent un à un sur l'écran. En les parcourant, Mila prenait des notes sur un bloc posé à côté de la souris. Une fois sa recherche achevée, elle observa ce qu'elle avait écrit. Les sept disparus prenaient des médicaments pour dormir – le Maître de la nuit.

Eh bien : Roger Valin avait chez lui du Halcion qui avait été prescrit à sa mère malade. Nadia Niverman venait d'acheter une boîte de Minias. Éric Vincenti, lui, avait une ordonnance pour du Roipnol, bien qu'on n'en ait pas trouvé dans son appartement.

Il existait un lien entre García et les disparus de vingt ans auparavant – les insomniaques.

Mila ne savait pas si cette découverte devait l'exciter ou l'effrayer. Une vieille affaire de disparitions en série derrière laquelle on avait cru voir la main de quelqu'un – un tueur en série ? – sans jamais trouver aucune confirmation. Des disparitions qui avaient commencé sans raison et qui avaient cessé sans raison.

Pourtant, à la lumière de ce qu'elle venait de découvrir, cette dernière donnée pouvait être démentie.

Disons que les disparitions d'insomniaques s'arrêtent pendant une période. Trois ans de silence, pour que l'attention retombe, puis c'est le tour de Roger Valin, qui a disparu il y a dix-sept ans. Personne ne relie la disparition du comptable aux précédentes et tout recommence comme avant.

— Mais si ces personnes reviennent, cela veut dire qu'elles ne sont pas mortes, donc il est faux de les appeler victimes, dit Mila au silence.

De même, cela démentait l'hypothèse qu'il y eût quelqu'un derrière les disparitions – le Magicien, l'Enchanteur des rêves, le Maître de la nuit.

Pourtant, Berish a eu une réaction étrange quand j'ai évoqué Kairus.

Mila éteignit l'ordinateur. Il manquait quelque chose. Une pièce du puzzle de la vérité. L'agent spécial lui avait caché une information cruciale sur ce qui s'était passé vingt ans auparavant.

Kairus n'avait pas été une hallucination collective.

Elle saisit son bloc-notes et le mouchoir parfumé de Berish et remonta aux Limbes. Il était 21 heures passées.

Mila fut sortie de ses réflexions sur les conséquences de l'existence possible d'un esprit manipulateur derrière cette affaire par son portable qui vibrait dans la poche de son blouson. Elle regarda l'écran : une dizaine de textos la prévenaient que quelqu'un avait essayé de la joindre plusieurs fois.

C'était le numéro de la salle opérationnelle du département. Il n'y avait qu'une seule raison pour qu'ils appellent un agent des Limbes, et un frisson lui parcourut aussitôt le dos.

Arrivée à la Salle des pas perdus, elle rappela le numéro.

— Agent Vasquez ? demanda une voix d'homme.

— Oui, c'est moi.

— Nous avons essayé de vous contacter tout l'après-midi. Nous avons une alerte.

Mila savait ce que signifiait cette phrase.

Les affaires de disparition d'adolescents étaient souvent des éloignements volontaires ou des fuites qui se résolvaient vite et bien. Les nouvelles générations étaient trop férues de technologie : quand les jeunes avaient un portable, pour les retrouver il suffisait d'attendre.

En général ils gardaient leur téléphone éteint pour ne pas être joignables et augmenter l'angoisse de leurs parents. Normalement ils ne résistaient pas plus de vingt-quatre heures sans vérifier si leur meilleur ami leur avait envoyé un texto. Dès qu'ils rallumaient leur téléphone, même sans appeler ni envoyer de message, leur carte Sim se connectait à un réseau et les policiers savaient précisément où ils se trouvaient.

Quand ils avaient moins de chance et que les disparitions duraient, les Limbes demandaient aux compagnies de téléphone de ne pas désactiver l'usager parce qu'il arrivait que, même des années plus tard, un portable ou une carte Sim reprenne vie. La salle opérationnelle du département attendait un signal sur un écran.

— Nous avons une réactivation, dit l'opérateur. Nous avons vérifié, ce n'est pas un signal fantôme, même si aucun appel n'a été passé depuis ce numéro. La réactivation est confirmée.

Mila sentait qu'il se passait vraiment quelque chose.

— Qui est-ce ?

— La titulaire de la ligne est une certaine Diana Müller.

Quatorze ans. Brune, yeux marron. Disparue un matin de février sur le chemin du collège. Selon les relevés, son portable avait cessé de fonctionner vers 8 h 10.

Après neuf ans de silence, son téléphone avait repris vie.

— Vous avez réussi à localiser le signal ?

— Bien sûr.

— Donnez-moi l'adresse.

29

Le téléphone était un vieux Nokia.

Diana Müller l'avait trouvé sur un banc au parc, peut-être oublié par son propriétaire, mais il avait été impossible de remonter jusqu'à lui. Ce n'était pas un très bon modèle – la batterie avait peu d'économie et l'écran était rayé –, il ne faisait pas le poids devant les smartphones dernière génération, qui n'existaient d'ailleurs pas encore à l'époque, mais il fonctionnait.

Pour Diana, qui n'en avait jamais possédé, cela représentait beaucoup.

Ce téléphone constituait une sorte de passeport pour entrer dans le monde des adultes. La jeune fille en avait pris soin comme d'un appareil neuf. Elle avait même réussi à l'embellir, y ajoutant un petit pendentif avec un ange bleu ciel et une housse couverte d'étoiles dorées. Sous la coque, elle avait écrit « Propriété de Diana Müller » et dessiné un petit cœur avec les initiales du garçon qui lui plaisait, sorte de geste magique pour qu'il l'appelle – peut-être – un jour.

Ce téléphone dont la jeune fille était si fière n'aurait pas suscité autant d'intérêt chez un adolescent de quatorze ans aujourd'hui. Il ne pouvait ni accéder à Internet, ni télécharger mails, jeux ou applications. Il ne pouvait être utilisé comme GPS, ni même comme appareil photo.

Il permettait seulement de téléphoner ou d'envoyer des messages.

— Tu as raté tant de choses, Diana, dit Mila tout bas, en route vers l'adresse où avait été localisé le portable.

Fait troublant, ce n'était pas très loin du lieu de sa disparition.

Neuf ans auparavant, une jeune vie s'était comme dématérialisée, dissoute au vent. Selon Mila, l'origine du mystère était à relier à ce que le portable qui envoyait maintenant des signaux depuis les ténèbres représentait pour Diana.

Une obsession.

À l'âge où il peut arriver qu'une jeune fille rentre chez elle avec un chiot errant, un jour Diana était revenue du collège avec une vieille radio, disant qu'elle l'avait trouvée dans la rue. Elle assurait qu'il aurait été dommage de la laisser sur place et que le propriétaire avait été inconscient de la jeter.

Pourtant, contrairement au téléphone portable, la radio était cassée et ne pouvait être réparée. Or pour Diana, cela ne faisait aucune différence.

Cette fois encore sa mère l'avait laissée agir, sans savoir qu'à partir de ce moment sa fille rapporterait à la maison les objets les plus divers – une couverture, une poussette, des bocaux en verre, de vieilles revues –

en justifiant chaque trouvaille par une histoire convaincante.

Au début, la mère de Diana, bien que consciente de la bizarrerie de cette attitude, ne trouvait pas de raison valable à lui opposer pour la faire cesser. Pourtant, cette manie cachait un attachement morbide aux objets connu sous le nom de syllogomanie.

À la différence de cette femme, Mila savait qu'il s'agissait d'un trouble obsessionnel compulsif. Les gens qui en souffrent accumulent des objets dont ils n'arrivent plus à se séparer.

Dans le cas de Diana, cela se poursuivit jusqu'à ce que les objets amassés dans sa chambre deviennent trop encombrants. Hormis le manque d'espace, qui empêchait d'évoluer dans la pièce, un problème hygiénique se posait : en fait, les « trésors » de Diana, qu'elle soutenait avoir trouvés par hasard, provenaient de la poubelle.

Sa mère prit conscience du problème le jour où l'appartement fut envahi par les cafards. Ils étaient partout – dans les armoires, les placards de la cuisine, sous la moquette. Ils arrivaient de la chambre de Diana et, quand la femme y pénétra, elle reconnut avec horreur leurs propres sacs-poubelles. Depuis quelque temps, sans raison compréhensible, sa fille les ramenait à la maison, où elle les cachait au milieu de ses affaires.

Mila imaginait la sensation terrible et déstabilisante de se trouver face à quelque chose que, par une habitude naturelle de la société de consommation, on pense avoir éliminé de sa propre existence et, par conséquent, de sa mémoire. Nous jetons les restes de nourriture et les objets inutiles. Nous sommes convaincus que ces objets ne nous concernent plus. La simple idée que ce dont nous nous sommes débarrassés puisse revenir à l'improviste nous tourmenter est aussi angoissante que si nous revoyions quelqu'un que nous croyons mort.

C'est à la fois incompréhensible et terrifiant – comme les motivations impondérables des fous ou les pulsions pathologiques des nécrophiles.

La mère de Diana, prise de panique, décida de tout jeter. Quand la jeune fille rentra du collège, elle fut contrainte d'affronter le vide. Et quelques jours plus tard, le vide l'engloutit.

La mère de Diana s'appelait Chris et elle n'avait que Diana au monde. Mila revit le regard perdu de la femme. À l'époque de la disparition de sa fille, la policière ne travaillait pas encore aux Limbes. Elles s'étaient connues plus tard, parce que Chris passait régulièrement au département pour savoir s'il y avait du nouveau. Chacune de ses visites était une souffrance, y compris pour les membres des Limbes.

Sur le seuil de la Salle des pas perdus, elle cherchait le visage de Diana pour s'assurer que sa photo était encore à sa place sur le mur et que personne ne l'avait oubliée. Ensuite, elle entrait sur la pointe des pieds et attendait que quelqu'un remarquât sa présence.

En général, c'était Éric Vincenti qui s'occupait d'elle. Il la faisait asseoir et lui offrait un thé. Puis ils bavardaient un peu, jusqu'à ce qu'il soit certain qu'elle fût prête à rentrer chez elle. Depuis que son collègue avait disparu, c'était Mila qui consolait Chris.

Ne ressentant aucune empathie, il lui était difficile d'imaginer ce qui se passait dans le cœur de la femme.

Mila était forte pour classifier *sa* douleur : lame de rasoir, brûlure, bleu. Avec la rage et la peur, c'était la seule ressource émotionnelle qu'elle possédait. C'était sans doute pour cette raison qu'elle n'avait jamais réussi à entrer réellement en contact avec la femme, comme Vincenti. Pourtant, elle avait compris beaucoup de choses sur son compte.

Par exemple, que Chris n'était pas une mauvaise mère. Elle savait élever sa fille et être sévère quand c'était nécessaire, même en l'absence d'un mari ou d'un compagnon pour jouer le rôle du père. Elle avait toléré la manie absurde de Diana parce qu'elle avait conscience de ne pas être parfaite. Un jour, elle avait dit à Mila qu'elle était sûre que sa fille était malheureuse et la haïssait en secret. Pourtant, Diana, si douce et tendre, ne détestait personne.

La faute de Chris était d'aimer les hommes.

Elle les avait toujours laissés en profiter – une conduite masochiste qui la conduisait à commettre erreur sur erreur.

La véritable victime de son comportement était Diana.

Combien de fois était-il arrivé que la femme de l'un de ses amants agresse Chris au supermarché, lui disant de laisser tranquilles les maris des autres ? Et combien de fois avait-elle dû changer de travail parce que son chef l'avait licenciée après avoir abusé d'elle ? Elles étaient contraintes de déménager en permanence, pour échapper aux ragots et aux méchancetés.

Ainsi, quand Diana avait démarré sa « collection », c'était peut-être une façon d'envoyer un message à sa mère et, en même temps, de marquer un territoire qui soit enfin sien. N'ayant pas d'objets familiers auxquels se rattacher, elle s'emparait du passé que les autres jetaient sous forme de déchets.

Chris l'avait compris trop tard et elle avait traité sa fille comme une malade mentale. Une fois, elle avait dit à Mila qu'elle était absolument certaine que Diana n'avait pas disparu et n'avait pas été enlevée. Elle était convaincue qu'elle s'était suicidée à cause de sa putain de mère, parce qu'une boîte de Roipnol avait disparu chez elles.

Mila freina brusquement et la Hyundai cala. Elle resta immobile au centre de la rue, l'esprit empli du souvenir de cette phrase.

Un somnifère dans la disparition de Diana ne pouvait pas être une coïncidence.

Ce n'est pas vrai. C'est impossible. Je n'y crois pas. Cette fois, il fallait prévenir Boris. Elle ne pouvait pas prendre le risque.

Pourtant, maintenant, elle était allée trop loin. Elle serait définitivement exclue de l'enquête.

Le signal émis par le portable ressuscité au bout de neuf ans était une invitation qui lui était destinée. Quelque chose ou quelqu'un l'attendait. Mila redémarra.

Elle ne voulait pas rater le rendez-vous.

30

Le quartier des affaires était situé en bordure du fleuve.

Les hauts immeubles argentés hébergeaient surtout des bureaux et, à cette heure tardive, ils étaient telles des cathédrales transparentes et vides. Le personnel de la journée avait cédé la place aux femmes de ménage qui poussaient des cireuses et des shampouineuses et vidaient des corbeilles.

Mila compta trois pâtés de maisons avant de trouver la petite rue qui l'intéressait.

Elle tourna à gauche et avança jusqu'à un mur en tôle qui s'étendait entre deux immeubles de bureaux, coupant la route. De grands panneaux indiquaient des travaux en cours.

Elle gara sa voiture, descendit et regarda autour d'elle. L'adresse se trouvait derrière le barrage. Elle rappela la salle opérationnelle pour avoir confirmation que le signal du téléphone de Diana était toujours actif.

— Il est toujours là, répondit l'opérateur.

Elle raccrocha et chercha une brèche dans le mur. Elle en découvrit une sur la droite et se pencha pour passer au travers.

Devant elle, le chantier était désert. Elle s'attendait à ce qu'il y ait un gardien, mais personne ne surveillait le lieu. L'immeuble en construction était haut de dix étages mais, étant donné l'ampleur de ses fondations, il était destiné à pousser encore. À côté, un trou avait été creusé pour implanter un bâtiment jumeau. Au fond, des édifices secondaires étaient en chantier.

Au milieu de ces derniers, on apercevait un immeuble en briques rouges qui remontait au siècle précédent – derniers vestiges de l'ancien quartier, balayé pour faire de la place aux gratte-ciel. Mila observa le numéro sur la façade et avança. Au lieu de la retenir, la main invisible de la peur la poussait.

Elle se dirigeait vers l'immeuble. Mais l'immeuble aussi se dirigeait vers elle.

Le bâtiment en briques rouges comptait deux étages. Les fenêtres étaient obstruées de l'intérieur par des panneaux de contreplaqué et des inscriptions à la bombe mettaient en garde contre les risques d'écroulement. Au milieu des spécimens d'architecture moderne, cet immeuble avait l'aspect d'une dent cariée. Et semblait totalement à l'abandon.

La policière se retrouva devant la lourde porte en bois de l'entrée, où était placardée une feuille : un ordre de la municipalité datant de vingt jours. Sur disposition du maire, l'immeuble serait rasé pour créer de la place pour d'autres constructions, selon le nouveau plan urbanistique. On intimait donc aux propriétaires l'ordre de vider le bâtiment sous trois semaines.

Mila réfléchit. Selon ce document, les opérations de démolition devaient commencer le lendemain.

Elle poussa la porte, qui ne bougea pas. Elle tenta de manœuvrer la serrure, en vain.

Alors elle recula d'un pas pour prendre de l'élan et frappa le bois avec son épaule. Une, deux fois. Rien.

Elle balaya les lieux du regard à la recherche d'un objet qui puisse l'aider. Quelques mètres plus loin, elle aperçut une pelle. Elle la ramassa et glissa la lame dans la fissure centrale du portail. Elle força un peu, des éclats de bois volèrent. Elle s'appuya de tout son poids sur le manche et poussa pour faire levier. Le bois grinça, il commençait à céder. Mila ne se déclara pas vaincue. Elle laissa passer quelques secondes, des gouttes de sueur coulaient sur son front.

Quelque chose céda à l'intérieur et la porte s'ouvrit.

Mila jeta la pelle et fit un pas en avant. Son entrée dans le hall sombre fut saluée par l'écho. Une puanteur insoutenable l'assaillit, douceâtre, comme un énorme fruit pourri. Elle n'en comprit pas l'origine.

Tout d'abord, elle sortit sa lampe torche de sa poche, l'alluma et la pointa devant elle. Elle découvrit une grande salle vide et un escalier qui menait à l'étage du dessus.

Elle se retourna vers la porte et remarqua qu'à l'intérieur une barre permettait de la bloquer. Elle était intacte mais les crochets en fer, rongés par la rouille, avaient cédé sous la pression du levier.

Mila écouta l'écho, espérant qu'il lui révélerait une présence.

Le bruit, l'odeur et la consistance de l'obscurité rappelaient ceux d'un puits secret où l'on aurait jeté les objets inutiles pour les cacher sans les oublier.

Elle chercha dans sa poche le mouchoir que Simon Berish lui avait donné au restaurant chinois et le noua autour de sa bouche.

Il était encore imprégné d'eau de Cologne.

Elle scruta l'obscurité qui la défiait. Mila n'avait pas peur du noir, parce qu'elle en faisait partie depuis son enfance. Toutefois, elle n'était pas courageuse pour autant. Elle ne fuyait pas devant la peur, elle en avait besoin. La dépendance à ce sentiment la rendait imprudente, elle en était consciente. Elle aurait dû retourner à sa voiture et appeler ses collègues du département. À la place, elle sortit son pistolet et monta lentement les marches.

31

En haut de l'escalier, il y avait une porte.

C'était de là que provenait le miasme nauséabond, elle le sentait malgré le mouchoir qui lui protégeait le nez et la bouche. Mila tendit la main pour tester la résistance du battant, mais il s'ouvrit à la simple pression de ses doigts.

Elle pointa sa torche.

Des colonnes de vieux journaux montaient jusqu'au plafond, haut de trois mètres. Collées les unes aux autres, elles formaient une sorte de mur infranchissable et délimitaient un espace tout juste suffisant pour ouvrir la porte.

Mila entra en se demandant comment surmonter cet obstacle, mais sa lampe éclaira une ouverture.

Sans hésiter, elle s'y glissa.

Devant elle, un couloir de la largeur d'une personne s'étendait entre deux parois d'objets entassés. Elle avança. Tel un dompteur armé de son fouet, Mila utilisait sa torche pour éloigner l'obscurité qui menaçait en permanence de l'agresser.

Autour d'elle, il y avait de tout.

Des emballages en plastique, des bouteilles vides, des canettes. Mais aussi de la ferraille. Des vêtements de tous styles et couleurs. Une machine à coudre des années 1920. Des livres anciens reliés de cuir, ou bien modernes, aux couvertures colorées ternies par le temps. Des têtes de poupées. Des paquets de cigarettes déchirés. Des cheveux. Des valises. Des boîtes. Une vieille chaîne hi-fi. Des pièces de moteur. Un oiseau empaillé.

On aurait dit le dépôt d'un brocanteur fou. Ou le ventre d'une baleine ayant ramassé tous ces objets lors de ses longs voyages en mer.

Ce désordre avait un sens.

Mila ne le comprenait pas, mais elle le percevait. C'était difficile à expliquer. Comme s'il y avait une méthode. Comme si à chaque chose on avait assigné une place précise. Comme si quelqu'un avait essayé, pour une raison obscure, de ranger une gigantesque décharge, cataloguant les déchets selon un critère secret où chacun avait un rôle.

La réponse à ce qu'elle avait devant les yeux était claire : syllogomanie. Le trouble obsessionnel compulsif de Diana Müller.

Cette fois, elle avait fait les choses en grand. Il s'agissait sans doute d'une sorte de hangar. Une grande salle où un labyrinthe avait été édifié.

Mila avança sur le sentier. Elle sentait des objets sous ses pieds. Des objets tombés des piles sur les côtés, qui lui donnaient une idée de l'instabilité de ce qui l'entourait. Elle redoubla de prudence.

Arrivée au bout, le canyon formait une fourche. Elle pointa sa torche dans les deux directions, en quête d'une raison pour choisir l'une ou l'autre. Elle opta pour la droite, parce qu'il lui semblait qu'elle convergeait vers le centre du labyrinthe.

Comme les archives des Limbes, ce lieu abritait les restes de milliers de vies humaines. Les seules preuves du passage sur terre de personnes qui n'existaient plus.

L'armée des ombres. Où suis-je ? Où est le portable de Diana Müller ? Où est-elle ?

Un bruit soudain, un frottement. Elle s'arrêta net. Des rats. Ils devaient être partout, de même que les cafards. Elle éclaira le sol et ses soupçons furent confirmés : il était parsemé d'excréments.

Elle sentait des yeux sur elle – peut-être des milliers. Ils l'observaient depuis leurs cachettes, se demandant si l'intruse constituait une menace ou l'occasion d'un succulent banquet.

Pour chasser cette pensée, Mila accéléra le pas. Un de ses genoux heurta une paroi. Elle eut le temps d'apercevoir un amas qui tombait du sommet et s'apprêtait à la recouvrir. Elle se couvrit la tête de ses bras et la cascade d'objets, durs et mous, se répandit sur elle avec une sorte de grondement. La lampe torche lui glissa des mains et s'éteignit. Son pistolet connut le même sort, un coup partit dont le bruit résonna dans cet espace confiné, assourdissant. La policière se recroquevilla et attendit de longs instants que l'éboulement prenne fin.

Au bout d'un moment, il cessa. Lentement, elle rouvrit les yeux.

Un acouphène lui résonnait dans les oreilles – un son unique, persistant et perforant. La douleur se mêlait à la peur. Ses vertèbres et ses bras gémissaient sous ses vêtements. Heureusement, son blouson en cuir avait atténué le choc. Son cœur battait fort. Elle se rappela qu'il fallait respirer, elle arracha le mouchoir plaqué sur sa bouche et, malgré la puanteur, elle se libéra de l'oppression qui lui transperçait le torse. L'expérience des années passées à se faire du mal lui disait qu'elle n'avait rien de cassé.

Elle se releva et dégagea les objets qui la recouvraient. L'obscurité en avait profité pour l'assaillir – elle en sentait le souffle méchant sur son visage. Avant tout, elle chercha sa lampe.

S'il y avait pire que mourir ensevelie sous une avalanche de déchets, c'était sans aucun doute se retrouver dans le noir là-dedans, sans possibilité de trouver la sortie.

Elle trouva enfin ce qu'elle cherchait. Ses mains tremblaient et quand elle appuya sur l'interrupteur, le petit instant d'hésitation de la lumière faillit lui causer un infarctus.

Elle utilisa sa lampe pour comprendre ce qui s'était passé et pour chercher son arme. Autour d'elle, une colline s'était formée. Elle plongea les mains en espérant que ses doigts parviennent à identifier le pistolet. Elle se baissa le plus possible et l'aperçut enfin. Il se trouvait à un mètre d'elle mais les objets qui le recouvraient servaient d'étai à la paroi. Si elle en retirait un, la montagne s'écroulerait à nouveau.

Malédiction.

Elle porta une main à sa bouche, l'autre posée sur sa hanche endolorie. Elle réfléchit, ce qui n'était pas simple avec le bourdonnement dans ses oreilles. Elle devait avancer, puis elle reviendrait chercher son arme. Il n'y avait pas d'autre solution. Elle regarda autour d'elle et trouva une barre de fer. Elle l'empoigna. Cela pouvait faire l'affaire.

Là où se dressait un mur, l'éboulement avait ouvert une brèche. Mila enjamba les déchets sur le sol et se retrouva dans un couloir parallèle.

Elle avançait avec prudence. De temps à autre, elle percevait quelque chose qui ressemblait à un grouillement d'insectes, mais elle préférait l'ignorer. Et elle entendait le bruit des rats qui couraient.

Comme s'ils la guidaient vers un endroit précis.

Elle calcula qu'elle avait parcouru au moins une cinquantaine de mètres, en zigzag. Sa torche éclaira un obstacle à quelques pas : une autre paroi s'était écroulée, le passage était obstrué. Elle s'apprêtait à revenir en arrière quand elle remarqua quelque chose qui pointait à la base de l'amas. Un long objet blanchâtre. Elle s'approcha.

Un tibia.

Ce n'était pas une hallucination. Mila pointa sa torche et aperçut d'autres parties du squelette. Un coude, les doigts d'une main.

Elle n'eut aucun doute : Diana Müller.

Depuis combien de temps était-elle morte ? Probablement au moins un an. *Je pourrais finir comme elle.* Si l'avalanche ne s'était pas arrêtée, elle aurait pu connaître le même sort. Chassant cette pensée, elle tenta de franchir l'obstacle, en veillant à ne pas piétiner ce qui restait du corps.

Un peu plus loin, le chemin s'élargissait.

Elle découvrit une sorte d'alcôve avec un matelas jeté à même le sol, recouvert de draps et de couvertures sales – était-ce le lit de Diana ? Sur une table étaient posés des conserves de nourriture malodorante et des objets variés : fourchettes en plastique, CD, jouets qui, pour une raison incompréhensible, avaient été jugés plus précieux que le reste et avaient mérité un endroit privilégié.

Au milieu de cette confusion, elle reconnut un pendentif en forme d'ange bleu ciel. Au bout du fil, le portable de Diana.

Mila coinça sa lampe entre ses dents et posa la barre de fer. Elle saisit l'appareil et observa avec attention la housse aux étoiles dorées.

L'écran était allumé mais n'indiquait aucun appel, ni passé ni reçu.

Quand elle ouvrit le cache du téléphone, à la recherche de la confirmation ultime que c'était bien celui de la jeune fille – l'inscription « Propriété de Diana Müller » et les initiales du garçon qui lui plaisait – elle découvrit que la batterie avait été récemment remplacée. En effet, Diana se plaignait qu'elle durait peu : en l'état, l'appareil n'aurait pas pu fonctionner tout l'après-midi.

Ce n'était pas la femme qui gisait morte à quelques mètres de là qui avait remplacé la batterie. Ni qui avait rallumé l'appareil neuf ans plus tard.

L'obscurité frappa à nouveau dans son dos et Mila se raidit. Elle reprit sa barre de fer et sa torche. Elle se tourna lentement et derrière elle, caché entre les déchets, elle aperçut un autre passage dans le labyrinthe.

Mila dut se mettre à quatre pattes pour passer par l'embouchure. Sa main qui tenait la barre de fer frottait contre le sol crasseux recouvert par une couche de papier journal. De l'autre, elle dirigeait sa torche vers l'avant. Le boyau prit fin.

Il y avait une deuxième pièce.

À la différence de la première, elle était parfaitement rangée. En ordre soigné. Un véritable lit était placé au centre, avec draps et couverture et, à côté, une table de nuit. Des bougies de plusieurs tailles étaient empilées sur une table basse. L'attention avec laquelle l'ensemble était meublé rappela à Mila la chambre d'amis dont sa mère était si fière.

Elle eut l'impression que, en plus de Diana Müller, cet endroit hébergeait une autre personne. Une personne importante, traitée avec égards. Dans le fond, c'était l'endroit parfait pour disparaître du monde.

Elle était plongée dans ses pensées mais, quand elle entendit le bruit d'un nouvel éboulement en un autre endroit du labyrinthe, elle n'eut aucun doute et éteignit immédiatement sa torche.

Elle n'était pas seule.

32

Le sifflement incessant dans ses oreilles l'avait empêchée de détecter cette présence.

Elle l'avait perçue grâce au grondement de l'éboulement. Puis elle vit que l'autre avait une torche, dont la lueur se reflétait sur le plafond.

Il avait échappé à l'avalanche et approchait.

Mila était sortie de la « chambre d'amis », parce qu'elle n'avait aucune intention de se laisser coincer dans une impasse. Elle aurait pu regagner le couloir, pour avoir au moins une porte de sortie. Mais, sans allumer sa torche pour ne pas se faire repérer, il était difficile de bouger sans risquer de causer un autre éboulement.

Il fallait trouver une idée. Elle n'avait plus son pistolet et sa barre de fer serait bien inutile lors d'un corps-à-corps. Mais que se passerait-il si l'autre avait une arme à feu ?

Si c'est la personne qui habite ici, elle se dirigera vers sa tanière. Dans sa direction. La seule solution était de l'affronter. Mais c'était fou.

Mila s'efforça de garder son calme et d'appliquer les règles apprises à l'école de police qu'elle avait trouvées utiles sur le terrain au fil des ans. D'abord, il fallait étudier l'endroit où on se trouvait. Dans le noir, la policière chercha donc à se remémorer la configuration des lieux.

Elle se rappela la couche de Diana. Sur le matelas, elle avait vu des couvertures. Elle en récupéra une et revint à tâtons sur ses pas, enjambant les restes de la morte.

Il existait peut-être un moyen d'échapper à l'ennemi.

Pour cela, il fallait trouver l'endroit adapté. À un moment, le couloir s'élargissait autour d'une sorte de pilier. Mila jugea la largeur suffisante. Elle s'allongea par terre et s'enroula dans la couverture malodorante.

Le plan était de se cacher en attendant que l'hôte passe.

Ensuite, la voie serait libre et elle pourrait regagner la sortie. En l'absence d'autres possibilités, cela lui semblait une bonne idée. Mais il fallait faire vite – qui que ce soit, il était proche.

Il y avait assez d'espace pour qu'il passe à côté d'elle sans remarquer sa présence. Dans le cas contraire, elle sortirait de sous sa couverture et l'affronterait à coups de barre de fer. Mais elle préférait ne pas envisager cette éventualité. *Cela va bien se passer.*

Elle s'installa et écouta. Les acouphènes générés par le coup de feu ne s'atténuaient pas. Mila était installée sous la couverture mais elle avait dégagé un petit espace pour regarder. Cependant, sa position lui offrait un champ de vision très limité.

Elle vit d'abord le rayon de lumière qui inspectait l'horizon du tunnel. Elle n'entendait pas les pas qui approchaient en grinçant sur le tapis de déchets, mais elle savait que l'hôte avançait avec prudence, voire circonspection.

Il sait qu'il y a un intrus. Il le sait.

La présence approchait, elle en entendait presque le souffle. Puis une ombre s'arrêta juste à côté d'elle. Elle aperçut des chaussures d'homme. Elle retint son souffle.

Pourquoi reste-t-il ici, pourquoi ne bouge-t-il pas ?

Le temps s'arrêta. La peur qu'elle avait invoquée si souvent se diffusa comme une marée froide dans ses veines. L'espace d'un instant, elle pensa que les sifflements qui lui résonnaient dans la tête l'avaient rendue folle.

L'ombre se tourna vers elle et, au moment où le rayon de lumière éclaira sa cachette, la policière rassembla ses forces et sortit de sous sa couverture en brandissant sa barre de fer. Aveuglée par la lumière, elle manqua sa cible. Elle frappa à nouveau et toucha l'intrus, qui perdit l'équilibre et se retrouva par terre. Sa torche lui échappa et, une fois encore, l'obscurité prit possession des lieux.

— Mila, entendit-elle crier, attends !

La respiration haletante, sa barre de fer cherchant toujours un objectif à l'aveuglette, la policière hurla :

— Qui c'est ?

— C'est moi, Berish.

Ses acouphènes l'empêchaient de reconnaître la voix.

— Comment tu m'as trouvée ?

— J'ai appelé le département, ils m'ont dit que tu étais ici.

— Pourquoi tu es venu ?

— La situation est grave. J'ai changé d'avis, j'ai décidé de t'aider.

— Va te faire foutre, Berish, dit-elle en lâchant sa barre de fer. Et maintenant, trouve ta foutue lampe, s'il te plaît. Je ne peux pas rester dans le noir.

— Aide-moi à me relever, alors.

Mila se pencha vers lui pour le chercher à tâtons. Mais à ce moment-là, derrière elle, quelqu'un la prit par la main. Instinctivement, elle se retourna. Elle sentit une odeur familière. Elle était terrorisée mais ne réagit pas. Le temps défilait au ralenti. La présence derrière elle la tira, puis les explosions retentirent. Les coups de feu tonnèrent dans le boyau, les étincelles permirent à Mila de reconnaître que celui qui l'avait tirée était le vrai Simon Berish et que l'odeur qui l'avait calmée était son eau de Cologne.

L'homme étendu à terre l'avait trompée. Elle ne distingua pas son visage, parce qu'il avait eu le temps de prendre la fuite. Elle le vit disparaître entre les balles. Les murs de la caverne s'écroulaient, se refermaient derrière lui, comme pour protéger sa fuite.

Quand les coups cessèrent, le véritable Berish s'adressa à elle.

— Filons, vite.

Il l'entraîna dans le noir, alluma sa torche quelques mètres plus loin. Mila le suivait, serrant sa main, posant ses pieds avec prudence. Berish courait, apparemment il avait appris par cœur le parcours pour regagner la sortie.

Elle fut prise de panique, ses pas étaient freinés – comme la lenteur angoissante qui caractérise toujours la fuite dans les cauchemars. Elle poussait ses genoux vers l'avant mais elle avait l'impression de courir dans un liquide huileux, comme si l'obscurité était plus dense.

Peu après, Mila reconnut le vestibule par lequel elle était arrivée. La porte était là, si proche qu'elle semblait inaccessible, l'idée de la traverser était si belle qu'elle paraissait irréelle. Elle sentit l'air frais venant de dehors, comme si la porte respirait.

Ils franchirent cette frontière et affrontèrent les escaliers. Elle eut la sensation que les marches s'inclinaient sous leurs pieds, comme les dents d'une créature qui ouvre la bouche. À ce moment-là, elle entendit un chien aboyer. La liberté était proche.

Juste avant de passer la porte, Mila eut l'impression que l'immeuble en briques rouges se refermait sur eux. Elle ferma les yeux, compta ses pas.

Berish se pencha pour caresser Hitch.

— Du calme, Hitch, tout va bien.

Ils reprirent leur souffle. L'animal se calma. L'agent spécial observa Mila. Les mains sur ses oreilles, elle grimaçait de douleur.

— Je t'ai trouvée en appelant le département, ils m'ont dit que tu étais venue ici, lui dit-il en haussant la voix.

— Alors celui qui s'est fait passer pour toi sait que je t'ai appelé, que j'ai demandé ton aide. Donc il me suit. Qui était cet homme ? demanda Mila en indiquant l'immeuble.

— Ça alors, un *nid*, s'étonna l'agent spécial en éludant sa question. Je n'en avais jamais vu.

— De quoi parles-tu ?

— Du refuge d'un syllogomane.

Un nid pour quoi ? Mila frissonna. Diana Müller était restée enfermée dans cet immeuble, reniant le monde extérieur, préparant la tanière de quelqu'un d'autre.

— Il y avait une pièce à l'intérieur : la fille avait un invité.

— Tu dois appeler les autres, les faire venir ici, dit Berish en la prenant par les épaules. Il est bloqué là-dedans, tu comprends ? Il ne peut pas s'échapper.

Elle perçut une lueur inquiétante dans le regard de l'agent spécial. Mila prit son téléphone avec l'intention d'appeler Boris, mais Hitch aboya à nouveau, plus fort. Il indiquait quelque chose derrière eux. Les yeux de Mila et Berish se posèrent sur l'immeuble en briques.

Par les fenêtres obstruées, de la fumée s'échappait. Au bout de quelques secondes, elles explosèrent.

Les deux agents se protégèrent le visage avec leurs mains, puis s'éloignèrent avec le chien, tandis qu'autour d'eux l'enfer se déchaînait.

Quand ils furent suffisamment loin, ils se retournèrent vers l'incendie.

— Non, non, laissa échapper l'agent spécial avec une inflexion malheureuse et impuissante.

— Regarde-moi, dit Mila. Qui était cet homme ? Tu le connaissais.

Berish baissa les yeux.

— Je n'ai jamais vu son visage, mais je suppose que c'était lui.

— Qui ?

— Kairus.

ALICE

Dossier 443 - Y/27

Déposition de l'auxiliaire médical de service dans l'ambulance le 26 septembre XXXX au soir :

« Nous sommes arrivés au domicile du blessé un peu avant minuit. Nous avions été informés de son état par radio et nous savions qu'il s'agissait d'un représentant des forces de police. À notre arrivée, le patient présentait des brûlures diffuses de troisième et quatrième degrés, ainsi que les symptômes d'une grave asphyxie. Malgré ce tableau clinique, l'homme était conscient. Alors que nous nous préparions à la procédure classique pour éviter les complications, tout en essayant de stabiliser sa respiration, le sujet se montrait inquiet et insistait pour communiquer avec nous. Il a réussi à arracher le masque du respirateur pendant quelques secondes et a répété des phrases embrouillées, parmi lesquelles nous avons compris les mots "je vous en prie, je ne veux pas mourir". Mais il a expiré pendant le transfert. »

33

Tout le monde attendait le Juge.

La zone du chantier était occupée par les forces de police, mais personne n'agissait ni ne parlait. Avant l'arrivée du chef du département, la scène était comme congelée.

L'incendie avait été maîtrisé, mais l'immeuble en briques rouges s'était écroulé à grand fracas. La combustion des matériaux accumulés dans le bâtiment avait créé un nuage toxique qui, dans la lumière de l'aube, faisait rutiler le ciel.

L'effet est à la fois fascinant et terrible. Même les horreurs peuvent sembler belles.

Les pompiers avaient dû faire évacuer le quartier.

— Nous avions vraiment besoin de cette publicité, avait commenté Boris.

Il refusait de lui parler. Il était fâché, mais Mila craignait qu'il soit également déçu. Elle l'avait tenu à l'écart de ses découvertes. Elle ne lui avait pas fait confiance. Quelque chose s'était irrémédiablement brisé entre eux.

Gurevich l'ignorait, lui aussi. C'était lui que Mila avait appelé, cette nuit-là, pas Boris, pour ne pas laisser penser qu'elle et son vieil ami étaient de mèche. À l'arrivée des renforts, l'inspecteur avait écouté son rapport sans sourciller. La policière l'avait informé des développements de son enquête solitaire – de la coupure de journal retrouvée dans la bouche d'égout à l'histoire de Diana Müller, en passant par le texto qui parlait de Kairus.

Elle n'avait omis qu'un détail : Simon Berish.

C'était elle qui lui avait ordonné de partir. Elle ne voulait pas que ses supérieurs le trouvent là. La réputation de l'agent spécial était déjà suffisamment compromise, il n'avait pas besoin de s'exposer dans une affaire dont il ne s'occupait pas. Mila l'avait assuré qu'elle le tiendrait au courant.

Depuis une dizaine de minutes, les pompiers les avaient autorisés à retirer leurs masques antigaz. Les émanations toxiques qui provenaient des décombres fumants avaient été neutralisées par un jet de mousse.

L'acouphène avait cessé mais Mila ne pouvait se sortir de la tête la voix de l'homme de l'ombre.

Il l'avait habilement attirée dans son nid. *Il m'a observée. Il sait que je suis sensible à l'appel de la peur.*

Berish avait affirmé qu'il s'agissait de Kairus, admettant ainsi l'existence du Maître de la nuit. Alors pourquoi l'agent spécial avait-il tu la vérité lors de leur première rencontre ?

Une BMW noire aux vitres teintées passa le barrage de policiers qui interdisaient l'entrée de la zone aux journalistes et aux curieux. Elle se gara juste sous le gratte-ciel en construction. Mila reconnut la voiture du Juge, Gurevich et Boris coururent à sa rencontre.

Au lieu de descendre, le passager resta assis dans l'habitacle et baissa sa vitre pour converser avec les deux hommes. Mila se trouvait de l'autre côté de la voiture et ne pouvait assister au dialogue. Plusieurs minutes passèrent. Finalement, les inspecteurs s'écartèrent pour permettre l'ouverture de la portière.

Un talon de douze centimètres se posa sur le sol poussiéreux. Une chevelure blonde apparut. Son tailleur était noir, évidemment, et son maquillage parfait malgré l'heure matinale.

Comme toujours, Joanna Shutton, le Juge, était impeccable.

De nombreuses histoires circulaient sur son compte au sein du département. Aucune n'avait jamais dépassé le statut de ragot – on savait seulement qu'elle était célibataire et que sa vie privée était ultra-secrète – mais, surtout, aucune de ces histoires ne contenait d'insinuation de nature sexuelle. Ce qui en disait long sur son pouvoir d'intimidation. Son CV parfait l'avait conduite à la fonction de commandante en chef.

Après être sortie major de l'école de police, Joanna Shutton n'avait pas occupé un poste prestigieux. La jeune femme était prometteuse mais cela aurait dérangé ses collègues hommes, et puis c'était une casse-pieds pédante. On ne lui confiait donc que des affaires mineures. Elle trouvait cependant toujours le moyen de se distinguer par sa capacité d'apprentissage, son engagement et son abnégation. Elle avait même réussi à faire de son surnom moqueur, le Juge, un titre de gloire.

Les journalistes l'adoraient.

Elle était parfaite pour la télé, avec sa silhouette de mannequin et son caractère hargneux de flic de la vieille école. Ce que ses supérieurs craignaient s'était vérifié : l'image de la police fédérale était incarnée par une blonde sexy.

En deux ans, Joanna Shutton avait manœuvré pour devenir la plus jeune inspectrice de l'histoire du département. Depuis, personne n'avait entravé son ascension.

La femme retira ses lunettes de soleil et se dirigea d'un pas assuré vers le centre de la scène, évaluant du regard le spectacle des ruines de l'immeuble en briques rouges.

— Qui peut me résumer les faits ?

Immédiatement, Gurevich, Boris et le capitaine des pompiers se rassemblèrent autour d'elle. Ce dernier prit la parole.

— Nous avons maîtrisé les flammes il y a une heure, mais le bâtiment s'est écroulé juste après. Selon votre agent, le feu est parti à l'improviste. Je ne peux pas confirmer la nature volontaire de l'incendie : avec tout le matériel inflammable amassé là-dedans, une étincelle a pu suffire.

— Une étincelle qui aurait attendu des années et justement choisi cette nuit pour tout anéantir, pondéra le juge.

Le sarcasme de Joanna Shutton tomba dans le silence comme une pierre dans un étang. Ils ne savaient jamais comment réagir, avec elle. On ne comprenait pas si elle plaisantait ou si elle utilisait l'ironie comme un fouet, pour dompter ses troupes.

— Agent Vasquez, dit-elle sans même regarder l'intéressée.

La policière s'approcha. L'aura de Chanel du Juge se répandait comme une sphère de pouvoir.

— Oui, madame.

— On me dit que vous avez vu un homme là-dedans et qu'il a essayé de vous agresser.

Cela ne s'était pas exactement passé ainsi, mais Mila respecta la version mise au point avec Berish.

— Il y a eu un bref corps-à-corps durant lequel ma torche électrique est tombée. Nous nous sommes retrouvés dans le noir mais j'ai réussi à tirer des coups de feu pour le mettre en fuite.

— Donc vous ne l'avez pas blessé.

— Je ne crois pas. Je l'ai vu s'échapper. Puis je me suis enfuie, moi aussi, parce que tout risquait de s'écrouler.

— Et vous avez perdu votre pistolet. C'est exact ?

Mila baissa les yeux. Il était peu honorable pour un policier d'égarer son arme. Ne pouvant révéler que c'était Berish qui avait tiré, elle n'avait pas eu à admettre que son pistolet était tombé à cause d'un moment d'inattention. Elle ne faisait pas bonne figure pour autant.

— C'est exact, Juge.

Joanna Shutton se désintéressa momentanément d'elle.

— Où est Chang ?

Le médecin légiste émergea des décombres incandescents, vêtu d'une combinaison de protection contre l'amiante. Il retira sa cagoule et les rejoignit.

— Vous m'avez appelé ?

— Vous avez retrouvé des corps ?

— Il y avait des quantités considérables de substances chimiques, hydrocarbures et plastique : l'ensemble a produit une température très élevée, quand les flammes sont parties. Ajoutez à cela que les briques de l'édifice ont agi comme un four. Dans ces conditions, tout reste humain s'est désagrégé, affirma le médecin légiste.

— Pourtant, cet homme y était, affirma Mila d'une voix quasi stridente, sans se rendre compte que personne ne l'accusait de mentir. Et il y avait le squelette de Diana Müller, une jeune fille disparue à l'âge de quatorze ans, dont on était sans nouvelles depuis neuf ans.

— Comment est-il possible que personne n'ait jamais rien remarqué ? demanda le Juge.

— L'immeuble faisait partie d'une succession indivise, précisa Gurevich. Selon l'entreprise qui aurait dû le démolir aujourd'hui, personne n'y vivait. Pourtant, il est étonnant que les services sociaux n'aient reçu aucun signalement, depuis tout ce temps. Regardez autour de vous : nous ne sommes pas dans un faubourg désert. Nous sommes en plein quartier des affaires, des milliers de personnes viennent travailler ici chaque jour.

Oui, mais au coucher du soleil cet endroit se vide, aurait voulu répondre Mila, qui secoua simplement la tête.

Boris évitait de la regarder. Ce silence blessait la policière plus que les accusations voilées de l'autre inspecteur. Joanna Shutton, en revanche, était imperturbable.

— Si ça s'est passé comme le dit l'agent Vasquez, alors l'homme qui l'a agressée a démarré l'incendie et a choisi de périr dans les flammes, affirma Gurevich. Pourquoi ? C'est insensé.

Le Juge s'adressa à nouveau au capitaine des pompiers.

— J'imagine que vous avez parlé avec l'entreprise qui gère le chantier.

— En effet, on les a appelés parce qu'ils connaissent bien la zone où nous devions intervenir.

— Dites-moi, à part l'entrée principale, y avait-il un autre moyen d'accéder à l'immeuble ?

— Eh bien, il y a le réseau d'égouts qui passe juste sous la propriété. Je n'exclus pas que quelqu'un y ait accédé depuis l'intérieur du bâtiment.

Le Juge se tourna vers ses collaborateurs.

— Voilà une possibilité que vous n'avez pas prise en compte. Que les habitants de cet immeuble utilisaient un autre chemin pour entrer et sortir sans être vus. L'agresseur peut l'avoir emprunté pour s'échapper après avoir mis le feu.

Mila apprécia le soutien inattendu de Joanna Shutton, mais sans se faire d'illusion.

— Le scepticisme de vos collègues, ma chère, lui dit le Juge en la fixant des yeux, est dû au fait que vous avez agi sans attendre les ordres, faisant preuve d'un manque total de respect pour la hiérarchie. En outre, vous avez compromis l'enquête. Il sera difficile de démêler les fils, étant donné que les preuves, si preuves il y avait, ont toutes été détruites dans l'incendie.

Mila aurait voulu dire qu'elle était désolée, mais ses mots auraient sonné faux. Aussi elle se tut et, la tête baissée, continua à subir.

— Si vous pensez être meilleure que nous, dites-le. Je connais votre travail, je sais à quel point vous excellez. Mais je ne me serais jamais attendue à un tel comportement de la part d'une policière chevronnée, déclara Joanna Shutton avant de s'adresser aux autres : Laissez-nous seules.

34

Les trois hommes s'éloignèrent après un bref échange de regards.

Bien que constituant une majorité, devant une femme comme le Juge les hommes semblaient toujours en infériorité.

Une fois seule avec Mila, Joanna Shutton attendit quelques secondes avant de parler, comme si elle voulait peser ses mots.

— Je voudrais vous aider, agent Vasquez.

La policière, qui s'attendait à une autre réprimande, resta interdite.

— Pardon ?

C'était plus qu'un soutien. Une proposition d'alliance.

— En chemin, l'inspecteur Gurevich m'a mise au courant des faits. Il a mentionné que vous aviez l'intention d'introduire dans votre rapport des références à des événements qui se sont produits il y a vingt ans.

— Oui, madame.

— Le Magicien, l'Enchanteur des rêves, le Maître de la nuit… C'est exact ?

— Et Kairus.

— C'est vrai. Maintenant il y a aussi ce nouveau nom.

Mila était convaincue que le Juge le connaissait déjà. Cela faisait peut-être partie d'une vérité réservée à quelques privilégiés.

— Je me souviens bien de l'affaire des insomniaques. Elle a marqué la fin du programme de protection des témoins. Quelques années plus tard, un des agents spéciaux impliqués a perdu sa crédibilité dans une autre affaire sordide.

Mila comprit qu'elle faisait référence à Simon Berish. Elle n'eut pas besoin de demander ce qui s'était passé.

— Il a accepté une somme d'argent pour faire fuir un mafieux repenti qu'il aurait dû protéger et surveiller.

Mila ne pouvait croire que c'était cela qui avait fait de Berish un paria, elle ne le voyait pas en flic corrompu. Joanna Shutton mourait d'envie de tout lui raconter. Elle joua son jeu.

— Cet agent ne doit plus être en service, j'imagine.

— Malheureusement, nous n'avons jamais trouvé de preuves pour le coincer.

— Pourquoi me racontez-vous cette histoire ?

— Parce que je ne veux pas que vous vous adressiez à lui, admit-elle avec franchise. Quoi qu'il se passe, c'est à moi que vous en parlerez, d'accord ?

— D'accord. Voyez-vous un inconvénient à ce que je cite Kairus dans mon rapport ?

— Pas du tout, minimisa le Juge. Mais si vous voulez un conseil – de femme à femme –, je ne le ferais pas, à votre place. C'est une affaire vieille de vingt ans : sans preuves ni indices, le risque est de nous engluer. Et puis, ces surnoms ne signifient rien. Ils ne sont qu'un épouvantail pour le public, créé par les médias pour faire vendre plus de journaux et de revues. Ne vous ridiculisez pas en poursuivant un personnage de bande dessinée.

Pourtant, Mila ne pouvait s'empêcher de penser à la silhouette croisée cette nuit-là. Elle était humaine, en chair et en os. Peut-être que le contexte – le nid et l'obscurité mêlée à la peur – l'avait poussée à l'idéaliser. Elle pouvait admettre qu'il ne s'agissait pas d'un monstre.

Mais il existait, il était réel.

— Et si dans le rapport j'affirmais simplement avoir été agressée par un inconnu ?

— Beaucoup mieux, sourit le Juge. Je vous ai suivie depuis le début de l'enquête et je crois que vous avez agi pour le mieux. Je sais que vous avez fait preuve de perplexité devant l'hypothèse de l'organisation terroriste.

— En effet, et je persiste à ne pas y croire.

— Puis-je me permettre une précision, agent Vasquez ?

Mila ne voyait pas où elle voulait en venir.

— Gurevich m'a demandé de vous retirer de l'enquête, mais je pense que vous pouvez être utile d'une autre façon.

Joanna Shutton fit signe à son chauffeur qui sortit de la voiture avec un dossier marron. Le Juge le tendit à Mila, qui l'observa. Il était très mince.

— De quoi s'agit-il ?

— Je veux que vous suiviez une nouvelle piste. Et là-dedans il y a quelque chose qui, j'en suis certaine, va beaucoup vous intéresser.

35

Son bureau avait toujours représenté un refuge, maintenant il était telle une cellule.

Berish faisait les cent pas en cherchant un moyen de s'évader.

— Je l'ai raté, dit-il à Hitch.

Il ne se remettait pas des événements de la nuit précédente. Dans le noir sa main avait tremblé et il avait manqué sa cible. Dans le fond, cela faisait un moment qu'il n'avait pas tenu d'arme. L'homme d'action était devenu homme d'esprit, se rappela-t-il en se moquant de lui-même.

Mais le pire était qu'il n'avait pas vu le visage de l'auteur du tourment qui l'avait persécuté pendant vingt ans. Les interrogations se poursuivraient, sans trêve.

Kairus était revenu.

Cette nuit-là, avant qu'il quitte le chantier, Mila lui avait résumé les événements des derniers jours, notamment le massacre perpétré par Roger Valin et les homicides commis par Nadia Niverman et Éric Vincenti.

Des gens qui, comme André García, avaient disparu puis réapparu, pour tuer.

Berish avait écouté avec attention le compte rendu des crimes qui avaient d'abord été classés comme vengeances puis comme actes terroristes. La peur le gagnait, suivant un chemin qu'elle n'avait pas parcouru depuis des années. Une boule de doutes et d'appréhensions s'était formée dans sa gorge.

Que se passait-il ? Pourquoi ces crimes qui s'enchaînaient ?

Quand il était inquiet, c'était Sylvia qui le calmait. Son souvenir traversait la couverture sombre des angoisses, comme un mirage lumineux qui fend le brouillard. Elle venait le consoler avec son sourire et une caresse sur la main.

Pas un jour ne passait sans que Berish pensât à elle.

Quand il était convaincu d'avoir enfoui son souvenir dans un lieu interdit, même à lui-même, Sylvia trouvait le moyen de revenir. Comme un chat qui retrouve toujours le chemin de chez lui. Elle le surprenait dans les objets, ou dans un paysage. Ou bien elle lui parlait à travers les paroles d'une chanson.

Leur histoire avait été brève, mais il l'aimait toujours.

Ce n'était plus le sentiment sauvage qui s'était retourné contre lui avec férocité quand cela s'était terminé, lui demandant des explications, l'accusant. Cela s'était transformé en une nostalgie lointaine. Elle affleurait dans son cœur, il la ramassait un instant entre ses doigts, la contemplait comme un panorama suggestif puis la laissait retomber.

Lors de leur première rencontre il avait été frappé par sa tresse noire. Bientôt, il apprendrait que quand elle la dénouait c'était qu'elle avait envie de faire l'amour. Elle n'était pas belle, ce jour-là. Néanmoins, il avait compris très vite qu'il ne pourrait plus se passer d'elle.

Trois coups ramenèrent l'agent spécial à la réalité.

Berish s'arrêta au centre de la pièce. Hitch se mit en alerte.

Personne ne frappait à la porte de ce bureau.

— L'homme que nous avons vu dans la maison a probablement réussi à se sauver de l'incendie en s'échappant par les égouts.

Mila était hors d'elle. Berish l'attira à l'intérieur, espérant que ses collègues ne l'aient pas remarquée.

— Pourquoi es-tu venue ici ?

La policière des Limbes brandissait un dossier marron.

— Joanna Shutton m'a parlé de toi. C'est elle qui a pris l'initiative, elle m'a conseillé… ou plutôt, elle m'a ordonné de cesser de te contacter. Mais si le chef du département agit ainsi, c'est qu'il y a quelque chose derrière.

Berish était déboussolé. Il se demandait ce que le Juge avait pu raconter à Mila. Ou plutôt, il l'imaginait très bien et il espérait que la policière ne soit pas tombée dans le panneau. Mais si elle était venue, cette éventualité était à exclure.

— Je sais que tu préférerais te prélasser dans ta condition de renégat, dit Mila. Je l'ai bien compris, mais c'est trop facile. Je veux tout savoir.

— Je t'ai déjà tout dit.

— Dehors, reprit Mila en indiquant la porte, dans le monde réel, j'ai dû mentir pour toi. J'ai raconté des bobards à la chef du département pour ne pas te créer de problèmes. Je pense que tu as une dette envers moi.

— Ça ne te suffit pas que je t'aie sauvé la vie, cette nuit ?

— On est mouillés tous les deux, maintenant.

Mila posa son dossier sur le bureau. Berish le regarda.

— Y a quoi là-dedans ?

— La preuve que jusqu'ici on ne s'est pas trompés.

L'agent spécial alla s'asseoir dans son fauteuil et croisa les mains sous son menton.

— D'accord. Qu'est-ce que tu veux savoir ?

— Tout.

Vingt ans plus tôt, la disparition des sept insomniaques avait eu un épilogue.

La police fédérale enquêtait sur les liens entre un ex-militaire homosexuel, un livreur, une étudiante, un professeur de sciences à la retraite, une veuve, la propriétaire d'une boutique de linge de maison et une vendeuse de grand magasin.

S'ils découvraient un point commun, peut-être comprendraient-ils si quelqu'un s'était intéressé à eux et les avait fait disparaître. Or ils n'avaient rien trouvé, à part le détail trop faible des insomnies.

On aurait dit une affaire montée de toutes pièces par la presse sur la base de pures coïncidences. Dans le fond, combien de personnes disparaissaient chaque jour en ville ? Et combien prenaient des somnifères ?

Mais l'opinion publique s'était attachée à l'idée macabre qu'il y avait un responsable. Les enquêteurs, eux, étaient moins convaincus.

C'est alors que les témoins étaient apparus.

— Il y a toujours quelqu'un qui a vu ou a cru voir quelque chose. Au département, on avait l'habitude de reconnaître les fanfarons ou les mythomanes attirés par les feux de la rampe, on savait comment les traiter. Le premier signe était quand ils avaient trop attendu pour se dévoiler. Et puis, en général leurs versions des faits se ressemblaient – c'est un classique. Ils nous parlaient de sensations, d'un type suspect qui traînait près de chez l'un des disparus. Alors on les soumettait à l'épreuve du portrait-robot. Je ne sais pas pourquoi, mais quand il s'agit de criminels les gens décrivent tous plus ou moins le même visage : petits yeux et front large. Les thèses anthropologiques affirment que c'est un héritage de l'évolution – l'ennemi aiguise son regard quand il nous toise, et le front est la première chose que l'on remarque quand on doit repérer un adversaire qui se cache dans un espace ouvert. De toute façon, quand ces deux caractéristiques étaient présentes, on pouvait douter de l'authenticité du portrait. Pourtant, l'un d'eux nous fournit une description qui nous parut plausible.

L'agent spécial ouvrit un tiroir et tendit un portrait-robot à Mila.

Kairus – l'homme qui faisait disparaître les gens – avait un visage androgyne.

Ce fut le premier détail que la policière remarqua quand elle l'observa en se demandant si elle reconnaissait le visage entrevu la veille entre les éclairs de balles. Malgré le manque de perspective du portrait-robot, la délicatesse des traits émergeait du dessin. Les cheveux sombres étaient telle une couronne sur le front osseux. Les pommettes étaient hautes et les lèvres pleines. Au centre du menton, une fente conférait à la fois de la force et de la grâce.

C'était prévisible : Kairus n'avait pas l'air d'un monstre.

— La déposition du témoin était soignée, précise, circonstanciée : tous les détails étaient vérifiables. Selon son récit, Kairus mesurait environ un mètre soixante-dix, physique athlétique, la quarantaine. Le témoin l'avait remarqué parce que, au moment de la rencontre, un comportement singulier avait gravé cette silhouette dans sa mémoire.

Le Maître de la nuit avait souri.

— Sans raison, comme s'il voulait simplement qu'il se souvienne de lui. Le témoin nous avait expliqué qu'il avait ressenti une gêne, mêlée à de l'inquiétude.

« Il avait été mis sous protection. Mais cela n'avait pas suffi.

« Alors que nous le protégions, il s'est évaporé dans le néant. C'était comme si pendant un film d'horreur au cinéma le monstre traversait l'écran : la peur pour laquelle on a acheté son billet se transforme en quelque chose d'inimaginable. Plus que de la panique : l'idée qu'il n'y a pas de salut. La conscience irrémédiable et soudaine qu'aucune distance ne peut nous mettre en sécurité. Nous l'avons appelé, il est venu : le Maître de la nuit était parmi nous. Non seulement il avait un visage, mais il s'était choisi un nom.

« Kairus.

« Trois jours après la disparition de la seule personne qui avait vu son visage, un courrier est arrivé au département. Il contenait une mèche de cheveux ayant appartenu au témoin. Il était accompagné d'un billet. Un seul mot. Un nom. Kairus.

« Un défi en bonne et due forme.

« Comme s'il disait : vous ne vous êtes pas trompés jusqu'ici. Ça a toujours été moi. Vous avez mon portrait-robot, et maintenant mon nom. Trouvez-moi.

« Au département, tout le monde avait peur. Parce que si la provocation était à ce niveau, alors l'intimidation valait pour tout le monde.

« Ça s'est achevé ainsi. Nous n'avons plus entendu parler de Kairus et il n'y a pas eu d'autres disparitions, poursuivit Berish. La meilleure blague du Maître de la nuit a été de nous laisser avec un doute. Il ne pouvait pas être qualifié d'assassin parce qu'il n'y avait pas de cadavres. Il ne pouvait pas être accusé d'enlèvement parce qu'il n'existait aucune preuve que les disparitions n'aient pas été volontaires. Concernant son identité et ses motivations, nous n'avions que des hypothèses.

Kairus était l'auteur de crimes sans nom. S'il avait été capturé, on n'aurait pas su de quoi l'accuser. Mais on qualifiait tout de même les personnes disparues de victimes.

— Comment s'appelait le témoin ?

— Sylvia.

36

Le témoin était une femme.

Mila s'aperçut que Berish avait hésité à prononcer son prénom, comme si cela lui coûtait.

— Cette Sylvia avait déjà décrit le visage de Kairus, pourquoi l'a-t-il fait disparaître ?

— Pour nous prouver ce dont il était capable. Et sa détermination.

— Il a réussi, conclut la policière avec amertume. Parce que, évidemment, quand le portrait-robot n'a débouché sur rien, vous avez classé l'affaire avec un terrible sentiment d'échec. En réalité, vous l'avez enterrée : dans les archives des Limbes, je n'ai trouvé qu'un tout petit dossier nettoyé. Vous vous êtes justifiés en soutenant que le Maître de la nuit n'était qu'une invention, une légende, un bluff, poursuivit Mila, folle de rage. En fait, il était réel – et bien réel. On en a eu la preuve cette nuit, quand on s'est retrouvés nez à nez avec lui.

L'agent spécial était encore remué par les événements de l'immeuble en briques rouges.

— Tu étais sous les ordres de Steph dans le programme de protection des témoins, donc c'est toi qui surveillais cette Sylvia, n'est-ce pas ? Toi et le capitaine Stephanopoulos étiez impliqués, qui d'autre ?

— Joanna Shutton et Gurevich.

Mila se raidit. Le Juge ? Voilà pourquoi elle lui avait offert son aide.

— En accord avec votre capitaine Steph, vous avez conclu un pacte pour sauver vos carrières. On a arrêté de chercher les disparus. Vous vous en fichiez.

— C'est à moi que tu parles de carrière ? demanda Berish avec ironie. Stephanopoulos a demandé à être affecté aux Limbes parce qu'il ne voulait pas renoncer.

— Mais tu as permis aux autres de laisser tomber, par intérêt personnel. Tu as été leur complice.

— Si je pouvais revenir en arrière, je ne changerais rien, parce que Joanna Shutton et Gurevich sont d'excellents policiers. Ce n'est pas à eux que j'ai rendu service, mais au département.

Mila se demanda pourquoi l'agent spécial prenait la défense de collègues qui le méprisaient. Elle repensa à l'histoire que lui avait racontée le Juge, qui avait décrit Berish comme un flic corrompu. L'espace d'un instant, elle fut saisie d'un doute : tout était-il vrai ?

Pourtant, la policière commençait à comprendre la raison de la confidentialité autour des crimes récents – à commencer par l'homicide multiple de Roger Valin. En évitant les fuites, ses supérieurs ne cherchaient pas à protéger l'intégrité de l'enquête, mais à se protéger eux-mêmes d'un scandale vieux de vingt ans.

— Klaus Boris est au courant ?

— Toi et ton ami n'êtes que des pions sur cet échiquier.

Mila ressentit un léger soulagement. Elle ne pouvait être certaine que c'était la vérité, mais les mots de Berish la rassurèrent.

— Alors pourquoi le Juge m'a-t-il remis ce dossier ?

— Je ne sais pas. Elle aurait dû te retirer de l'enquête. Mais avec Joanna on ne peut jamais savoir, elle est très manipulatrice.

— Si tu le lis, tu verras qu'elle m'a tendu une perche pour que je découvre ce que vous avez décidé il y a vingt ans.

— Et tu lui fais confiance ? Elle a compris que la vérité éclatera au grand jour quoi qu'il arrive, maintenant. Elle se prépare au pire, crois-moi.

L'agent spécial pouvait avoir raison. Mila décida qu'elle se moquait d'avoir en face d'elle un flic qui s'était probablement laissé corrompre dans le passé par un criminel repenti.

— Pourquoi tu ne jettes pas un coup d'œil au dossier ? Ça pourrait te décider à m'aider…

Berish soupira. Il regarda Mila, puis la pochette marron. Il finit par tendre le bras et se plonger dans la lecture. Quand il eut terminé, il la reposa.

— Si ce qui est écrit là-dedans est vrai, ça change tout.

37

Ce mardi de fin septembre, on se serait cru en été.

L'air chaud les enveloppait. Hitch passait la tête par la fenêtre de la Hyundai, profitant de la brise artificielle créée par l'avancée de la voiture.

Mila regardait la route. À côté, Berish relisait pour la énième fois le contenu du dossier.

L'agent spécial avait une tache de café sur le poignet, qu'il essayait de cacher en tirant avec obstination sur la manche de sa veste, comme par réflexe. Mila remarqua son geste du coin de l'œil. Berish tenait à son apparence, c'était une question de dignité, plus que de vanité. Elle se rappela quand elle vivait avec son père, qui cirait ses chaussures chaque matin. Il disait qu'il était important de bien présenter, par respect pour les autres. Berish n'avait pas l'âge de son père, mais il avait des manières d'hommes d'un autre temps. Pour Mila, c'était rassurant.

— Depuis quand tu n'as pas dormi ? lui demanda-t-il distraitement.

— Je vais bien.

Pendant les vingt-quatre dernières heures, les événements s'étaient enchaînés avec frénésie. La chaleur de l'après-midi avait un effet apaisant sur les nerfs de la policière. Ils traversaient une banlieue tranquille composée de maisons individuelles toutes différentes, habitées surtout par la classe ouvrière. Les gens travaillaient et élevaient leurs enfants, ils aspiraient à une vie sereine. La communauté était unie, tout le monde se connaissait, bien sûr.

Ils passèrent devant l'église baptiste au bout du pâté de maisons, une construction blanche au milieu d'une vaste pelouse, avec un campanile en pointe. Un corbillard stationnait devant, pourtant on entendait des hymnes joyeux.

Mila alla se garer devant la troisième maison de la rue, à l'ombre d'un grand orme.

Une rafale de vent brûlant les accueillit quand ils descendirent de la voiture. Dans le jardin attenant à la modeste habitation, qui était de plain-pied, trois enfants jouaient – deux garçons et une fillette. Ils s'interrompirent pour observer les intrus. Leurs visages étaient couverts de petites taches rouges.

— Votre maman est à la maison ? demanda Berish en faisant descendre Hitch de la voiture.

Les enfants ne répondirent pas, concentrés sur l'hovawart.

À ce moment-là apparut sur le seuil de la maison une femme qui tenait dans ses bras un enfant d'environ deux ans, qui les fixa un instant, méfiant, avant de sourire à son tour au chien.

— Bonjour, lança la femme.

— Bonjour, répondit Berish sur un ton tout aussi cordial. Madame Robertson ?

— C'est moi.

Les deux agents parcoururent la petite allée en contournant des jouets et un tricycle, puis montèrent les marches qui conduisaient à la terrasse.

— Nous sommes du département de police fédérale.

Arrivé à la porte, l'agent spécial sortit l'unique feuille que contenait le dossier marron et la montra à la femme.

— Vous reconnaissez cette déclaration ?

— Oui, répondit Mme Robertson, un peu perdue. Mais je n'ai plus eu de nouvelles.

— Pouvons-nous entrer ? demanda Berish après avoir consulté Mila du regard.

Un peu plus tard, Hitch s'amusait dans le jardin avec les aînés de Mme Robertson, tandis que les deux agents étaient assis dans le salon de la maison.

Le tapis à leurs pieds était parsemé de constructions et de pièces de puzzles. Sur la table, un panier plein de linge à repasser. Une assiette sale tenait en équilibre sur le bras d'un fauteuil.

— Excusez le désordre, dit la maîtresse de maison en posant l'enfant qu'elle avait dans les bras. Ce n'est pas évident de garder la maison rangée, avec cinq enfants.

Elle avait déjà expliqué que les plus grands n'étaient pas à l'école parce qu'ils avaient attrapé la rubéole. L'avant-dernier était également resté à la maison parce qu'à la crèche ils avaient peur de la contagion. Quant au benjamin, âgé de trois mois, il dormait dans un berceau dans l'entrée.

— Je vous en prie, dit Mila. On est désolés d'avoir débarqué sans préavis.

Camilla Robertson, la trentaine passée, était une petite femme robuste – ses bras forts dépassaient d'un chemisier jaune sur lequel pendait une chaîne avec un petit crucifix en argent. Cheveux châtains coupés court, peau claire et yeux bleus limpides mis en valeur par ses joues rouges. Elle donnait l'impression d'être une mère occupée mais heureuse.

— Mon mari est le pasteur de l'église baptiste au coin de la rue, précisa la femme en s'asseyant. Il célèbre les obsèques d'un frère de la communauté décédé hier, j'aurais dû être avec lui, à l'heure qu'il est.

— On est désolés pour votre ami, intervint Berish.

— Vous ne devriez pas, il est entre les mains du Seigneur.

La maison était meublée avec simplicité, les seules décorations étaient les cadres avec les photos de famille et les tableaux représentant Jésus, la Vierge ou encore la Cène. Mila ne les perçut pas comme les ornements d'une foi ostentatoire mais comme le gage d'une piété profonde qui accompagnait tous les aspects de la vie familiale.

— Je peux vous offrir quelque chose ? demanda la femme.

— Ne vous dérangez pas, madame Robertson, lui répondit Berish.

— Camilla, le corrigea-t-elle.

— D'accord, comme vous voudrez… Camilla.

— Du café ? J'en ai pour un instant.

— Vraiment, on est pressés.

Mais Camilla avait déjà filé à la cuisine.

Ils l'attendirent quelques minutes, sous le regard du fils de deux ans. Camilla revint avec deux tasses fumantes posées sur un plateau.

— Pourriez-vous nous raconter l'histoire de cette plainte ? demanda Mila.

Mme Robertson se rassit.

— Qu'est-ce que je peux vous dire… C'était il y a longtemps. Une autre vie, en quelque sorte.

— Pas besoin d'être précise, dites-nous ce dont vous vous souvenez, l'encouragea Berish.

— Donc… J'avais presque seize ans. Je vivais avec ma grand-mère dans un immeuble près de l'échangeur des voies ferrées. Ma mère m'a confiée à elle quand j'avais quelques mois, c'était une marginale, elle ne savait pas s'occuper de moi. Je n'ai jamais connu mon père, précisa-t-elle avant de faire une grimace à son fils, qui lui répondit avec un sourire édenté. Mais je ne leur en veux pas, je leur ai pardonné. Ma grand-mère Nora ne voulait pas de moi, elle disait toujours que j'étais un poids pour elle. Elle recevait une pension pour invalidité parce que dans sa jeunesse elle s'était fracturé le bassin en travaillant à l'usine. Elle soutenait que sans moi cet argent lui aurait suffi, mais que par ma faute elle devait vivre comme une misérable. Elle a essayé plusieurs fois de me placer en institution, mais je m'échappais toujours pour revenir chez elle. Je me demande pourquoi, d'ailleurs… Une fois, à huit ans, j'ai été confiée à une famille. C'étaient des braves gens qui avaient au moins six enfants – certains recueillis, comme moi. Ils vivaient en harmonie, ils étaient heureux. Moi j'étais perdue, parce que je ne comprenais pas la raison de cette affection désintéressée. La femme n'était pas de ma famille, pourtant elle prenait soin de moi : elle lavait mon linge, me préparait à manger. Je pensais que je devais lui en être reconnaissante, d'une façon ou d'une autre, ou du moins qu'elle s'attendait à ce que je le sois. Alors un soir j'ai retiré mes vêtements et je me suis glissée dans le lit où se trouvait son mari, comme dans un film que j'avais vu un soir tard chez ma grand-mère. Cet homme ne s'est pas fâché, il a été gentil et il m'a dit que certains comportements ne seyaient pas à une fillette, que je devais me rhabiller. Pourtant, je me suis aperçue qu'il était troublé. Comment pouvais-je savoir que ce que je lui avais proposé était une affaire d'adultes ? Personne ne me l'avait jamais expliqué. Le lendemain, une assistante sociale est venue me chercher. Je ne les ai jamais revus.

Camilla Robertson avait raconté l'épisode avec une légèreté qui surprit Mila. Comme si elle avait réglé ses comptes avec son passé, comme si elle avait trouvé la paix, comme si elle n'avait plus rien à cacher. Il n'y avait pas de rancœur dans sa voix, juste une vague tristesse.

Berish aurait voulu qu'elle en vienne au fait, mais il comprit qu'il devait la laisser parler.

— Le premier coup de téléphone est arrivé quand j'avais seize ans, le jour de mon anniversaire. L'appareil a sonné plusieurs fois, il était 14 heures et d'habitude ma grand-mère dormait jusqu'à 18 heures. Les sonneries se sont arrêtées, puis ont repris. Alors j'ai répondu. À l'autre bout du fil, un homme m'a souhaité un bon anniversaire. C'était bizarre, personne ne se souvenait de la date. Jusque-là, je n'avais eu qu'une fois un gâteau et des bougies, durant un de mes séjours à l'orphelinat, et j'avais dû les souffler avec cinq enfants nés le même mois. C'était bien, mais pas exceptionnel. En revanche, quand au téléphone cet homme a dit qu'il avait appelé uniquement pour moi, je me suis sentie… flattée.

Mila observa les photos des Robertson éparses dans le salon. Des dizaines de gâteaux d'anniversaire et de visages souriants couverts de crème et de chantilly.

— Cet homme vous a dit qui il était ? demanda Berish.

— Je ne lui ai même pas posé la question. Peu m'importait. Les autres m'appelaient « la petite-fille de Nora » et quand Nora avait besoin de me parler elle utilisait des insultes. Ce qui comptait était que *lui* connaissait mon prénom. Il me demandait si j'allais bien et voulait savoir d'autres choses de ma vie, par exemple comment ça se passait en classe, qui étaient mes amis, mon chanteur ou mon groupe préférés. Il savait déjà beaucoup de choses : que j'aimais le violet, que dès que j'avais un peu d'argent en poche je courais au cinéma, que j'adorais les documentaires animaliers et que j'aurais voulu avoir un chien nommé Ben.

— Ça ne vous a pas étonnée qu'il sache tout ça ? s'émerveilla Mila.

— Je vous assure, ce qui m'a le plus marquée était le fait que quelqu'un s'intéresse à moi.

— Que s'est-il passé ensuite ?

— Les appels sont devenus réguliers. En général, il téléphonait le samedi après-midi. Nous parlions une vingtaine de minutes, surtout de moi. C'était agréable, je me moquais de ne pas savoir qui il était ni à quoi il ressemblait. Parfois, j'aimais penser qu'il m'avait choisie pour instaurer cette relation particulière. Il ne m'a jamais demandé de ne pas parler de nos entretiens aux autres, aussi je ne soupçonnais aucune mauvaise intention. Il n'a jamais souhaité me rencontrer, ne m'a jamais rien demandé. C'était mon ami secret.

— Combien de temps les appels ont-ils duré ? demanda Berish.

— Environ un an, je crois… Ensuite, ils ont cessé. Mais je me souviens encore de l'avant-dernier. Son ton était différent. Il m'a posé une question qu'il ne m'avait jamais posée, en gros c'était : « Ça te dirait d'avoir une nouvelle vie ? » Puis il m'a expliqué ce qu'il voulait dire. Si j'avais voulu, j'aurais pu changer de nom et de ville, recommencer à zéro, sans ma grand-mère, et peut-être avoir un chien nommé Ben.

Mila et Berish se lancèrent un regard entendu.

— Il ne m'a pas expliqué comment ce changement devait se produire, il m'a seulement dit que si je le voulais c'était possible.

Mila posa sa tasse de café, très lentement, pour ne pas briser l'atmosphère qui s'était créée.

— Ça me semblait fou, j'ai cru à une blague. Pourtant il était très sérieux. Je lui ai assuré que j'allais bien, que je ne voulais pas une autre vie. La vérité est que je voulais le rassurer, j'étais désolée qu'il ait de la peine pour moi. Il m'a demandé d'y réfléchir, affirmant que je pouvais lui répondre le samedi suivant. Quand il a rappelé, je lui ai offert le même refus. Il ne semblait pas vexé. Nous avons parlé de tout et de rien. Je ne savais pas que c'était notre dernière conversation. Je me rappelle que quand le téléphone n'a pas sonné, le samedi suivant, je me suis sentie abandonnée comme jamais. Excusez-moi, dit Camilla Robertson en se levant pour aller chercher son bébé qui pleurait.

— J'ai l'impression qu'elle a beaucoup à raconter, dit Mila à voix basse.

L'agent spécial indiqua le dossier marron.

— Il faut encore parler de ça…

38

Peu après, Camilla Robertson revint avec son bébé. Elle resta debout, le berçant pour qu'il se rendorme.

— Il ne supporte pas la chaleur et, franchement, moi non plus. Le Seigneur nous a offert un long été, cette année – qu'il soit loué.

— Dites-moi, Camilla, reprit Mila. Avez-vous à nouveau parlé à cet homme au téléphone ?

— C'est arrivé des années plus tard. J'avais vingt-cinq ans et j'étais loin de mener ce qu'on peut appeler une vie rangée. À ma majorité, ma grand-mère m'a mise à la porte en me disant qu'elle n'avait plus d'obligations envers moi. Elle est morte peu après et je prie chaque jour pour qu'elle soit au paradis.

— À partir du moment où vous vous êtes retrouvée sans domicile, j'ai cru comprendre que les choses avaient mal tourné, intervint Simon Berish.

— Oui, en effet. Au début, malgré ma peur, j'étais convaincue qu'une vie heureuse m'attendait. Seul Dieu savait à quel point je me trompais… La première nuit que j'ai passée dans la rue, on m'a volé le peu que je possédais. Le lendemain, j'ai fini aux urgences avec une côte fêlée. Au bout d'une semaine j'ai appris les règles de survie et je me suis prostituée. Un mois plus tard, j'ai compris le secret du bonheur dans cet enfer en fumant ma première dose de crack.

Plus il observait la femme sereine qu'il avait devant lui, moins Berish arrivait à croire qu'elle parlait d'elle-même.

— J'ai été arrêtée plusieurs fois, j'ai fait des allers-retours entre la prison et les centres de désintoxication, mais je revenais toujours à cette vie. Parfois, je ne mangeais pas pendant des jours pour pouvoir acheter ma drogue. Je l'acceptais comme paiement de la part des clients – les rares qui avaient encore le courage de venir avec moi, vu que j'avais la peau sur les os, les cheveux tombants et les dents cariées.

Tandis qu'elle parlait, le petit cherchait son sein à travers le chemisier.

La scène de pureté qui se déroulait sous les yeux des policiers contrastait violemment avec le récit de la femme.

— Je me rappelle, un soir d'hiver, il pleuvait des cordes. Il n'y avait personne dans les rues, mais je voulais à tout prix rassembler l'argent pour une dose. En plus, je ne savais pas où aller. Je passais la plupart du temps dans une sorte de dimension parallèle. Quand j'étais droguée, mais aussi quand j'étais clean, parce que mon instinct de survie ne me poussait pas à boire ou à manger mais à me droguer. Pendant l'orage, je me suis réfugiée dans une cabine téléphonique. Je ne me souviens pas combien de temps j'y ai passé. J'étais trempée, j'avais froid. J'essayais de me réchauffer en frottant mes mains contre mon corps, mais en vain. À ce moment-là, le téléphone de la cabine a sonné. Je l'ai regardé longuement, sans comprendre ce qui se passait. Je l'ai laissé sonner parce que je n'avais pas le courage de soulever le combiné. À l'intérieur de moi, quelque chose me disait que ce n'était pas une erreur de numéro. Que c'était moi qu'on cherchait. Le premier mot qu'il a prononcé était mon prénom, Camilla. J'ai reconnu la voix tout de suite. Je me souviens qu'il m'a demandé comment j'allais, mais je savais qu'il connaissait la réponse, alors j'ai éclaté en sanglots. Vous ne pouvez pas imaginer à quel point il est bon de pleurer quand on ne l'a pas fait depuis des années, alors qu'on aurait eu mille raisons pour. Une seule larme et je serais morte, dans ce monde sans pitié : c'était la seule faiblesse que je ne pouvais pas me permettre. Pour la deuxième fois, poursuivit la femme avec une fêlure dans la voix, l'homme m'a demandé : « Ça te dirait d'avoir une nouvelle vie ? » Et j'ai répondu oui.

Le petit s'était rendormi dans les bras de sa mère, son frère jouait toujours dans un coin du salon. Dehors, les trois aînés couraient gaiement avec Hitch. Dans sa petite maison, Camilla Robertson était entourée de ce qu'elle avait de plus cher. Elle s'était dévouée pour construire ce petit monde, comme si c'était son rêve depuis toujours.

— Vous a-t-il expliqué comment il s'y prendrait pour vous offrir une nouvelle vie ? demanda Berish.

— Il m'a donné des instructions précises. Je devais acheter des somnifères et me rendre le lendemain soir dans un hôtel, où une chambre serait réservée à mon nom.

Le détail du narcotique accrut l'intérêt de Mila et de Berish : ils approchaient peut-être de l'explication du mystère des insomniaques. Toutefois les deux agents évitèrent de se regarder, pour ne pas influer sur le déroulement du récit.

— Je devais m'allonger sur le lit et prendre le comprimé pour dormir, poursuivit Camilla. Ensuite, il m'a dit que je me réveillerais dans un autre endroit, où je pourrais tout recommencer de zéro.

— Alors qu'avez-vous fait ? Y êtes-vous allée ? demanda Mila qui avait du mal à croire que tout cela fût réel.

— Oui. La chambre était réservée. J'ai monté les escaliers, j'ai ouvert la porte. Elle était sordide, mais à part ça rien n'évoquait le moindre danger. J'ai pris un comprimé et je me suis allongée sur le lit, sans le défaire ni me déshabiller. Je me souviens que j'ai regardé le plafond, le flacon de comprimés serré dans les mains. Je m'étais droguée pendant sept ans, mais à ce moment-là j'ai eu peur d'avaler un somnifère. Je me demandais ce qui allait arriver et si j'étais prête pour une nouvelle vie.

— Que s'est-il passé ensuite ? demanda Berish.

— Avec une lucidité qui m'a surprise moi-même, je me suis dit que si je n'essayais pas de m'en sortir seule, plutôt que de plonger dans le vide, alors je mourrais certainement. Vous comprenez, agent Berish ? Pour la première fois je me suis rendu compte que, malgré mon instinct autodestructeur, je ne voulais pas mourir. Je me suis levée du lit et je suis partie.

Berish sortit de sa poche le portrait-robot de Kairus et le tendit à la femme.

— Avez-vous déjà vu cet homme ?

Camilla Robertson hésita un instant avant de prendre la feuille, puis elle la saisit. Ses yeux se posèrent sur le visage, détaillèrent ses traits.

Berish et Mila retenaient leur souffle.

— Non, je ne l'ai jamais vu.

Les deux agents cachèrent leur déception.

— Madame Robertson, encore deux ou trois questions, si ça ne vous dérange pas, intervint Mila. Avez-vous reçu d'autres appels ?

— Jamais plus.

La policière la crut.

— Il n'y a pas eu besoin, ajouta Camilla. Après cette expérience je suis entrée en centre de désintoxication, mais sérieusement, cette fois. C'est là que j'ai rencontré le pasteur Robertson, nous nous sommes mariés. Comme vous voyez, je m'en suis sortie seule, conclut-elle sur un ton triomphant.

Berish lui pardonna d'un sourire ce péché d'orgueil.

— Pourquoi avez-vous porté plainte contre ce type des années plus tard ?

— Avec le temps, j'ai changé d'opinion sur lui. Je n'étais plus certaine du bien-fondé de ses intentions.

— Qu'est-ce qui vous l'a fait penser ?

— Je ne sais pas exactement. Quand j'ai rencontré mon mari, quand j'ai vu la façon dont il se consacre aux autres, je me suis demandé pourquoi quelqu'un de bien intentionné doit se cacher dans l'ombre. Et puis… il y avait quelque chose de… maléfique.

Berish saisissait le sens de ces propos.

— Une dernière chose, demanda Mila. Vous souvenez-vous du nom de l'hôtel et du numéro de la chambre ?

— Bien sûr… La chambre 317 de l'hôtel Ambrus.

39

L'hôtel Ambrus n'avait rien d'inoubliable.

C'était un parallélépipède étroit coincé dans une rangée de bâtiments tous identiques.

Sa façade de six étages ne se distinguait pas des autres. Chacune de ses vingt-quatre fenêtres donnait sur un pont qui enjambait une voie ferrée où un train passait toutes les trois minutes. Sur le toit se détachait une enseigne néon, qui était éteinte, à cette heure de l'après-midi.

À l'extérieur, un embouteillage s'était formé – le son des klaxons se mêlait à la musique house d'un autoradio. Les gens qui travaillaient dans le centre devaient traverser cette partie de la ville pour rejoindre la rocade qui les ramènerait dans leurs banlieues de classe moyenne. Pourtant, un grand nombre d'entre eux, essentiellement des employés de sexe masculin, s'arrêtaient ici pour quelques heures. Ce quartier regorgeait de bars à prostituées, de boîtes de strip-tease et de sex-shops. Ces enseignes constituaient une tentation irrésistible pour ces hommes en quête d'évasion. Une foule de jolies jeunes femmes très maquillées sortaient de la bouche du métro.

La fonction de l'hôtel Ambrus dans l'économie locale était assez évidente.

Mila et Berish franchirent une porte tournante et débouchèrent dans un hall poussiéreux. Le pont de la voie ferrée empêchait la lumière du jour de pénétrer et les appliques jaunes n'étaient pas assez puissantes pour sortir le lieu de la pénombre. Une odeur de tabac froid imprégnait l'air.

On entendait les bruits de la circulation, mais ouatés. Une musique lointaine provenait de l'escalier, Berish crut reconnaître un vieux disque d'Édith Piaf – une touche de romantisme maudit qui accueillait les damnés volontaires de cet enfer involontaire.

Un homme de couleur, âgé, vêtu d'une veste à carreaux, le col de la chemise boutonné mais sans cravate, était assis sur un canapé en cuir élimé. Il fixait un point dans le vide devant lui et chantonnait les paroles de la chanson de Piaf, une main sur une canne blanche.

Mila et Berish passèrent devant lui pour aller jusqu'à la réception, où il n'y avait personne. Ils attendirent.

— Regarde, dit l'agent spécial en indiquant le tableau des clés, chacune accrochée à une boule en laiton où était gravé un numéro. La 317 est libre.

Le rideau en velours rouge qui donnait sur l'arrière s'ouvrit. Un homme très maigre, la cinquantaine, en jean et tee-shirt noir, apparut. C'était lui qui écoutait Édith Piaf.

— À la vôtre, dit-il en avalant la fin d'un sandwich.

— À la vôtre, répondit l'agent spécial en jouant le jeu.

L'homme s'essuya les mains avec une serviette en papier. Les tendons de ses bras étaient saillants, sa peau couverte de tatouages estompés. Ses cheveux poivre et sel étaient coupés en brosse, un anneau doré pendait de son lobe gauche et des lunettes de lecture étaient posées sur la pointe de son nez – le portrait parfait d'une rock star sur le déclin.

— Vous avez besoin d'une chambre ? demanda-t-il en s'asseyant derrière le comptoir pour vérifier le registre des présences.

De toute évidence, la clientèle habituelle de l'hôtel appréciait sa discrétion, alors il observait le moins possible. Il les avait pris pour un couple occasionnel en quête d'intimité.

— Oui, répondit Mila sans le détromper. Merci.

— Vous avez déjà inventé des noms ou je m'en charge ?

— Je vous en prie, répondit Berish.

— Vous voulez des serviettes ?

— Non, ça va, conclut Mila. Est-ce qu'on pourrait avoir la chambre 317 ?

— Pourquoi ? demanda l'homme en levant les yeux.

— C'est notre numéro porte-bonheur, répondit Berish en se penchant sur le comptoir. Ça pose un problème ?

— Vous êtes satanistes, spirites ou juste curieux ?

Berish ne comprenait pas.

— Quelqu'un vous a dit de venir ici ? Je ne vois pas d'explication, autrement.

— Expliquer quoi ?

— Ne faites pas semblant de ne pas savoir. Je vous préviens, si vous voulez vraiment cette chambre ça vous coûtera quinze pour cent de plus. Je ne me ferai pas avoir.

— Nous payerons, aucun problème, le calma Berish. Maintenant, dites-nous ce que la chambre 317 a de particulier.

— Bah, des trucs d'idiots… dit l'homme avec un geste vague de la main. On dit qu'il y a une trentaine d'années quelqu'un y a été assassiné, donc de temps en temps des gens la demandent pour aller baiser. Rassurez-moi, vous ne pratiquez pas le bondage ? La semaine dernière j'ai dû descendre un type en slip de cuir qui avait demandé à une pute de le suspendre à l'armoire.

— Rassurez-vous, nous ne vous causerons aucun problème, le rassura Berish.

— Ils arrivent par centaines, ces malades mentaux. Si je chope celui qui a fait circuler cette histoire de la 317, il passera un sale quart d'heure, affirma l'homme en prenant la clé de la chambre sur le tableau. Une heure, ça vous va ?

— Parfait.

Ils payèrent et prirent la clé.

Ils montèrent par l'ascenseur. Le mécanisme de câbles et de poulies les souleva lentement jusqu'au troisième étage où la cabine en bois, à peine assez grande pour deux personnes, s'arrêta avec un sursaut.

Berish ouvrit les portes et poussa la grille qui les séparait du palier.

Ils trouvèrent la chambre sans peine. C'était la dernière au fond du couloir, à côté du monte-charge. Une porte noire – en bois laqué, semblable aux autres – sur laquelle se détachaient trois chiffres en métal bruni.

317.

— Qu'en penses-tu ? demanda Mila alors que l'agent spécial s'apprêtait à glisser la clé dans la serrure.

— Que la proximité du monte-charge facilite le transport de corps endormis.

— Alors tu crois que le Maître de la nuit a toujours utilisé la même chambre pour appâter ses victimes ?

— Pourquoi pas ? Je ne sais pas s'il est vrai que quelqu'un y a été tué, mais en tout cas cette histoire a bien arrangé Kairus.

— C'est sûr. S'il avait réservé toujours la même chambre, même sous de faux noms, quelqu'un aurait pu avoir des soupçons. Mais grâce à sa réputation macabre, la 317 est la plus demandée de l'hôtel. Un choix ciblé.

Berish tourna la clé dans la serrure.

Ils entrèrent.

La 317 ressemblait à une banale chambre d'hôtel. Les murs étaient tapissés de papier peint rouge foncé. La moquette était de la même couleur mais ornée de grosses fleurs bleues – choisie pour que les clients ne remarquent pas les taches au fil des ans. Un lustre poussiéreux surplombait le lit marron en bois laqué. Le couvre-lit était en satin bordeaux et présentait des brûlures de cigarette. Les tables de nuit étaient en marbre gris, un téléphone noir trônait sur l'une d'elles. Sur le mur à la tête du lit, on distinguait la trace d'un crucifix qui avait été retiré. Toutes les fenêtres, à l'ouest, donnaient sur la rue. La voie ferrée surélevée passait à une trentaine de mètres.

Sans fournir aucune explication, Berish se mit à chercher quelque chose dans la chambre.

— Tu crois vraiment que nous allons trouver des indices pour comprendre les motivations de Kairus ? demanda Mila.

— Il les contactait par téléphone et les conquérait peu à peu avec la promesse d'une nouvelle vie, dit Berish en ouvrant l'armoire et les tiroirs. Il choisissait des personnes qui ne connaissaient que la douleur et l'indifférence, aussi il suffisait de peu pour les flatter. Il se montrait amical, leur accordait l'attention qu'ils n'avaient jamais eue. Puis, le moment venu, il leur demandait de venir ici avec une boîte de somnifères. Le sommeil constitue l'état de vulnérabilité absolue. Il les convainquait de se rendre vulnérables. Tu te rends compte de la force de persuasion nécessaire ? Ça, c'est Kairus.

Hormis des cintres nus, quelques couvertures poussiéreuses et une vieille bible à la couverture en faux cuir où était gravé le logo de l'hôtel, Berish ne trouva rien. Il alla inspecter la salle de bains.

Elle était carrelée de blanc, le sol était un damier noir et blanc. Elle comprenait un lavabo, un W-C et une baignoire.

Depuis le seuil, Mila regarda l'agent spécial sortir de l'armoire cachée par le miroir un flacon de gel douche à moitié vide et une boîte vide de préservatifs.

— Tu n'as pas répondu à ma question… Pourquoi le Maître de la nuit voulait-il ces personnes ?

— Il construisait une armée… L'armée des ombres, tu te rappelles ?

— Oui, mais pourquoi revenir pour tuer ?

Au moment où Berish allait répondre, une sonnerie aiguë – stridente et désagréable – retentit. Les deux agents se retournèrent.

Le téléphone noir réclamait leur attention.

Berish fit un pas sur la moquette. Mila était incapable de bouger.

— Il faut répondre, affirma Berish.

La policière le toisa comme s'il venait de proposer de se jeter par la fenêtre.

En attendant, le téléphone sonnait toujours. Mila avança vers la table de nuit mais, quand elle posa la main sur le combiné, les mots avec lesquels le Maître de la nuit s'adressait à ses victimes firent irruption dans son esprit.

Ça te dirait d'avoir une nouvelle vie ?

Elle était sûre d'entendre cette même phrase. Elle souleva le combiné, le porta à son oreille et écouta un vide fait de silence qui semblait provenir d'un puits sans fond.

Berish l'interrogea du regard, elle allait dire quelque chose pour mettre fin à ce calme angoissant mais les mots s'arrêtèrent à ses lèvres, interrompus par une musique.

Un morceau classique, une mélodie ancienne et lointaine.

Mila tendit le combiné en direction de son collègue afin qu'il l'entende, lui aussi.

Ce message énigmatique leur confirmait qu'ils étaient sur la bonne piste. Il constituait peut-être l'indice qui les conduirait au prochain homicide. En tout cas, c'était sans aucun doute la preuve que Kairus anticipait leurs mouvements. Et que, à distance, il les observait.

La communication prit fin.

À cet instant précis, Mila ressentit un frisson plus intense que jamais. Elle regarda l'agent spécial et répéta la question qu'elle lui avait déjà posée deux fois, sous des formes différentes, depuis qu'ils étaient entrés dans la chambre 317, sans obtenir de réponse. Cette fois, elle fut plus directe.

— Berish, c'est quoi l'armée des ombres ?

— Je peux te dire qu'il ne s'agit pas de terroristes.

— Alors qu'est-ce que c'est ?

— Une secte.

40

— Tu as déjà entendu parler de l'Hypothèse du mal ?

La voix de Simon Berish résonnait dans la grande bibliothèque. Mila l'observait, assise à une des longues tables de lecture entourées d'étagères croulant sous les livres qui montaient jusqu'au plafond. Sur la table en acajou étaient posés plusieurs volumes que l'agent spécial était allé chercher. Il déambulait autour d'elle, impatient. Hitch courait en long et en large dans la vaste salle, satisfait.

Ils étaient seuls.

— Non, jamais.

— D'abord, je tiens à préciser que cette histoire n'a rien à voir ni avec les démons ni avec Satan, Dieu ou les saints.

— De quoi s'agit-il, alors ?

— De l'idée centrale de cette secte, qui n'a aucun rapport avec la religion, autrement nous aurions eu affaire à des meurtres rituels, caractérisés par un symbolisme évident et par la répétition de la même liturgie de mort. Il y a des similitudes entre nos homicides, mais ce sont les différences qui nous intéressent.

Mila perçut une lueur particulière dans les yeux de l'agent spécial.

— Donc. Les points communs, nous les connaissons, poursuivit-elle. Les personnes qui tuent ont disparu depuis longtemps. Dans les deux premières affaires, le mobile est la rancœur.

— En fait, la corrigea Berish, ce n'est pas exact. Roger Valin aurait exterminé la famille du patron d'une entreprise pharmaceutique parce que le médicament qui aurait prolongé la vie de sa mère était trop coûteux ? Ça ne tient pas la route ! Nadia Niverman tue l'avocat de son mari, mais attention : elle ne s'en prend pas à son mari.

— Elle voulait qu'il vive dans la peur.

— Alors pourquoi se suicider juste après ?

En effet. Mila n'y avait pas pensé : le supplice de John Niverman n'avait pas été assez long.

— Comme tu vois, dans ces deux affaires le mobile de la rancœur est faible. Prenons les deux autres assassins, maintenant… Éric Vincenti tue le Croque-mort, un usurier à qui il n'a jamais eu affaire.

— Et le lien manque aussi pour le crime commis par André García. Pourquoi s'en prendre à un dealer ? Il ne me semble pas qu'avant de disparaître l'ex-militaire se soit drogué.

Pour la première fois, la policière pointait ces incohérences. Elle avait été tellement occupée à réfuter la thèse du complot terroriste qu'elle n'avait pas pris la peine de confirmer la sienne.

— Alors tu es en train de dire que ces personnes ont été tuées uniquement parce qu'elles le méritaient ?

— Non. La réponse est à chercher dans l'Hypothèse du mal.

L'agent spécial attrapa un livre et le retourna pour le lui montrer. Il s'agissait d'un vieux traité de zoologie, ouvert au chapitre consacré à l'éthique animale.

— Il existe un postulat anthropologique qui renvoie à cet argument.

Il lui indiqua une illustration en noir et blanc très réaliste, une lionne se jetant sur des bébés zèbres.

— Que t'inspire cette image ?

— Je ne sais pas trop. De l'effroi, et aussi un certain sentiment d'injustice.

— Bien, convint sèchement Berish en tournant la page.

Une seconde image représentait la même lionne qui nourrissait ses propres petits avec la chair des zèbres.

— Que ressens-tu, maintenant ?

— Ça me semble justifié.

— C'est exactement ça. La lionne qui tue des bébés zèbres pour nourrir les siens est-elle bienfaisante ou malfaisante ? Bien sûr, le zèbre souffrira de la perte de ses petits, mais l'autre possibilité est que la lionne voie les siens mourir de faim. Les catégories du bien et du mal se confondent parce qu'il n'existe pas de lions végétariens, n'est-ce pas ? Dans le monde animal, quand le choix est obligatoire, le jugement reste en suspens. Mais pour les êtres humains ?

— Nous sommes plus évolués. Choisir entre le bien et le mal devrait être plus simple.

— En réalité, la réponse est dans une autre question. S'il existait un seul homme sur la terre, serait-il bon ou mauvais ?

— Ni l'un ni l'autre… ou peut-être les deux.

— Exact. Les deux forces ne constituent pas une dichotomie, deux opposés nécessaires supposant que le bien n'existerait pas sans le mal, et vice versa. Parfois le bien et le mal sont le résultat d'une convention mais, surtout, ils n'existent pas sous une forme absolue. L'Hypothèse du mal dit : « Le bien de certains coïncide toujours avec le mal d'autres, mais le contraire vaut également. »

— C'est un peu comme affirmer qu'en faisant du mal on peut aussi faire du bien, et que pour faire du bien il est parfois nécessaire de faire du mal.

Berish acquiesça, satisfait de la rapidité de sa nouvelle élève. Mila admirait la façon dont il l'avait poussée à raisonner. Elle n'y avait jamais pensé. L'Hypothèse du mal était une synthèse stupéfiante de ce qu'elle voyait chaque jour en tant que policière. Et elle expliquait aussi beaucoup de choses d'elle-même.

C'est de l'obscurité que je viens, c'est à l'obscurité que de temps en temps je dois retourner.

Quant à l'agent spécial, la solitude de ces années d'isolement l'avait profondément marqué. On sentait qu'il mourait d'envie de partager les connaissances accumulées pendant cette longue période. Mila se sentait privilégiée.

— Maintenant, dis-moi : comment transforme-t-on une victime comme Roger Valin, ou Nadia Niverman, ou Éric Vincenti, ou André García, en assassin ? demanda Berish.

— En la convainquant que son acte améliorera la vie d'autres personnes.

— Exact. Ensuite ?

— Pour Roger Valin et Nadia Niverman, ce n'était pas une vengeance. Quand ils ont choisi leur cible, leur choix s'est porté sur celle qu'ils connaissaient le mieux. Ils ont été motivés par l'expérience, pas par la rancœur.

— Leur motivation est si puissante que Nadia Niverman est venue elle-même dans le métro te remettre l'indice de la dent, puis elle s'est suicidée pour ne pas risquer d'être capturée mais, surtout, pour montrer que sa foi en cette secte était assez forte pour lui faire choisir la mort. Les personnes qui créent une secte créent une nouvelle société – petite ou grande –, dotée d'un code de conduite et d'un nouvel idéal de justice.

— Kairus a motivé ses adeptes.

— Il les a sauvés de leurs existences misérables, il les a endoctrinés en donnant un but à leurs vies inutiles. Il les a fait participer à quelque chose de grand : un projet… Un dealer qui profitait du malheur des autres pour placer sa drogue, un industriel pharmaceutique qui aurait pu sauver des vies mais ne visait que son profit, un avocat qui aurait dû défendre la loi mais qui la contournait par la ruse, un usurier qui exploitait la misère de ses débiteurs, les délestant de tous leurs biens : les assassins ne voulaient pas seulement les punir pour leurs méfaits. En les éliminant, ils ont éliminé le problème.

— Une mission, dit Mila.

— Les nazis, les sectes millénaristes, les extrémistes rastafaris, même les chrétiens pendant les croisades, tous ont utilisé l'Hypothèse du mal pour justifier leurs idées ou leurs actions. Ils ont appelé ça « le mal nécessaire ».

— Vu sous cet angle, Kairus est un guide.

— Bien plus, affirma Berish, la voix de plus en plus grave. C'est un prédicateur.

L'écho de cette dernière phrase se perdit et, pendant un instant, le silence régna à nouveau dans la bibliothèque.

À l'époque d'Internet et de la domination du Réseau, cet endroit constituait un vestige anachronique du savoir. En apparence, il était aussi inutile qu'un parapluie pour affronter un ouragan. Pourtant les hommes s'y réfugieraient, si un cataclysme mettait soudain fin à l'ère digitale, pensa Berish. Puis il observa son chien : ils étaient séparés par des millions d'années d'évolution et cette bibliothèque représentait une preuve de la suprématie humaine.

Pourtant, les hommes sont eux aussi dotés d'un instinct animal. Il constitue la partie la plus vulnérable de chacun de nous : celle sur laquelle agissent les prédicateurs.

Kairus avait fait disparaître les insomniaques et, de victimes, il les avait transformés en bourreaux.

Sylvia avait peut-être connu le même destin. Mais pour le moment Berish préférait chasser cette idée de son esprit.

— Il y a plusieurs catégories de « manipulateurs de conscience ». Les *semeurs de haine* sont ceux qui, sans apparaître, créent un idéal néfaste en espérant que quelqu'un décide de les suivre : ils utilisent des informations erronées et les diffusent pour pousser les autres à la violence. Puis il y a les *assoiffés de vengeance*, qui réussissent à imposer à une multitude inconnue l'objectif d'anéantir un ennemi.

Berish se pencha sur l'épaule de Mila pour lui montrer un texte d'anthropologie. Il sentait l'odeur qui émanait de ses cheveux et de son cou, un étrange mélange de sueur et de déodorant, plutôt agréable. Ce plaisir volé contraignit l'agent spécial à se demander depuis combien de temps il n'avait pas approché une femme. Trop longtemps.

— La typologie ne s'arrête pas là, n'est-ce pas ? demanda-t-elle.

— Non, admit Berish en se redressant. En effet, il en existe une troisième catégorie, et c'est celle qui nous intéresse… Les prédicateurs.

L'agent spécial repensa à la question que Kairus avait posée à Camilla au téléphone – « Ça te dirait d'avoir une nouvelle vie ? » – avant de la diriger vers la chambre 317 de l'hôtel Ambrus.

C'était la promesse avec laquelle le Maître de la nuit recrutait ses disciples.

— La qualité principale d'un prédicateur est le *mimétisme,* talent que Kairus n'a plus à prouver, étant donné qu'il a réussi à nous échapper pendant vingt ans. Il entre dans la vie des gens, peut-être en se montrant amical. Il s'intéresse à eux, crée un lien. Et les conquiert. Son deuxième don est la *discipline*. Il est zélé, pointilleux et ferme dans son credo. Sa volonté est tellement intègre, sa vision si fervente qu'elle s'impose de façon absolue à ses partisans. Le nom de « secte » attribué au phénomène dépend du fait que, de même que ce qui se produit avec une véritable religion, les adeptes adorent le leader et lui obéissent aveuglément, bien qu'il ne soit pas une divinité hypothétique et distante. Leur dieu est une personne en chair et en os.

D'instinct, Mila se leva.

Il y avait de la peur dans son geste, mais aussi de l'égarement. Soudain, son élan retomba. Berish se demanda s'il s'était montré insensible envers elle, dans la ferveur de son explication.

— Non, je ne peux pas… recommencer, marmonna Mila en secouant la tête.

Berish comprit que Mila se référait à l'affaire du Chuchoteur. Fatalement, l'histoire se répétait. Un autre ennemi invisible – un autre manipulateur de consciences – menaçait de s'introduire dans sa vie. Avant la leçon sur l'Hypothèse du mal, la secte et les prédicateurs, la policière n'avait pas considéré Kairus sous cet angle.

— Que se passe-t-il ? lui demanda-t-il.

— Je ne le sens pas, c'est tout.

— Pourquoi ? insista Berish, qui supposait que les raisons de sa collègue allaient plus loin que l'affaire du Chuchoteur, qu'elles concernaient aussi sa vie actuelle. Tu es la personne la plus adaptée pour donner la chasse au Maître de la nuit. Pour quelle raison veux-tu renoncer ?

Mila le regarda avec des yeux pleins d'effroi.

— Parce que j'ai une fille.

41

Ce soir-là, Mila avait eu du mal à rentrer chez elle.

Elle avait eu l'impression de marcher à reculons, comme si la vie la ramenait là où elle ne voulait pas retourner. Un endroit à l'intérieur d'elle-même, surtout.

— Je ne peux pas, avait-elle dit en prenant congé de Berish.

Elle était sérieuse. Le lendemain matin, elle appellerait le Juge pour se retirer de l'enquête. L'agent spécial était déçu, alors qu'il aurait dû être soulagé : au départ, c'était lui qui s'était montré réticent. Mila était convaincue que Berish avait un intérêt à s'occuper de l'affaire Kairus.

Pourtant, elle ne voulait pas y être mêlée.

La visite de la chambre 317 de l'hôtel Ambrus, la musique entendue au téléphone, l'Hypothèse du mal… C'était trop.

Elle accéléra le pas jusqu'à son immeuble. Le couple de géants sur le panneau publicitaire la salua de son sourire fixe.

Elle réalisa qu'elle n'avait pas apporté son dîner au SDF qui vivait dans la ruelle en bas de chez elle.

Elle l'aperçut, allongé sur des cartons. Sous une pile de couvertures, il dormait d'un sommeil tranquille, tel un enfant. Elle s'approcha, préleva des pièces de monnaie dans sa poche et s'apprêtait à les déposer à ses pieds quand elle repensa à ce que Berish avait dit sur l'Hypothèse du mal. Cet acte de générosité apaisait la conscience de celui qui agissait, mais il n'était pas dit qu'il fasse le bien de celui qui recevait. Parce que le SDF aurait pu dépenser l'argent pour une autre bouteille précipitant sa déchéance, plutôt qu'investir dans un repas chaud.

Pourtant, Mila déposa les pièces.

Dans le fond, cet homme lui ressemblait. Il était en lutte permanente avec l'âpreté du monde. Comme un ascète ou un chevalier du Moyen Âge. La puanteur était l'armure avec laquelle il tenait ses ennemis à distance.

Elle le laissa ensuite à ses rêves – ou à ses cauchemars. Arrivée en bas de chez elle, elle sentit une urgence monter en elle. Elle prit ses clés en hâte. Elle était fatiguée, elle n'avait pas dormi depuis longtemps, ses sens étaient altérés.

Toutefois, avant de se reposer, elle avait besoin de voir sa fille.

Elle l'avait appelée Alice, comme l'héroïne de son livre préféré quand elle était petite. Une fable ambiguë et dangereuse, l'histoire d'un monde parallèle et caché, comme celui qu'elle visitait chaque jour. Un pays dont les gens normaux ne soupçonnent même pas l'existence.

Mila était allongée sur son lit, en peignoir. Les lumières étaient éteintes, l'écran de son ordinateur créait un halo lumineux autour d'elle.

Alice avait six ans. Si sa mère avait dû choisir un adjectif pour la qualifier, elle aurait dit qu'elle était « attentive ». Elle regardait les gens de ses yeux profonds et intenses, comme si elle comprenait des choses qui auraient dû rester une énigme, à son âge.

Pourtant, à la différence de Mila, Alice était très sensible aux émotions des autres. Elle savait toujours quoi faire pour consoler quelqu'un ou lui montrer son affection. Ses gestes étaient peu conventionnels, souvent déstabilisants.

Un jour, au parc, un enfant s'était écorché le genou et avait fondu en larmes. Alice s'était approchée et, sans dire un mot, elle avait ramassé ses larmes avec ses doigts. D'abord celles qui avaient coulé par terre, puis sur ses vêtements, et enfin sur ses joues. Une par une, elle les déposait dans un mouchoir. Au début l'enfant n'y avait pas prêté attention, puis il l'avait regardée avec stupeur. Au fur et à mesure qu'il la regardait, il avait arrêté de pleurer. Alors elle lui avait souri et s'était éloignée avec son trésor de larmes. Mila était certaine que l'enfant avait eu la sensation d'avoir perdu quelque chose. Ce que tu jettes, moi je le ramasse – la prochaine fois, réfléchis à deux fois avant de céder au désespoir pour si peu.

Sur l'écran de son ordinateur, Mila observait sa fille endormie dans une autre maison. Elle tournait le dos à la microcaméra cachée, mais sa longue chevelure blond cendré s'étendait sur l'oreiller.

Ils ressemblent aux cheveux de son père.

Comme le Chuchoteur, le nom de cet homme avait été banni de sa vie. Ne pouvant oublier ni l'un, ni l'autre, ni ce qu'ils avaient fait, elle avait décidé d'effacer leurs noms pour toujours.

Pendant sa grossesse, à un moment, elle avait cru pouvoir passer outre. Elle imaginait pouvoir vivre sereinement avec sa fille. C'était à cette période qu'elle avait à nouveau ressenti quelque chose pour les autres, elle se sentait comme une aveugle à qui on avait rendu la vie. Mais cela n'avait pas duré. Le temps nécessaire pour comprendre qu'elle n'arriverait jamais à échapper au mal, que pour elle « loin » ne serait jamais « assez loin », que l'obscurité pouvait la rattraper où qu'elle soit.

Après l'accouchement, l'empathie s'était évanouie.

Elle ne s'était pas trompée : c'était grâce à sa fille qu'elle s'était sentie humaine pendant un moment, pas grâce à elle-même. Elle décida donc qu'il ne serait pas sain pour Alice de grandir aux côtés d'une mère comme elle – pas tout à fait inapte à ressentir des émotions, mais incapable de ressentir ses *propres* émotions. Elle avait la hantise de ne pas comprendre si sa fille était triste ou malheureuse, ou encore si elle avait besoin d'elle.

Les premiers mois avaient été atroces. La nuit, la fillette se réveillait dans son berceau et pleurait. Mila restait au lit, vigilante mais incapable de ressentir de la peine pour cet appel désespéré. Son état d'aliénation affective l'empêchait de comprendre les besoins d'un petit être si fragile. Elle aurait pu la laisser s'étouffer dans son sommeil parce qu'elle n'avait pas compris qu'elle souffrait.

Au bout de quelques mois, elle avait demandé à la grand-mère d'Alice de s'en occuper.

Inès s'était retrouvée veuve et n'avait eu qu'une enfant, Mila. Malgré son âge, elle avait accepté de prendre soin de sa petite-fille. Mila leur rendait visite de temps à autre. En général elle restait une nuit et repartait le lendemain.

Les interactions entre elle et Alice étaient réduites au minimum. Mila avait essayé de l'embrasser ou de la caresser, comme une mère normale. Mais ces gestes avaient semblé gauches, y compris à la petite, qui d'ailleurs ne les réclamait pas.

Mila avait caché sa fille.

Pas au reste du monde, mais à elle-même. Placer une microcaméra dans sa chambre pour vérifier de temps en temps si elle allait bien n'était qu'une façon de se pardonner en partie de ne pas être présente dans sa vie. Pourtant, parfois, le compteur était remis à zéro, ce qui anéantissait ses efforts et lui donnait l'impression d'être inadaptée.

Tu n'es pas une bonne mère si tu ne connais pas le nom de la poupée préférée de ta fille.

Une de ces phrases chocs qui révèlent une vérité dérangeante. Depuis qu'elle l'avait entendue prononcer par cette mère dénaturée, elle était devenue pour elle une obsession.

Elle chercha sur l'écran et la vit sur le sol, à côté de la table de nuit. La poupée rousse dont Alice ne se séparait jamais – elle avait dû glisser de ses bras dans son sommeil.

Mila ne se rappelait pas comment elle s'appelait, peut-être ne l'avait-elle jamais su. Elle devait le découvrir avant qu'il soit trop tard. Elle était consciente que cela ne ferait pas d'elle une meilleure mère, mais quelque chose la poussait à remédier à ce manque.

Ses paupières se firent lourdes. Elle repensa à la musique entendue au téléphone à l'hôtel Ambrus. La douceur de la mélodie prit le pas sur sa signification terrible, cette fois. Elle se laissa bercer par le souvenir de ces notes. La fatigue l'enveloppait comme une couverture chaude. Ses derniers éclats de conscience se mêlèrent au délire de son premier sommeil.

En s'endormant, elle vit une main glisser sous le lit de sa fille.

42

— Réponds. Allez, réponds.

Elle conduisait le portable collé à l'oreille. À l'autre bout de la ligne, le téléphone sonnait mais personne ne décrochait. Mila appuyait sur l'accélérateur.

Quand la peur l'avait sortie de son demi-sommeil, elle s'était ruée sur son téléphone pour appeler sa mère. En même temps elle s'était habillée, déjà lucide. Elle avait pensé à prendre le pistolet de réserve qu'elle rangeait dans son armoire – son arme de service avait été détruite dans l'incendie du nid de Kairus.

L'image de la main fuselée qui se retirait dans l'ombre sous le lit d'Alice était gravée dans sa mémoire. Cela avait été furtif, mais Mila était certaine de ce qu'elle avait vu.

Elle ne pouvait pas prévenir ses collègues de la police. Elle n'aurait pas su quoi leur dire, et de toute façon ils ne l'auraient pas crue. Elle aurait perdu un temps précieux.

La Hyundai filait, dépassant les autres voitures, à l'heure où les noctambules sortent en quête d'aventure et de transgression. Mila brûlait les feux rouges et traversait les carrefours sans jamais toucher à la pédale de frein, se fiant au destin pour éviter les collisions.

Elle n'avait jamais pris autant de risques. C'était généralement ainsi qu'elle se sentait vivante, pourtant cette fois c'était différent. Elle comprit certaines conversations entre les autres parents, qui décrivaient des sensations qu'elle n'avait jamais éprouvées. C'était ce que sa mère appelait « le troisième œil pour regarder le monde, celui qui pousse entre les deux autres après qu'on a accouché ».

C'était cela, un enfant. Un nouveau sens, complètement différent des cinq autres, qui offre une perception inimaginable de ce qui nous entoure. Et soudain, tout ce qui implique la chair de notre chair nous concerne directement.

Sa mère lui disait que si elle se concentrait, elle pourrait sentir si Alice était contente ou si elle souffrait. Mila n'y était jamais parvenue. Elle ne voulait pas lui révéler qu'elle ne ressentait pas d'empathie, elle craignait de la décevoir. En conduisant telle une désespérée pour rejoindre au plus vite la maison où vivait sa fille, elle ne savait pas que l'angoisse qui montait en elle était comparable au fait de ressentir quelque chose à travers quelqu'un.

En revanche, elle était parfaitement consciente que s'il arrivait quoi que ce soit à sa fille, la douleur – cette sensation fidèle qui la nettoyait des horreurs du monde – serait insupportable.

Le quartier résidentiel sur la colline se détachait du reste de la ville comme une structure étrangère. Les habitations constituaient également des univers séparés.

Mila y avait grandi avec son père et sa mère, juste eux trois. Des planètes avec des orbites différentes et distantes qui parfois – rarement – se croisaient.

La voiture sursautait violemment sur les ralentisseurs en émettant un bruit sourd de tôle. Elle parcourut l'avenue bordée de jardins silencieux et freina pour arrêter la course de la Hyundai qui, après être montée sur le trottoir, planta ses roues dans la pelouse devant la maison.

Mila laissa tomber son portable sur le siège passager, le remplaça par son pistolet puis descendit du véhicule. Elle n'était même pas certaine d'arriver à respirer.

Les fenêtres des deux étages de la petite villa étaient sombres.

Une lampe blanche veillait à côté de la porte d'entrée verte. Les grillons chantaient. Un doigt sur la sonnette, elle parcourut le bois de la porte avec la paume de sa main – elle n'avait même pas les clés de la maison où elle avait grandi. La seule réponse qu'elle obtint fut les aboiements des chiens du voisinage.

En quelques instants, elle avait oublié toutes les règles apprises à l'école de police. Elle n'avait pas cherché de signes d'effraction dans la maison. Elle n'avait pas assuré sa sécurité en se protégeant des représailles éventuelles de l'ennemi. Enfin, elle avait enfreint la règle la plus importante : quoi qu'il arrive, garder le contrôle.

Son insistance ne menant à rien, Mila s'apprêtait à tirer dans la serrure mais elle eut un éclair de lucidité et se rappela que sa mère cachait un double de la clé sous un pot de fleurs dans le jardin. À la troisième tentative, elle la trouva sous un bégonia.

Quand elle entra enfin, l'entrée était totalement silencieuse.

— Où êtes-vous ? cria-t-elle à voix haute. Réponds !

Une lumière s'alluma en haut de l'escalier. Elle monta les marches quatre à quatre. Sa mère se pencha à la balustrade, en robe de chambre.

— Que se passe-t-il ? Mila, c'est toi ? demanda-t-elle, la voix ensommeillée.

Mais elle l'écarta pour se diriger vers la chambre d'Alice.

— Qu'est-ce que… balbutia la femme qui manqua de perdre l'équilibre.

Les battements du cœur de Mila étaient des pas gigantesques – une énorme créature avançait à l'intérieur d'elle, tel un monstre dans une histoire pour enfants.

Arrivée au bout du couloir, elle tendit la main dans le noir pour chercher l'interrupteur de la chambre d'Alice.

Une lampe en forme d'abeille éclaira la pièce.

La fillette était couchée, Mila l'attrapa d'un bras, comme pour l'arracher aux griffes du lit devenu une bête féroce. Elle tenait l'arme de l'autre main. Alice poussa un hurlement. Mila n'y prêta pas attention, elle envoya un coup de pied dans le matelas pour découvrir ce qu'il cachait.

Ses poumons pompaient l'air dans son thorax. Pendant quelques secondes, ce fut le seul bruit qu'elle perçut. Les oreilles soudain bouchées, comme si elle tombait d'une hauteur sidérale. Une respiration, puis deux. Et les bruits revinrent. Le premier fut les pleurs d'Alice qui se démenait dans ses bras.

Sur le sol gisait un amas de couvertures, de coussins et de peluches.

43

Dans la cuisine, Inès préparait une tisane.

Mila croyait revivre une scène de son enfance – les mêmes bigoudis dans les cheveux, la même robe de chambre rose – quand, la nuit, sa mère mettait un peu d'eau à bouillir pour elle, initiant le début du rite consolatoire postcauchemars.

— Je ne sais pas ce qui m'a pris, murmura-t-elle. Je suis désolée.

Elle ne voulait pas lui dire qu'une caméra était cachée dans la chambre de sa fille – personne ne le savait. Elle ne voulait pas qu'Inès pense qu'elle ne lui faisait pas confiance, alors elle lui avait menti.

— Je sais que je n'appelle jamais le soir, mais j'avais envie de savoir comment allait Alice et comme tu n'as pas répondu au téléphone j'ai paniqué.

— Tu l'as déjà dit, commenta Inès avec un sourire. Ne le répète plus. C'est ma faute, j'ai le sommeil lourd, j'aurais dû entendre la sonnerie.

La grand-mère avait dû recoucher Alice, la rassurer et attendre patiemment qu'elle retrouve le sommeil.

Mila était restée dans le couloir, adossée au mur, la tête baissée, écoutant sa mère qui une fois encore prenait sa place.

Elle aurait voulu dire à sa fille que tout allait bien, qu'il n'y avait aucun danger, qu'elle s'était trompée et que personne ne se cachait sous son lit. D'ailleurs, la maison était fermée à double tour. Elle-même n'avait pas dormi depuis quarante-huit heures. Sa perception de la réalité était altérée par le manque de sommeil, sans compter la nouvelle qu'il y avait un autre manipulateur de consciences en circulation. Tout cela avait réveillé en elle la peur de la période du Chuchoteur.

Inès versa l'eau bouillante dans les tasses et les apporta à table, où elle s'assit en face de Mila. La lumière chaude de la lampe formait une sorte de bulle protectrice autour d'elles.

— Alors, comment vas-tu ? lui demanda sa mère.

— Je vais bien.

Elle savait qu'Inès se contenterait de cette réponse, qu'elle n'en demanderait pas plus. Sa mère n'approuvait pas son choix de faire partie de la police. Elle aurait préféré autre chose pour elle. Qu'elle devienne médecin ou architecte, par exemple. Sans doute qu'elle se marie.

— Ça fait un moment que je veux te parler, Mila, poursuivit-elle sur un ton inquiet. Il s'agit d'Alice. L'autre jour, à l'école, elle est montée sur la corniche du deuxième étage. Ils ont mis du temps à la convaincre de redescendre. Elle disait que ce n'était pas dangereux, et même que c'était amusant.

— Encore cette histoire ? protesta Mila.

Ce n'était pas la première fois qu'elles en discutaient.

— Alice n'a pas la notion du danger. Tu te rappelles, à la mer ? Elle a nagé vers le large, elle a failli se noyer. Et la fois où j'ai relâché l'attention une seconde et où je l'ai retrouvée en train de marcher au beau milieu de la route, avec les voitures qui passaient à côté d'elle en klaxonnant ?

— Alice est une petite fille tout à fait normale, les médecins nous l'ont dit.

— Je préférerais prendre un autre avis. Comment un psychologue pour enfants peut-il trancher ? Il ne passe pas des heures avec elle chaque jour.

— Moi non plus, soupira Mila. C'est ce que tu veux dire ?

— Je ne voulais pas… C'est juste que j'ai appris à connaître cette petite fille mieux que quiconque, depuis qu'elle vit avec moi. Je ne dis pas que quelque chose ne va pas chez elle, je suis seulement inquiète parce que je ne peux pas la surveiller tout le temps, expliqua la femme en prenant la main de sa fille entre les siennes. Je sais que tu tiens à elle et à quel point c'est dur pour toi d'être loin.

Mila sentait le poids insupportable du bras de sa mère sur le sien. Elle aurait voulu se retirer parce qu'elle n'aimait pas le contact physique. Elle fit un effort, malgré sa peau douloureuse et son sentiment de répulsion, comme si un reptile lui glissait entre les doigts.

— Qu'est-ce que tu proposes ?

Inès retira sa main et regarda sa fille avec compassion.

— Alice m'interroge beaucoup sur son père. Peut-être qu'elle pourrait le rencontrer…

— Ne prononce pas son nom. Je ne l'appelle plus comme ça. D'ailleurs je ne l'appelle plus du tout.

— D'accord, mais je pense qu'Alice devrait au moins savoir à quoi il ressemble.

— Bien, déclara Mila après une brève pause. Demain je l'emmènerai le voir.

— Ça me semble juste, elle est assez grande, maintenant.

— Je passerai dans l'après-midi, conclut Mila en se levant.

— Pourquoi tu ne restes pas, cette nuit ?

— Je ne peux pas, je dois me lever tôt pour aller travailler.

Inès n'insista pas, elle savait que cela ne servirait à rien.

— Prends soin de toi.

Elle avait l'air inquiète pour elle. Avec cette simple recommandation – prendre soin de soi, des mots que seules les mamans savaient emplir de significations multiples –, la femme avait voulu lui faire comprendre qu'elle devait changer pour son propre bien. Mila aurait voulu répondre que tout allait bien, mais cela n'aurait pas été sincère. Elle se contenta de récupérer son arme posée sur la table. Toutefois, à la porte de la cuisine, elle se tourna vers sa mère, gênée d'avance de ce qu'elle allait demander.

— La poupée préférée d'Alice est celle avec les cheveux roux, pas vrai ?

— Je lui ai achetée à Noël, confirma Inès.

— Par hasard, tu sais quel nom elle lui a donné ?

— Je crois qu'elle l'appelle *Miss*.

— Miss, répéta Mila en savourant sa conquête. Bon, j'y vais. Merci.

44

Elle espérait le trouver au restaurant chinois.

Dans la salle comble, la table de Simon Berish était vide. Pourtant, elle y aperçut les restes d'un petit déjeuner inachevé.

Mila s'apprêtait à demander à la serveuse depuis combien de temps il était parti quand elle remarqua Hitch sous la chaise. Juste après, son propriétaire sortit des toilettes en nettoyant une tache de café sur sa chemise avec une serviette en papier. Il n'était pas difficile d'imaginer ce qui s'était passé. Au fond, elle entendit un groupe de policiers ricaner. Celui qui avait fait gicler les œufs au bacon sur Berish la veille en faisait partie.

L'agent spécial retourna s'asseoir et se remit tranquillement à manger. Mila le rejoignit.

— Cette fois, c'est moi qui t'invite.

Berish la regarda fixement, interdit.

— Ça fait un moment que je n'ai plus aucune relation avec mes semblables donc je suis un peu rouillé pour déchiffrer la signification des gestes et des mots.

Je ne comprends pas les doubles sens, les nuances m'échappent et j'ai même des difficultés avec les métaphores… Ta proposition signifie que tu souhaites que nous collaborions, c'est bien ça ?

Le sarcasme de Berish faillit lui arracher un sourire, mais elle se retint. Comment cet homme réussissait-il à être cordial après l'humiliation qu'il venait de subir ?

— D'accord, j'arrête tout de suite, dit-il en levant les mains.

— Bien, comme ça, on pourra s'entendre.

Mila s'assit, commanda à manger pour elle et un repas à emporter.

Berish se demanda à qui il était destiné mais resta discret. Quand la serveuse s'éloigna, il lui posa une question qui lui trottait dans la tête depuis longtemps.

— Pourquoi une flic aussi douée que toi, qui a élucidé l'affaire du Chuchoteur, a-t-elle choisi les Limbes ?

— Je n'ai pas à donner la chasse aux coupables. Je cherche les victimes.

— C'est un sophisme, mais ça se tient. Alors tu peux m'expliquer pourquoi on appelle ça les Limbes : je me suis toujours demandé d'où venait ce nom.

— C'est peut-être à cause des photos sur les murs de la Salle des pas perdus. Ces personnes sont en suspens… Des vivants qui ne savent pas qu'ils sont vivants. Et des morts qui ne peuvent pas mourir.

L'explication parut raisonnable à Berish. Ceux de la première catégorie erraient dans le monde comme des spectres – ignorants et ignorés – en attendant que quelqu'un leur affirme qu'ils étaient *encore* en vie. Les deuxièmes étaient encore recensés parmi les vivants uniquement parce que leurs proches ne se résignaient pas.

Le mot clé était « encore » – un prolongement indéfini du temps dont la seule solution était la vérité ou l'oubli.

— Tu es toujours convaincu que je ne dois pas stipuler, ni au Juge ni à Gurevich et Boris, que tu es impliqué dans mon enquête ? demanda Mila, le ramenant à la réalité.

— Laisse-les s'occuper des terroristes et occupons-nous de la secte.

— Des idées sur la marche à suivre ?

Berish baissa la voix et se pencha sur la table.

— Tu te souviens de la musique qu'on a entendue à l'hôtel Ambrus ?

— Oui. Et alors ?

— J'ai découvert de quel morceau il s'agit.

— Comment tu as fait ?

— J'admets, je ne suis pas un expert en classique... Mais ce matin, je suis allé au conservatoire et j'ai demandé à parler à un professeur. Je lui ai chantonné l'air et il l'a reconnu, affirma-t-il, un peu gêné.

— Tu l'as chanté ? s'exclama Mila, amusée.

— Je n'avais pas le choix. En échange, il m'a offert ça...

Il sortit un CD de sa poche : *L'Oiseau de feu*, de Stravinsky.

— C'est un ballet composé en 1910... En suivant l'indice, on arrivera au prochain homicide.

— Franchement, je ne vois pas comment utiliser cette information...

— Dans l'histoire que raconte le ballet, la musique qu'on a entendue correspond à la scène du prince Ivan qui capture l'oiseau de feu.

— Donc il y a trois éléments, réfléchit Mila : la capture, l'oiseau de feu et le prénom Ivan. Le premier pourrait représenter une sorte de défi.

— Pas tout à fait. Kairus n'est pas en compétition avec nous : le prédicateur veut nous endoctriner. Ce ne sont donc pas des défis qu'il nous lance, mais des preuves. Quand il nous soumet à un examen, il veut qu'on le réussisse. Cela vaut aussi pour le coup de téléphone dans la chambre 317. Il nous humilie, mais dans le fond il est de notre côté. Les réponses à ses énigmes complexes sont toujours simples.

— Qu'y a-t-il de simple dans l'image d'un oiseau de feu ?

— Je ne sais pas, mais on le découvrira. Pour le moment, je me concentrerais surtout sur le prénom Ivan.

— Tu penses qu'il nous révèle l'identité de la prochaine victime ?

— Ou bien celle du tueur… Réfléchis : quel sens ça aurait de nous indiquer un prénom si on n'avait pas la possibilité de trouver immédiatement une réponse ?

— Où ça ?

— On va passer au crible les archives des disparus à la recherche d'un lien avec le prénom Ivan, déclara Berish en tapant du poing sur la table.

— En considérant que la période qui nous intéresse s'étale sur vingt ans, tu sais combien d'individus ça fait ?

— Non, c'est toi l'experte.

— On n'a pas le temps. Le dernier crime commence à dater et un nouveau disciple du prédicateur se prépare sans doute à frapper bientôt.

Berish semblait déçu.

— Il faudra trouver une autre idée, ajouta Mila pour le consoler. On devrait peut-être se demander ce que le Maître de la nuit attend réellement de nous.

— Au bout du chemin initiatique, une révélation nous attend.

— Je ne sais pas si je pourrai aller jusqu'au bout.

— Toujours à cause de ta fille, je suppose.

Mila sentit qu'elle en avait trop dit. Elle le laissa croire que sa crainte dépendait d'Alice. *S'il y a quelque chose dans le noir, il faut que je me penche pour regarder.* C'est cela, qu'elle aurait dû lui avouer. Mais elle décida d'étayer sa thèse et lui demanda :

— Tu as une famille, Berish ?

— Je n'ai jamais été marié, je n'ai pas d'enfants.

Il pensa à Sylvia et à ce qui aurait pu se passer s'ils étaient restés ensemble, mais empêcha son plus douloureux souvenir de venir troubler le présent.

— Je ne m'expose pas autant que toi, je m'en rends bien compte. Mais je sais aussi qu'il s'agit d'un risque calculé.

— Comment ça ?

— Ce sont des personnes.

— Tu parles de nos ennemis.

— Ce sont des êtres vulnérables, comme nous tous. C'est juste qu'on n'arrive pas à les voir. Pourtant, il existe une explication à leur comportement, et elle est rationnelle. Ça nous semblera peut-être absurde mais, comme me l'a appris l'anthropologie, il y a toujours une raison humaine.

Un silence suivit. Bien qu'entourés d'une foule bruyante, ils sentirent tous deux le froid d'une solitude soudaine. Mila demanda l'addition et la serveuse la lui apporta avec le repas à emporter.

— Tu as un chien, toi aussi, constata Berish pour briser la glace, oubliant sa décision de se mêler de ses affaires.

— En fait, c'est pour un SDF qui habite en bas de chez moi.

— Un ami à toi ?

— Je ne sais même pas comment il s'appelle. Et puis, si on y réfléchit, quel est le sens de s'appeler d'une façon plutôt que d'une autre ? C'est tout à fait superflu pour quelqu'un qui a choisi d'être oublié, tu ne trouves pas ?

— Tu viens de me donner une idée. Je sais comment exploiter la piste de l'identité cachée dans la musique de Stravinsky ! s'enflamma Berish.

— C'est-à-dire ?

— Pour trouver un nom, il nous faut un homme qui n'en a jamais eu.

45

Berish s'arrêta à une cabine téléphonique.

Mila l'attendait dans la voiture avec Hitch, s'interrogeant sur les raisons de tant de prudence. Après avoir raccroché, l'agent spécial resta dans la cabine. La policière ne comprenait pas. Puis son collègue fit les cent pas sur le trottoir, comme s'il attendait quelqu'un.

Vingt minutes passèrent.

Au moment où Mila s'apprêtait à descendre de la Hyundai pour aller demander des explications, Berish se dirigea à nouveau vers le téléphone de la cabine, qui apparemment s'était mis à sonner. Il parla à son mystérieux interlocuteur, puis revint à la voiture.

— Nous avons deux visites à faire, lui annonça-t-il sur un ton laconique.

Mila alluma le moteur sans poser de questions. Ils passèrent d'abord à la résidence où habitait Berish. Son collègue ne l'invita pas à monter à son appartement, d'où il redescendit quelques instants plus tard sans dire un mot. Mila remarqua une enveloppe dans la poche intérieure de sa veste.

Il lui indiqua le chemin et, une demi-heure plus tard, ils atteignirent une zone industrielle à l'ouest de la ville – une série de hangars tous identiques, des camions. Ils se dirigeaient vers une entreprise qui travaillait la viande.

Quand ils arrivèrent sur le parking, Berish lui fit signe de se garer et de couper le moteur.

Une rampe de déchargement était postée à côté des bâtiments blancs anonymes. C'était par là que les animaux étaient introduits dans le cycle de production. Une cheminée crachait une fumée grise à l'odeur âcre, écœurante.

— Alors, qui est ton ami ? demanda la policière, curieuse et un peu agacée qu'il ne lui ait encore rien révélé.

— Il n'aime pas les questions.

Mila n'en pouvait plus. Elle espérait voir tomber en vitesse le voile de discrétion ridicule que Berish avait posé sur l'affaire.

L'agent spécial garda le silence. Un homme sortit d'une petite porte latérale, trapu, la cinquantaine, vêtu d'une blouse blanche et d'un casque. Il se dirigea à grands pas vers la Hyundai, les mains dans les poches.

Berish le fit monter.

— Bonjour, agent, ça fait longtemps. Toujours ce clebs ? demanda-t-il en réponse à l'aboiement de Hitch.

De toute évidence, le chien et lui n'étaient pas amis.

L'homme regarda Mila.

— C'est qui, celle-là ?

— Agent Vasquez, se présenta-t-elle, piquée. Qui es-tu, *toi* ?

L'homme l'ignora délibérément.

— Tu lui as dit que je n'aimais pas les questions ?

— Oui. Mais je ne lui ai pas encore expliqué ce que nous faisons ici, je voulais te laisser ce privilège.

Flatté, l'homme s'adressa directement à Mila.

— Je n'ai pas de nom. Mon travail n'existe pas. Tu devras oublier ce que tu vas entendre.

— Je ne sais pas encore de quoi tu t'occupes, répliqua Mila.

L'homme laissa échapper un petit sourire.

— Je fais disparaître les gens.

Pendant les quinze minutes qui suivirent, Mila comprit le sens de cette expression.

— Mettons que tu sois un riche homme d'affaires ayant quelques problèmes avec la loi. Moi, je t'aide à disparaître de la circulation.

— Vraiment ? demanda la policière, stupéfaite et atterrée. Tu aides les délinquants à sauver leur peau ?

— Uniquement ceux qui ont commis des crimes fiscaux ou financiers. J'ai mon éthique, moi aussi, qu'est-ce que tu crois ?

— Notre ami, intervint Berish, est un véritable professionnel de la fugue : avec un ordinateur, il efface l'existence d'une personne en violant des lieux dont un homme de loi ne pourrait approcher qu'avec une commission rogatoire : des archives nationales, des bases de données de banques et d'assurances, et ainsi de suite.

— J'élimine les traces de ton passage et en même temps j'en crée d'autres pour mettre d'éventuels enquêteurs sur une fausse piste. Je t'achète un billet pour le Venezuela, puis je fais résulter un achat avec ta carte de crédit à Hong-Kong, enfin je loue un Piper pour Antigua, même si le pilote sera seul au moment de l'atterrissage… Ça fonctionne comme ça : pendant que ceux qui te cherchent se perdent dans mon jeu de l'oie, toi tu te fais tranquillement bronzer sur une plage de Belize.

— C'est vraiment possible ? demanda Mila à Berish.

L'agent spécial acquiesça. Le sens de sa réponse tacite était que même les disparus du Maître de la nuit auraient pu prendre ce chemin. Ils ne disposaient pas des moyens d'un manager des hautes sphères financières, mais l'aide d'un expert en informatique suffisait.

Il était probable que Kairus ait cette compétence.

— L'explication est toujours rationnelle, tu te souviens ?

Cette fois, ce fut au tour de Mila d'acquiescer.

— Mais notre artiste de la fuite peut aussi faire le contraire, c'est-à-dire pénétrer dans les bases de données les plus inaccessibles pour trouver des traces de l'homme que nous cherchons. Vous ne pouvez pas faire ça, vous, aux Limbes.

Quelques minutes de conversation avaient suffi à Mila pour comprendre à quel point les moyens dont elle disposait pour ses recherches étaient insuffisants. Désormais, les visages de la Salle des pas perdus réclameraient leur dû.

Berish se retourna vers l'homme sans nom.

— Alors, tu peux nous aider ?

Dans le rétroviseur, Mila vit son collègue glisser dans la poche de l'autre l'enveloppe qu'il était allé chercher à son appartement.

Ils avaient laissé Hitch garder la voiture et suivaient l'expert dans les couloirs de l'usine de viande.

— Quand nous aurons terminé, tu pourras apporter un bon steak à ta sale bête, assura le petit homme à Berish.

— Comment se fait-il que tu travailles ici ? demanda Mila.

— Je n'ai jamais dit que je travaillais ici.

— C'est-à-dire ?

— Je ne possède ni ordinateur, ni téléphone portable, ni carte de crédit. Je n'existe pas, tu te souviens ? Tous ces trucs laissent des traces. Berish me contacte en me laissant un message sur une boîte vocale que j'écoute toutes les heures en moyenne. Je le rappelle au numéro qu'il m'a indiqué.

— Alors que fait-on ici ?

— Un employé est malade, aujourd'hui, son ordinateur est libre. Nous allons l'utiliser.

Inutile de lui demander comment il le sait. Ce type était vraiment fort pour glaner les informations.

Ils croisèrent plusieurs ouvriers mais aucun ne prêta attention à eux. L'endroit était trop grand pour que les gens remarquent des mouvements inhabituels ou des visages inconnus.

Ils s'arrêtèrent devant une porte. L'expert regarda autour de lui pour s'assurer qu'il n'y avait personne puis entra à l'aide d'un passe-partout.

C'était une petite pièce contenant un bureau et des dossiers. Au mur étaient placardés des posters de vaches dans des prés, ce qui sonnait très macabre dans ce contexte, ainsi que les photos de famille de l'employé qui y travaillait.

— Rassurez-vous, personne ne viendra. De quoi vous avez besoin ? demanda l'homme en s'asseyant devant l'ordinateur.

— On cherche un type disparu dans les vingt dernières années prénommé ou nommé Ivan, ou quelque chose dans le genre, expliqua Berish.

— Un peu faible, comme piste. Vous n'avez rien d'autre ?

L'agent spécial révéla le détail de la scène de la capture de l'oiseau par le prince dans *L'Oiseau de feu* de Stravinsky.

— La personne qui nous a fourni cette indication veut que nous trouvions une réponse, ça ne devrait pas être impossible.

— Un défi. Bien, j'aime les défis.

Non, pas un défi, une preuve. Mila fut tentée de le corriger, comme Berish avec elle quand il lui avait expliqué le but du prédicateur. Mais elle l'observa sans un mot. Il tapa des commandes sur le clavier, accéda aux archives numériques des banques, des hôpitaux, des journaux, et même à celles de la police. Ses doigts bougeaient avec légèreté sur les touches, comme s'ils connaissaient le chemin pour entrer dans tous les lieux cachés de l'univers informatique. Mots de passe, clés électroniques, codes cryptés furent violés avec une facilité déconcertante. Des informations de toutes sortes se matérialisaient sur l'écran. Articles de journaux, dossiers médicaux, casiers judiciaires, relevés de comptes bancaires.

Une heure passa, Berish n'avait pas prononcé un mot. Il déambulait dans la pièce en regardant de temps à autre par la fenêtre.

— Comment vous êtes-vous rencontrés ? lui demanda la policière.

— Il travaillait pour le programme de protection, il nous aidait à cacher des témoins de ceux qui auraient eu intérêt à les faire taire.

Mila supposa que Berish ne voulait pas en dire plus. Ou peut-être était-ce elle qui ne voulait pas savoir toute la vérité. Elle était encore troublée de l'avoir vu passer l'enveloppe sous le manteau. Elle repensait aux paroles de Joanna Shutton : « L'un des agents spéciaux impliqués a perdu sa crédibilité dans une autre affaire sordide. Il a accepté une somme d'argent pour faire fuir un mafieux repenti qu'il aurait dû protéger et surveiller. »

La consultation de l'expert n'était sans doute pas bon marché. Mais, surtout, que faisait l'agent spécial avec tout cet argent liquide chez lui ?

Soudain, le cliquetis du clavier cessa. L'homme sans nom avait trouvé la réponse.

— Il s'appelle Michael Ivanovič. Il a disparu à l'âge de six ans.

L'âge d'Alice. Les disparitions d'enfants touchaient encore plus Mila depuis qu'elle avait une fille.

— On a toujours pensé qu'il avait été enlevé par un fou, poursuivit l'expert. S'il s'agit de la même personne, aujourd'hui il a environ vingt-six ans.

— Il a disparu à la même période que les insomniaques, dit Mila en regardant Berish.

— S'il n'a pas été compté parmi les victimes de Kairus à l'époque, c'est parce qu'il n'y avait pas le détail du somnifère.

Sept personnes disparues dans le néant, auxquelles s'était ajoutée Sylvia, le témoin. Et il y avait apparemment un neuvième disparu.

— Où a-t-il été pendant tout ce temps ? demanda Mila.

— Je ne saurais le dire, répondit l'expert. Mais je peux affirmer avec certitude que ses traces ont réapparu sur Internet il y a une semaine. Comme s'il était « virtuellement » revenu.

— Même sans le détail du narcotique, la coïncidence est énorme, tu ne trouves pas ? affirma Berish avec enthousiasme. À mon avis, c'est lui.

Mila acquiesça.

— Et maintenant, comment le retrouver ?

— C'est à cela que vont servir les traces dont je vous parlais. Ivanovič a appelé une compagnie téléphonique pour ouvrir une ligne à son nom. De même, il a demandé l'ouverture d'un compte courant en ligne. Or les adresses ne coïncident pas, signe qu'il voulait juste lancer un message sur le réseau en espérant que quelqu'un le capte. Michael veut vous faire savoir qu'il est là, mais il ne veut pas être localisé.

Parce qu'il a une tâche à accomplir. Il doit tuer quelqu'un.

— Et maintenant ? demanda Berish.

— J'ai la réponse, sourit le magicien de l'ordinateur. Selon un dossier médical qui remonte à son enfance,

Michael Ivanovič est porteur d'une anomalie congénitale assez rare appelée *situs inversus* complet.

— C'est-à-dire ? s'enquit Mila.

— Tous ses organes sont inversés – cœur à droite, foie à gauche, et ainsi de suite, lui expliqua Berish.

La policière n'en avait jamais entendu parler.

— Et maintenant, que faisons-nous de cette information ?

— Les sujets atteints de *situs inversus*, dans quatre-vingt-quinze pour cent des cas, souffrent de cardiopathie. Ils ont donc besoin de contrôles médicaux fréquents, ajouta l'homme.

— Nous ne devons pas chercher son nom, mais son anomalie ! s'exclama Berish. Même s'il a vécu sous une fausse identité pendant toutes ces années, nous pourrons reconstituer ses mouvements à travers ceux qui l'ont soigné.

— Ça ne sera pas si simple, le découragea l'homme. Sur le Net je n'ai trouvé aucun dossier clinique décrivant un cas de *situs inversus* chez un jeune homme de vingt-six ans.

— Comment est-ce possible ?

— Peut-être que pendant tout ce temps Michael Ivanovič n'a pas consulté à l'hôpital, mais chez des médecins généralistes ou des spécialistes. Ça sera un peu plus long.

— On n'a pas le temps, soupira Berish.

— Désolé, je ne peux pas faire plus.

— Bon, intervint Mila, inutile de se décourager. Je suis sûre que si on le laisse travailler, il découvrira quelque chose sur le compte de Michael.

— D’accord, essayons. En attendant, que fait-on ?

Mila vérifia l’heure.

— Moi, j’ai un rendez-vous.

46

La première fois qu'Alice avait posé des questions sur son père, elle avait environ quatre ans.

Pourtant, l'interrogation trottait depuis un moment dans sa tête. Comme souvent chez les enfants, elle revêtait d'autres formes – dans les gestes ou les paroles. Soudain Alice avait dessiné sa famille en incluant une personne dont elle n'avait jamais entendu parler. Impossible de dire à quand remontait sa conscience d'avoir un géniteur. C'était sans doute arrivé en se comparant aux enfants de son âge ou en entendant Inès parler de son mari, le grand-père d'Alice. Quoi qu'il en soit, sa première question avait constitué une sorte de compromis :

— Quel âge a mon papa ?

Une façon de tourner autour du pot sans perdre de vue la cible principale.

Quelque temps plus tard, Alice était revenue sur le sujet, à propos de la taille de son papa. Comme si cette information précieuse pouvait changer son destin.

Ensuite, les questions s'étaient succédé. La couleur de ses yeux, sa pointure, son plat préféré.

Comme si, pièce par pièce, Alice essayait de recomposer l'image de son père.

Un travail de bénédictin épuisant, surtout pour une fillette – Mila s'en rendait bien compte. Inès avait distillé l'idée d'une rencontre entre le père et la fille. Mila avait atermoyé ; elle attendait toujours le bon moment, même si elle ne savait pas bien ce que cela signifiait. Quand Inès était revenue à la charge la veille, Mila avait accepté sans hésitation, comme si elles n'en avaient jamais parlé auparavant. Après tout ce qui s'était passé – son irruption dans la maison, la panique, la confusion –, Mila se sentait redevable envers Alice. Elle ne pensait pas être une bonne mère mais elle ne pouvait pas empêcher la fillette de se sentir une bonne petite fille.

Or les bonnes petites filles rendent visite à leur papa.

En plus, les événements de cette semaine l'avaient renvoyée à l'époque du Chuchoteur. La requête de la fillette n'était plus aussi impossible à satisfaire. Peut-être le destin voulait-il régler ses comptes avec le passé. Ou peut-être Alice lui communiquait-elle qu'on ne peut ignorer le mal accompli.

Parce que, sans ce mal, elle ne serait pas née.

La route serpentait sur la colline, caressée par les branches des arbres.

Alice regardait par la fenêtre. Pendant une fraction de seconde, dans le rétroviseur, Mila eut l'impression de se voir elle-même, enfant. Elle aussi aimait voler des instants à la vitesse. Des images qui défilaient devant ses yeux, dont elle ne saisissait que des fragments. Une maison, un arbre, une femme qui étend du linge.

Mère et fille n'avaient pas beaucoup parlé depuis le début du voyage. Mila avait sorti un rehausseur de son coffre, elle l'avait posé sur la banquette arrière puis elle avait laissé Inès installer Alice, s'assurant qu'elle était bien attachée et qu'elle avait avec elle sa poupée préférée.

Ce jour-là, Inès lui avait fait enfiler une robe rose en coton à fines bretelles. Elle portait des tennis blanches et une barrette assortie.

Au bout de quelques kilomètres, Mila lui avait demandé si elle avait chaud ou si elle voulait écouter la radio. Alice avait secoué la tête en serrant plus fort contre elle Miss, la poupée rousse.

— Tu sais où on va, n'est-ce pas ?

— Grand-mère me l'a dit.

— Tu es contente ?

— Je ne sais pas.

Alice avait mis fin à toute velléité de Mila de poursuivre la conversation. Une autre mère aurait approfondi le sens de ce doute. Une autre mère aurait peut-être proposé de rebrousser chemin. Mais Mila n'était plus vraiment la mère d'Alice, désormais Inès, sa propre mère, s'était substituée à elle dans ce rôle.

Le bâtiment en pierres grises se détacha au loin.

Combien de fois lui avait-elle rendu visite dans les sept dernières années ? C'était la troisième. La première fois, neuf mois après les faits, elle n'avait pas réussi à franchir le seuil, elle était partie en courant. La deuxième fois elle était arrivée jusqu'à la chambre, elle l'avait vu mais ne lui avait rien dit. Dans le fond, ils avaient passé si peu de temps ensemble qu'ils n'avaient pas grand-chose à partager.

La seule nuit passée avec lui l'avait marquée plus que mille entailles. La douleur qu'elle avait ressentie avait été terrible, mais aussi tellement belle, tellement intense qu'on ne pouvait la comparer à aucune forme d'amour. Lui qui la déshabillait en dévoilant le secret de son corps meurtri, lui qui parcourait ses cicatrices de baisers, lui qui lui confiait son désespoir, sachant qu'elle en ferait bon usage.

Cela faisait au moins quatre ans qu'elle n'était pas venue le voir.

Un homme de couleur vint les accueillir sur le parking. Mila avait annoncé leur visite par téléphone.

— Bonjour, dit l'homme en souriant. Ça nous fait plaisir que vous soyez venues. Il va beaucoup mieux aujourd'hui, vous savez ? Venez, il vous attend.

Ce discours était destiné à la fillette, pour ne pas l'effrayer. Tout devait sembler naturel.

Ils entrèrent par la porte principale. Deux gardes privés stationnaient derrière un comptoir, ils demandèrent à Mila si elle se rappelait la procédure pour accéder à la structure. Elle déposa son arme, son insigne et son portable. Les gardes contrôlèrent aussi la poupée aux cheveux roux. Alice suivait les opérations avec curiosité, sans protester. Puis mère et fille passèrent au travers d'un détecteur de métal.

— Il reçoit encore des menaces de mort, précisa l'homme qui les avait accueillies au sujet de leur hôte principal.

Ils parcoururent un long couloir jouxté de portes fermées qui sentait le désinfectant. De temps à autre Alice devait accélérer le pas pour suivre Mila. À un moment elle tendit la main vers sa mère mais, réalisant son erreur, elle la retira immédiatement.

Un ascenseur les déposa au deuxième étage. Autres couloirs, plus animés cette fois. Des bruits réguliers parvenaient des chambres – le piston répété des respirateurs et le tintement des moniteurs cardiaques. Les employés du lieu étaient vêtus de blanc et répétaient avec discipline une routine faite de seringues à remplir, de perfusions à changer, de sacs à vider et de cathéters à jeter.

Chacun s'occupait d'un hôte, jusqu'à ce que le temps à sa disposition soit écoulé. Du moins, c'est ce qu'un médecin avait dit à Mila. « Nous sommes ici parce que ces personnes ont reçu un excédent de jours à la naissance. » Elle avait pensé à une sorte d'erreur de fabrication. Comme si la vie et la mort avaient pris leur élan et procédaient maintenant, appariées et constantes, dans un lent prolongement d'existence, jusqu'à ce que la seconde prenne le pas sur la première.

Toutefois, aucune des personnes allongées dans les lits de cette clinique ne pouvait espérer revenir du voyage qu'elles avaient entrepris.

Des morts qui ne savaient pas qu'ils étaient morts et des vivants qui ne pouvaient pas mourir. C'était ainsi que Mila avait défini les disparus des Limbes, pour Berish. La même chose se produisait ici.

L'homme les conduisit jusqu'à la chambre.

— Voulez-vous rester seules avec lui ?

— Oui, merci.

Mila avança d'un pas, Alice resta sur le seuil, bien droite, sa poupée serrée contre elle.

Elle regardait fixement l'homme allongé sur le lit, les bras dépassant du drap blanc parfaitement replié à la hauteur du thorax. Les paumes de ses mains étaient mollement posées sur les couvertures. Le tube fixé à sa gorge, par lequel il respirait, avait été caché par une bande de gaze, pour ne pas troubler la jeune visiteuse.

Alice restait immobile, tentant peut-être de faire coïncider ce qu'elle avait devant les yeux avec l'image qu'elle avait construite dans sa tête.

Mila aurait pu lui mentir, lui faire croire qu'il était mort, cela aurait été plus simple – y compris pour elle. Or le destin voulait qu'arrive le jour des questions plus importantes – et des réponses plus importantes que la couleur de ses yeux ou sa pointure. Mieux valait donc attendre pour expliquer que ce corps inutile était la prison infranchissable de l'âme damnée de son père.

Heureusement pour toutes les deux, il y avait encore le temps.

Alice pencha légèrement la tête, comme si elle avait perçu une nuance dans la scène – de celles que les adultes ne peuvent pas voir. Puis elle se tourna vers Mila et dit seulement :

— On peut y aller, maintenant.

47

La disparition de Michael Ivanovič était survenue à une époque où les photos des enfants disparus étaient imprimées sur les briques de lait.

Une idée simple mais potentiellement très utile pour l'enquête. Chaque matin toutes les familles du pays se retrouvaient à table avec ce visage. Grâce à cette ruse, les citoyens s'en souvenaient et signalaient toute présence fortuite. S'il y avait un kidnappeur, il se sentait traqué.

Toutefois, il y avait aussi un effet collatéral.

Le mineur disparu finissait par être en quelque sorte adopté par tout le pays. Il était le fils ou le petit-fils dont le sort inquiétait, pour qui on priait tous les soirs, on attendait qu'il soit retrouvé aussi impatiemment que les numéros du loto, et avec en plus la certitude qu'il y aurait un vainqueur.

Ensuite, un problème s'était posé : combien de temps les enquêteurs – et avec eux les producteurs de lait – devaient-ils laisser la photo sur les briques ? Plus le temps passait, plus la probabilité d'un dénouement heureux s'amenuisait. Il n'était donc plus agréable pour personne de prendre son petit déjeuner avec l'image d'un enfant probablement mort. Ainsi, du jour au lendemain, la photo disparaissait. Mais personne ne protestait : on préférait oublier.

Michael Ivanovič – affectueusement surnommé « le petit Michael » – avait figuré sur les briques de lait pendant dix-huit mois. Il avait fêté son sixième anniversaire une semaine avant le jour de sa disparition. Ses parents étaient en train de divorcer. Les médias avaient insinué qu'ils étaient tous deux trop occupés à se disputer pour porter l'attention nécessaire à leur fils unique. Quelqu'un en avait profité pour l'enlever.

Cela s'était produit un après-midi de printemps dans le petit jardin juste devant le bureau de sa mère. Michael jouait à la balançoire. Dans une cabine téléphonique toute proche, la femme était en pleine conversation avec l'homme qui deviendrait bientôt son ex-mari. La femme jura aux enquêteurs n'avoir jamais quitté son fils des yeux. En plus, elle entendait le grincement de la balançoire.

Mais le petit siège de bois avait continué à se balancer sans le poids de Michael.

Un plombier de trente-cinq ans avait été arrêté, dénoncé par sa compagne qui avait retrouvé chez eux le tee-shirt à rayures vertes et blanches que l'enfant portait le jour de sa disparition. L'homme avait expliqué l'avoir ramassé dans une poubelle et conservé parce que le garçon était devenu célèbre et qu'il aimait l'idée de posséder « le souvenir d'une star ». Sa version finit par être considérée comme plausible et il ne fut inquiété que pour entrave à l'enquête.

À part cet épisode, pas un indice ne fut trouvé sur le sort de Michael Ivanovič pendant vingt ans. Pas une trace, même pas une fausse piste. Personne ne le disait mais tout le monde le croyait mort.

Comme cela arrive en général dans ce genre d'affaires, un avis secret fut diffusé auprès de tous les médecins légistes du pays, qui contenait la description anatomopathologique de l'enfant permettant de l'identifier, dans le cas où un cadavre de mineur serait retrouvé.

Le communiqué mentionnait le détail – jamais dévoilé à la presse – de la malformation congénitale de Michael Ivanovič, connue sous le nom de *situs inversus*.

Berish referma le dossier. Il en avait imprimé une copie qu'il avait téléchargée des archives des Limbes grâce au mot de passe fourni par Mila.

La neuvième victime, par ordre chronologique, du Maître de la nuit.

Pourtant, le dossier ne donnait aucune indication sur qui, aujourd'hui, pourrait être la cible de Michael Ivanovič. Il était trop jeune au moment de sa disparition, il ne pouvait avoir défini son objectif sur la base de sa propre expérience – comme Roger Valin ou Nadia Niverman. Le lien entre victime et tueur serait sans doute fortuit – comme pour Éric Vincenti et André García.

Toutefois, le fait que Kairus ait choisi cette fois le plus jeune de ses disciples pour donner la mort signifiait qu'il voulait que les enquêteurs fassent tout leur possible pour le trouver. Pourquoi ?

— Il veut que l'on se sente inaptes, pensa Berish à voix haute. Cette fois, la cible est ambitieuse.

L'agent spécial avait passé une grande partie de l'après-midi enfermé dans son bureau, attendant un appel de son ami expert en informatique. Il rangea le dossier de Michael Ivanovič dans un tiroir, vérifia l'heure, puis Hitch assis tranquillement dans son coin. Il était 18 heures passées, ils avaient faim.

Il activa son répondeur téléphonique et sortit avec son chien pour acheter quelque chose à manger.

À deux pas de l'entrée du département, une échoppe vendait des sandwiches et des boissons. Hitch avait une passion pour les hot dogs – son maître était convaincu que c'était à cause de leur nom.

Ils firent la queue parmi les autres policiers qui, comme toujours, lançaient à Berish des regards de dédain. Pour la première fois depuis longtemps, l'agent spécial sentit la piqûre de leurs regards, comme si sa cuirasse de protection s'était affaiblie.

Percevant sa tension, Hitch leva la tête et aboya pour s'assurer que tout allait bien. Berish lui caressa le museau. Quand son tour arriva il commanda deux hot dogs, des *tramezzini* au thon et une canette de Red Bull. Sur le chemin du retour, il repensa à ce qui venait de se passer. Rien n'avait changé, pourtant c'était comme si tout avait changé. Se sentir à nouveau opérationnel après ces années d'inactivité lui donnait le sentiment d'être vivant. Après des dizaines d'interrogatoires à l'issue desquels il avait obtenu la confession des péchés d'assassins et de criminels, il avait compris qu'il n'était pas pire qu'eux. Mais il avait toujours pensé qu'ils s'épanchaient parce qu'ils reconnaissaient en lui une sorte de pair.

Je n'ai pas l'air d'un flic, c'est pour ça qu'on me parle.

Désormais, ce talent s'affichait pour ce qu'il était réellement : un châtiment. Au fond de son cœur, une voix décréta que le moment était venu de mettre fin à sa peine.

Tu as fini de payer, Simon. Il est temps de redevenir un flic.

Quand il arriva à son bureau, c'est Hitch qui attira son attention sur le fait que la porte était ouverte.

— Salut, Simon.

Il faillit lâcher la canette. Il dut faire appel à tout le contrôle dont il disposait pour éviter l'infarctus.

— Mon Dieu, Steph.

Le capitaine des Limbes était assis, les jambes croisées.

— Je ne voulais pas te faire peur, excuse-moi. Viens, mon beau, dit-il ensuite pour attirer le chien.

Hitch courut vers Stephanopoulos, qui attrapa sa tête des deux mains et la frotta affectueusement.

Berish reprit ses esprits, ferma la porte et mit les hot dogs dans la gamelle du chien.

— Quand on a pris l'habitude d'être ignoré, certaines surprises peuvent être fatales.

— Je vois ! s'exclama Steph en riant. J'ai frappé, je te le jure. Je ne serais pas entré pour t'attendre si je n'avais pas voulu discuter avec toi de quelque chose de très important.

— Tu veux un sandwich ? demanda Berish en s'asseyant.

— Non. Mais mange, si tu veux. Ça ne sera pas long.

Berish but une gorgée de Red Bull.

— Alors, que se passe-t-il ?

— Je n'irai pas par quatre chemins, et j'attends de ta part une réponse tout aussi directe.

— D'accord.

— Est-ce que toi et Mila Vasquez menez une enquête non autorisée ?

— Pourquoi tu ne lui demandes pas à elle ? C'est ton agent, non ?

— C'est moi qui lui ai dit de venir te voir.

— Je sais.

— Je ne m'attendais pas à ce que vous vous acoquiniez. Tu te rends compte que tu peux nuire à sa réputation et à celle du département ?

— Je crois qu'elle sait très bien se préserver.

— Tu ne sais rien du tout. Mila est attirée par l'obscurité comme un enfant par la confiture. Dans son enfance elle a vécu des choses terribles – que ni toi ni moi ne pourrons jamais imaginer, grâce à Dieu. Elle avait deux façons d'en sortir : céder à la terreur pour le reste de sa vie, ou bien l'utiliser comme une ressource. Mila se met dans des situations dangereuses parce qu'elle en a besoin. Comme ces rescapés de guerre qui veulent retourner au front. La peur de mourir crée une dépendance.

— J'ai compris, l'interrompit Berish. Mais je sais aussi que ni toi ni moi ne pourrons jamais la persuader ni la freiner.

— Tu es convaincu d'attraper Kairus, n'est-ce pas ? demanda Steph en plantant ses yeux dans ceux de l'agent spécial.

— Cette fois, oui.

— Et tu as expliqué à Mila pourquoi tu es si motivé pour régler son compte au Maître de la nuit ? Tu lui as parlé de Sylvia ?

— Non.

— Tu comptes le faire ? Ou bien ce n'est pour toi qu'un détail négligeable ?

— Pourquoi je devrais lui en parler ?

Steph tapa du poing sur la table, ce qui fit sursauter Hitch.

— Parce que c'est à cause de cette histoire que tu as sombré. Tu es devenu un salaud, tu as foiré ta carrière en devenant le paria du département. Tout ça à cause de ce qui est arrivé à Sylvia.

— J'aurais dû la protéger, mais…

— Mais Kairus l'a enlevée.

Ça te dirait d'avoir une nouvelle vie ?

Les mots du Maître de la nuit résonnèrent dans la pièce, mais seul Berish les entendit.

Sylvia s'est-elle rendue dans la chambre 317 de l'hôtel Ambrus ? A-t-elle pris l'ascenseur jusqu'au troisième étage ? A-t-elle vu le papier peint rouge foncé ? Marché sur la moquette aux énormes fleurs bleues ? Après avoir ingéré un somnifère, s'est-elle laissé emmener par le Maître de la nuit ?

Il y eut un long silence, que Steph finit par briser :

— Quelle est ta faute, Berish ? T'être fait berner par le monstre ou être tombé amoureux du seul témoin qui avait vu son visage ? Réfléchis bien.

— J'aurais dû la protéger, répéta-t-il comme un disque rayé.

— Combien de temps as-tu passé avec elle ? Un mois ? Ça te semble normal de tout gâcher pour si peu ?

Berish se tut.

Steph comprit que tout était inutile. Il alla caresser Hitch.

— En tant que chef du programme de protection des témoins, je suis aussi responsable que toi de ce qui est arrivé.

— En effet, tu es allé t'enterrer dans les Limbes.

Le capitaine laissa échapper un petit rire amer, se releva et posa la main sur la poignée de la porte.

— Étant donné que certains des disparus sont revenus, tu t'attends à la voir réapparaître, pas vrai ? Je t'en prie, dis-moi que je me trompe : dis-moi que tu ne crois pas que Sylvia est vivante.

Berish soutint le regard de son ancien capitaine, incapable de prononcer un mot. Le silence était lourd. La sonnerie du téléphone brisa la tension.

— Oui ?

— Tu vas beaucoup, beaucoup, beaucoup m'aimer, annonça l'expert en informatique sur fond de machinerie industrielle.

— Tu as quelque chose pour moi ? demanda Berish, évasif.

— Michael Ivanovič est allé voir un médecin sous un faux nom il y a environ un mois.

— Sûr ?

— Écoute ça : le médecin comprend que la Providence lui a fait un cadeau et entrevoit la possibilité d'écrire un article dans une revue médicale sur un cas de *situs inversus*, aussi il feint de s'inquiéter de l'état du cœur d'Ivanovič. Mais le patient découvre la supercherie et ne revient pas. Refusant de se résigner, le médecin le suit jusque chez lui. Michael le repère, sans doute, parce que le lendemain le pauvre médecin brûle avec sa voiture. La police et l'assurance pensent que le fulgurant incendie qui n'a laissé aucune chance de salut au conducteur – il n'a même pas eu le temps de sortir de l'habitacle – est dû à un problème électrique. Les enquêteurs n'ont pas fait leur travail à fond : d'abord, parce que cet accident est banal, ensuite parce que le médecin n'était pas du genre à avoir des ennemis. L'affaire est close. Mais moi, je suis allé lire les notes dans l'ordinateur portable du médecin et, comprenant le mobile, j'ai reconstitué toute l'histoire.

— Attends un instant, dit Berish avant de couvrir le combiné de sa main. Je te promets de parler de Sylvia à Mila et, autant que possible, de la protéger.

— Merci, répondit le capitaine des Limbes avant de quitter la pièce.

Une fois Steph parti, Berish reprit le téléphone.

— Tu as une adresse ?

— Bien sûr, mon ami.

L'agent spécial prit note, en espérant que Michael Ivanovič y vive encore. Il s'apprêtait à raccrocher pour avertir Mila quand la voix à l'autre bout du fil l'arrêta.

— Une dernière chose… Ivanovič aurait pu choisir mille façons de tuer le médecin. Pourtant, un détail aurait dû éveiller les soupçons de l'assurance et de la police.

— Lequel ?

— L'expertise soutient que le système de fermeture des portières de la voiture brûlée était défectueux, or il aurait pu être trafiqué. En plus, selon le médecin légiste, l'état du corps laissait supposer une lente combustion, pas un « incendie rapide ». Je n'exclus pas que l'assassin ait tout prévu et soit resté à côté pour profiter du spectacle.

Berish pensa à l'oiseau de feu du ballet de Stravinsky.

— Tu veux dire que ce Michael Ivanovič pourrait être un pyromane ?

— Je crois que notre ami aime regarder les gens brûler.

48

Ils se retrouvèrent à deux pâtés de maisons de l'adresse de Michael Ivanovič.

Ils étaient venus chacun de leur côté. Berish fit monter Hitch sur la banquette arrière de la Hyundai et prit place, sans demander à Mila où elle avait passé l'après-midi. Pourtant, il comprit à son expression qu'elle n'avait pas le moral.

— On est sûrs qu'il habite ici ? demanda-t-elle.

— C'est ce qu'affirme notre informateur.

— Alors, comment procède-t-on ?

Berish regarda l'heure : 20 heures passées.

— On risque de le trouver chez lui.

— Tu voulais procéder à une perquisition ?

— Je ne sais pas. Peut-être qu'on devrait prévenir ton ami Boris.

Mila fit une grimace de déception.

— Tu veux vraiment que je lui explique comment j'ai eu le tuyau ? Parce qu'il me le demandera, c'est certain.

Berish n'y avait pas pensé. Cela signifiait trahir sa source. Il n'y avait pas d'autre moyen pour relier Mila à Michael Ivanovič.

— Tu as raison. Mais si on découvre son objectif, on sera obligés de donner l'alerte.

— Je propose d'y réfléchir plus tard.

Berish acquiesça.

L'immeuble de deux étages s'étendait autour d'une vasque rectangulaire remplie de purin, une ancienne piscine.

Berish et Mila se dirigèrent vers l'arrière du bâtiment. Pour monter discrètement, ils empruntèrent l'escalier anti-incendie. L'appartement de Michael Ivanovič était le 4B.

— Si quelqu'un arrive, tu aboies, ordonna l'agent spécial à son chien. Tu as compris, pas vrai Hitch ?

Les hovawarts, comme leur nom l'indique, sont parfaits pour monter la garde. L'animal s'assit au bas des marches.

Les policiers sortirent leurs armes.

— Ce n'est pas mon pistolet habituel, prévint Mila. Je me sentais plus à l'aise avec celui que j'ai perdu dans l'incendie du nid de Kairus. Donc je ne garantis rien.

Berish apprécia la délicatesse avec laquelle elle lui rappelait son manque d'efficacité face à Kairus, dans l'absurde labyrinthe à l'intérieur de l'immeuble en briques rouges. Mais le mot « incendie » lui remémora la dernière phrase de l'expert en informatique au sujet de Michael Ivanovič.

Je crois que notre ami aime regarder les gens brûler.

Il en avait parlé à Mila, mais il ne lui avait pas dit que ce détail l'inquiétait outre mesure. Dans ses livres d'anthropologie criminelle, il avait appris que la pyromanie est la manifestation la plus aiguë d'une nature sadique.

Il existait un nom pour qualifier les gens comme Ivanovič. Les « créatures de feu » sont dangereuses parce qu'elles ont pour objectif, outre la mort, la destruction.

Ils arrivèrent devant la porte de son appartement. Il n'y avait aucun moyen de lorgner à l'intérieur. Ils se consultèrent du regard. Berish tendit l'oreille, mais il n'entendit que la télévision des voisins – certains avaient les fenêtres ouvertes à cause de la chaleur.

L'agent spécial donna le feu vert et Mila se pencha pour avoir une meilleure vision de la serrure qu'elle crochetait.

Quelques secondes plus tard, la porte était ouverte.

Berish poussa le battant puis pointa son arme à l'intérieur, vers la pénombre. Derrière lui, Mila alluma sa lampe torche et éclaira une salle à manger organisée autour d'une table recouverte de vieux journaux et de bouteilles vides. L'appartement semblait désert.

Ils entrèrent.

Berish fit quelques pas, Mila referma derrière eux. Le logement n'était pas grand. Ils s'arrêtèrent à la porte du séjour pour écouter les bruits.

— On dirait qu'il n'y a personne, murmura l'agent spécial. Quoi qu'il en soit, gardons nos armes.

— Tu sens ça, toi aussi ?

Il régnait une forte odeur artificielle, peut-être du détergent pour les sols. Pourtant, l'endroit était loin d'être propre.

La pièce était principalement meublée d'un canapé marron au rembourrage arraché. Un vieux modèle de téléviseur cathodique était posé dans un coin et, contre un mur, un buffet vide. Deux chaises dépareillées et une table basse complétaient ce tableau misérable. Le tout était dominé par un lustre à quatre bras surmonté de cloches en verre dépoli.

Au mieux, il s'agissait d'un logement provisoire. En tout cas, ce n'était pas là que Michael Ivanovič avait passé les vingt dernières années.

Il venait d'emménager. L'endroit constituerait un repaire parfait tant qu'il n'aurait pas accompli sa mission. Ensuite, il partirait.

— Notre ami n'aimait pas la position du canapé, annonça Mila en éclairant le sol.

En effet, un des pieds en bois était cassé.

— Il peut avoir caché quelque chose en dessous.

Ils le déplacèrent pour vérifier, mais il n'y avait rien.

L'agent spécial avait l'air déçu.

— Il a visiblement fait la même chose avec les autres meubles de la pièce, dit Mila en lui indiquant le parquet rayé par le déplacement du buffet.

Si Ivanovič ne pensait pas rester longtemps dans cet appartement, pourquoi avait-il changé la disposition des meubles ? Berish ne comprenait pas.

Sur leur droite, un rideau sale séparait le séjour d'une petite salle de bains. Mila le tira et aperçut la lunette ébréchée des W-C, un lavabo en céramique usée, couvert de calcaire, et une douche.

— Il manque les robinets, remarqua Berish.

Il chercha la raison de cette autre bizarrerie, avec l'espoir que ses études d'anthropologie lui seraient utiles.

— Allons voir ce qu'il y a là-bas, proposa Mila.

La dernière pièce devait être la chambre à coucher. La porte était poussée.

— Regarde, dit Mila en pointant sa torche à travers la fente.

À l'intérieur de la pièce, un plan de la ville était punaisé au mur. Une zone était cerclée de rouge.

— Tu penses que…

Mila ne termina pas sa phrase, il était évident qu'il pouvait s'agir du lieu où le tueur avait décidé de frapper. Ils devaient chercher une confirmation. Ils entrèrent dans la chambre.

Berish la vit avancer d'un pas assuré et, soudain, saisit à quel point cette scène était prévisible. Son esprit avait anticipé la progression de Mila parce qu'il s'y attendait.

Quelle raison avait poussé Michael Ivanovič à laisser en évidence un indice si important ? Il pouvait s'agir de confiance en lui-même et en sa cachette, mais il ne l'aurait pas parié. La réponse lui fut fournie par l'anthropologie.

En moins d'une demi-seconde, l'agent spécial relia une série de données en apparence insignifiantes.

L'odeur de détergent – le liquide inflammable le plus facile à trouver dans le commerce. Il a retiré les robinets de la salle de bains – l'eau éteint les flammes. Il a déplacé les meubles – ainsi un éventuel intrus est contraint de se placer exactement là où il veut. La carte au cercle rouge – une invitation à entrer dans la chambre. La porte entrouverte – l'appât.

— Arrête.

Mila se retourna, stupéfaite.

L'agent spécial regarda le plafond, le lustre.

Il prit la torche des mains de la policière et la pointa vers le haut, éclairant des petits câbles qui sortaient du lustre : les cloches en verre dépoli étaient remplies d'un liquide huileux.

— Qu'est-ce que c'est que ça ? demanda Mila en s'écartant.

— Une bombe incendiaire.

Berish suivit avec la torche le parcours des câbles qui se terminait à la porte de la chambre à coucher. Il éclaira le battant et aperçut, relié à l'un des gonds, un dispositif rudimentaire composé de deux électrodes et d'une pile à faible voltage, le tout maintenu par du ruban adhésif. Si Mila avait ouvert la porte, le circuit se serait fatalement refermé. Il n'y aurait pas eu d'explosion, Berish le savait, mais une cascade de flammes liquides les aurait assaillis, brûlant leurs vêtements avant de dévorer leur chair.

Plus qu'une mort, cela aurait été un supplice. Le passe-temps typique d'une créature de feu.

— Notre Michael est en forme, commenta l'agent spécial pour souligner la simplicité mais aussi l'ingéniosité du piège.

— J'aurais dû faire plus attention.

Berish arracha un câble pour désamorcer l'engin, puis ils entrèrent dans la chambre.

Une fois devant le plan, ils découvrirent que le cercle rouge indiquait une rue.

— Ce n'est pas loin. À peine neuf pâtés de maisons d'ici.

— Mais qui nous dit que Michael Ivanovič nous laisse vraiment un indice ? demanda avec scepticisme l'agent spécial. Ce n'est peut-être qu'un moyen pour nous attirer dans son piège incendiaire ?

— Eh bien, c'est en y allant qu'on en aura le cœur net.

49

Mila et Berish surent qu'ils avaient vu juste en découvrant un attroupement dans la rue.

Ils arrivèrent devant un immeuble à six étages. Une alarme anti-incendie hurlait et les habitants avaient évacué les lieux. Pourtant, il n'y avait pas de fumée.

Ils remarquèrent une voiture de police garée à l'extérieur. La porte du conducteur était grande ouverte et le gyrophare clignotait.

— L'agent qui patrouillait dans le quartier nous a précédés, constata Mila en descendant de voiture.

Elle repéra le concierge qui aidait les gens à évacuer. Ils lui montrèrent leurs insignes – Hitch les suivait.

— Où est le feu ? demanda Mila.

— Je ne sais pas, mais les détecteurs de fumée indiquent qu'il s'agit d'un appartement au quatrième étage.

— Qui y habite ?

— Un gros bonnet du département, un certain Gurevich. Il vit seul.

En entendant le nom de l'inspecteur, Mila et Berish blêmirent.

— Que s'est-il passé ?

— Quand l'alarme a sonné, je suis immédiatement sorti pour aider à évacuer l'immeuble. Un de vos collègues est déjà monté.

— C'est la seule entrée ?

— Non, il y en a une sur l'arrière.

— Donc vous n'avez vu aucun inconnu sortir de l'immeuble…

— Non, mais avec toute cette confusion je ne suis sûr de rien.

— Appelle Klaus Boris, qu'il rameute les équipes spéciales.

Elle acquiesça.

— Et nous, qu'est-ce qu'on fait ?

— On monte, bien sûr !

L'alarme anti-incendie résonnait dans la cage d'escalier ; c'était encore plus insupportable.

Berish fit signe à Hitch de les attendre. Le chien obéit.

Quand ils arrivèrent sur le palier, Mila remarqua tout de suite que la porte de l'appartement de Gurevich était entrouverte. Ils échangèrent un geste entendu et se placèrent chacun d'un côté de l'entrée. Ils acquiescèrent ensemble trois fois, compte à rebours symbolique, puis l'agent spécial franchit le seuil arme au poing, tandis que la policière le couvrait.

L'appartement était plongé dans la pénombre, depuis l'entrée on ne voyait personne. Ils firent quelques pas. Il n'y avait ni flammes ni fumée. Pourtant, une forte odeur de brûlé provenait du couloir en face d'eux. Mila remarqua que ce n'était pas une odeur habituelle d'incendie. Elle avait quelque chose d'âpre et de pénétrant. Soudain, elle reconnut l'émanation qui provenait de sa peau quand elle l'attaquait au fer à repasser pour se procurer la douleur dont elle avait besoin.

Berish porta une main à sa bouche pour retenir une vague de nausée – lui aussi avait compris. Puis il lui fit signe qu'ils devaient avancer.

Les meubles et les tableaux étaient anciens. L'ensemble portait le poids du passé. Le papier peint sombre et les tapis contribuaient à l'austérité du lieu.

Le couloir principal ressemblait à une galerie de musée. Mais ils n'avaient pas le temps de se demander comment un inspecteur du département pouvait vivre dans un tel luxe.

Ils se retrouvèrent devant une chambre. La porte était ouverte et un rai de lumière s'étendait devant eux sur le sol. Ils répétèrent le rituel du compte à rebours.

Une fois encore, Berish franchit le seuil le premier. Mila vit son effroi.

Deux corps gisaient tout près l'un de l'autre.

Gurevich était méconnaissable. Une fumée pestilentielle s'élevait de sa chair. Ses yeux tournés vers le plafond détonnaient sur son visage brûlé. Mila était convaincue qu'il était déjà mort mais ses pupilles se tournèrent vers elle, comme s'il la reconnaissait.

— Occupe-toi du policier, hurla-t-elle à Berish pour couvrir le bruit de l'alarme.

Elle s'agenouilla à côté de l'inspecteur, ne sachant que faire pour soulager sa peine. Ses vêtements adhéraient à sa peau et formaient un amas semblable à de la lave incandescente. Un peu plus loin, un rideau de velours avait été arraché. Le policier l'avait probablement utilisé pour dompter les flammes avant d'être frappé par Ivanovič. Elle aperçut aussi le bidon dont le pyromane s'était servi pour verser le liquide inflammable.

Mila se tourna vers Berish. Sans quitter la porte des yeux, il s'était penché sur le policier et auscultait son thorax dans l'espoir d'entendre quelques battements. Au bout d'un moment, il se releva en secouant la tête.

— Gurevich est vivant, affirma-t-elle.

— Les patrouilles arrivent avec une ambulance.

— On ne sait pas si Ivanovič est encore dans l'immeuble – il est sans doute armé, il a frappé ce pauvre homme à la gorge. Il faut sécuriser les lieux.

— L'un de nous doit descendre expliquer la situation aux collègues, déclara Berish.

À ce moment-là, Gurevich prit la main de Mila.

— Il est en état de choc. Mieux vaut que tu y ailles, toi, affirma la policière.

— Je vais utiliser la radio pour demander au central de me mettre en contact direct avec le personnel de l'ambulance, comme ça, je pourrai les informer immédiatement de l'état du blessé. Toi, ne tente rien, c'est clair ?

La policière trouva Berish étrangement protecteur. Il lui rappela Steph.

— D'accord, dit-elle pour le rassurer.

Berish redescendit les escaliers en regardant derrière lui. Le concierge avait parlé d'une entrée sur l'arrière, il était probable que Michael Ivanovič l'ait empruntée pour s'enfuir.

Il trouva Hitch exactement là où il l'avait laissé.

Quand ils sortirent, Berish aperçut au bout de la rue les gyrophares qui arrivaient.

La première voiture de la police fédérale s'arrêta près de la foule qui avait rejoint les habitants de l'immeuble pour assister à la scène. Trois hommes en descendirent, portant l'uniforme des forces spéciales, dont un sergent. Berish alla à sa rencontre sans penser aux conséquences.

— Ça s'est passé au quatrième étage. Un collègue est mort, l'inspecteur Gurevich est gravement blessé, l'agent Mila Vasquez veille sur lui. Le responsable s'appelle Michael Ivanovič, il est sans doute armé. Il pourrait avoir pris la fuite, mais je n'exclus pas qu'il soit encore dans l'immeuble. Dites à vos hommes de fouiller parmi les curieux. L'homicide est un pyromane, il est peut-être resté dans les parages, ajouta Berish qui s'était aperçu que le sergent l'avait reconnu et se demandait sans doute ce que faisait sur les lieux le paria du département.

— Oui, monsieur. Une ambulance arrive.

Le sergent communiqua des ordres aux hommes des forces spéciales qui se massaient devant l'immeuble.

Pour ne pas les gêner, Berish se dirigea vers la voiture de patrouille que le policier décédé avait laissée sans surveillance. Il s'assit à la place du conducteur et saisit le micro de la radio.

— Central, ici l'agent spécial Berish. Mettez-moi immédiatement en relation avec le personnel médical de l'ambulance qui se dirige vers le domicile de l'inspecteur Gurevich.

En attendant qu'on lui passe les infirmiers, Berish regarda la foule de voisins et de curieux qui augmentait progressivement.

Où était Michael Ivanovič ? Se cachait-il parmi ces visages, l'observait-il ? Il aurait peut-être voulu sentir l'odeur que Berish avait encore dans les narines – fumée et chair humaine. Une odeur que l'agent spécial aurait du mal à oublier.

— Équipage ambulance, deux-six-six, annonça une voix masculine dans la radio. Quelle est la situation ? À vous.

— Nous avons un brûlé. Il a du mal à respirer, son état semble grave mais il est conscient – à vous.

— Par quoi a été causée la brûlure ? À vous.

— Un mélange de substances chimiques, apparemment. L'acte est volontaire, c'est l'œuvre d'un pyromane – je passe.

En parlant, Berish déplaça distraitement le regard vers le rétroviseur.

Il vit Hitch courir vers la voiture en aboyant.

Entre l'alarme et la radio, l'agent spécial n'avait pas entendu.

— La cause de la brûlure a cessé ? – à vous.

Mais Berish ignora la question pour se concentrer sur ce qui se passait derrière la voiture de patrouille.

— Monsieur, vous avez compris la question ? – à vous.

— Je vous rappelle.

L'agent spécial abandonna le micro sur le siège, sortit de l'habitacle et contourna le véhicule. Hitch indiquait le coffre.

Il est là. Michael Ivanovič s'est caché pour échapper à la capture. Il n'aurait pas pu choisir d'endroit plus adapté.

L'agent spécial chercha ses collègues des yeux, mais personne ne regardait dans sa direction. Il devait agir seul. Il sortit son pistolet, la main la plus ferme possible. D'un geste sec, il actionna le bouton d'ouverture du coffre et pointa son arme à l'intérieur.

Quand la bouche métallique s'ouvrit devant lui, il sentit une odeur connue. Le corps humain dont elle émanait présentait des brûlures moins graves que celles de Gurevich.

Il était conscient, et il était nu.

L'homme qu'il avait en face de lui n'était pas Michael Ivanovič. Il ne portait pas son uniforme, mais Berish se rappelait l'avoir vu prendre son petit déjeuner au restaurant chinois.

En un instant il comprit la dynamique des faits, comme dans un film projeté dans sa tête. Pendant la scène finale, il se penchait pour ausculter, sans doute trop vite, le battement du cœur d'un policier blessé à mort. Le bruit assourdissant de l'alarme lui compliquait la tâche. Mais surtout, il s'était penché du mauvais côté du thorax. Le gauche.

Le cœur des *situs inversus* est à droite. Berish leva les yeux vers le quatrième étage de l'immeuble.

50

Il s'était relevé du tapis au moment où Gurevich avait perdu connaissance.

Le policier ressuscité souriait bizarrement. Un couteau à la main, il la dévisageait comme on observe sa proie quand on est certain qu'elle est prise au piège.

Une scène irréelle se déroulait devant les yeux de Mila. Son esprit était en état de choc, mais elle attribua tout de même une identité au mort vivant.

En un instant, tout s'éclaira.

Michael Ivanovič avait arrêté une voiture de patrouille et, après avoir neutralisé son occupant, il avait enfilé son uniforme. Habillé en policier, il s'était présenté à la porte de Gurevich. Ainsi déguisé, il avait dissipé toutes les interrogations possibles sur une visite à cette heure tardive. Il l'avait brûlé mais il n'avait pas réussi à s'échapper à temps de l'immeuble. Quand il les avait entendus arriver, il s'était blessé à la gorge avec son couteau – assez pour perdre du sang et mettre en scène sa mort.

D'une main, le faux policier nettoya le sang sur son cou, confirmant que sa blessure n'était que superficielle. De l'autre, il jeta le couteau pour sortir un drôle d'objet de sa poche, composé d'une petite bouteille en plastique remplie d'un liquide orange dans lequel étaient plongés deux petits câbles qui dépassaient du bouchon et disparaissaient dans une boîte enveloppée de ruban adhésif noir.

Un engin incendiaire.

Mila aurait pu tirer sur Ivanovič avant qu'il fasse un pas. Mais elle ne savait pas si l'engin était actionné par un bouton sur lequel le pyromane aurait pu appuyer avant de s'écrouler.

Ivanovič souriait toujours.

— Le feu purifie l'âme, tu le savais ?

— Arrête, lui intima-t-elle.

Michael Ivanovič lança le bras vers l'arrière avec un geste élégant, comme un lanceur de disque. Mila leva son arme et visa. Elle s'apprêtait à tirer quand elle aperçut, derrière le pyromane, un grand nuage blanc qui l'enveloppa avant de se diriger vers elle.

Dans la brume chimique déclenchée par l'extincteur, elle reconnut les silhouettes sombres des agents des forces spéciales. Ils hurlaient des phrases mais bougeaient au ralenti. C'étaient des aliens, des spectres – venus d'un autre monde ou d'une autre dimension pour la sauver.

En moins d'une seconde ils plaquèrent Michael Ivanovič à terre. Mila lut la surprise dans les yeux du pyromane quand les agents l'immobilisèrent et lui retirèrent son dangereux jouet des mains.

KAIRUS

Dossier 16 - 01 - UJ/9

Extrait de l'enregistrement de l'interrogatoire du 28 septembre XXXX au département de police fédérale de XXXX.
17 h 42.

Enquêteur : Que s'est-il passé la nuit dernière ?

Suspect : (garde le silence)

Enquêteur : Quel est ton rôle dans la disparition de l'agent Mila Vasquez ?

51

Une obsession est le résultat d'une routine qui dégénère.

Comme si l'esprit se grippait et reproduisait le même geste à l'infini, lui attribuant un sens unique et, surtout, quasi vital.

Pourtant, ce « quasi » contient la possibilité d'interrompre la réitération, libérant l'individu de l'esclavage psychologique de sa propre lubie.

Le jour où Simon Berish avait mûri cette définition, extrapolée à partir de ses études d'anthropologie, il s'était rendu compte qu'il n'y avait pas de salut pour lui, qu'il penserait à Sylvia jusqu'à la fin de ses jours.

L'amour contamine tout par le souvenir. L'amour est une radiation.

Chaque fois qu'il touchait un objet lié à la brève période passée avec elle – et que donc elle avait utilisé, manipulé, effleuré –, l'énergie négative invisible contenue dedans irradiait dans sa main, montait de son bras à son épaule puis redescendait à son cœur.

Une heure avant que Sylvia entre dans sa vie, Berish épluchait des pommes de terre pour le dîner. Il avait préparé du poulet. Sans être un grand cuisinier, il se débrouillait.

C'était un après-midi de juin, la lumière de la ville avait changé – les tonalités grises et jaunes de mai viraient au rose et au bleu ciel. Les vingt degrés n'étaient qu'un présage de l'été, une température suffisamment douce pour être oubliée. Par la fenêtre ouverte de la cuisine, il entendait les piaillements d'enfants sur un terrain de jeux. Des hirondelles passaient en criant. La radio était allumée sur une fréquence qui ne diffusait que de vieilles chansons – *The Man I Love* de Billie Holiday, *I Wish I Knew How it Would Feel to Be Free* de Nina Simone, *It Don't Mean a Thing* de Duke Ellington et *Moanin'* de Charles Mingus.

Simon Berish, en jean et manches de chemise bleu ciel, portait un ridicule tablier jaune paille avec des volants sur le devant. Il évoluait entre la table et les fourneaux avec la légèreté d'un danseur. Pour compléter le tableau, il sifflotait.

Il se sentait étrangement euphorique.

Son travail lui plaisait, sa vie lui plaisait. Il était satisfait. Après deux ans dans l'armée, il avait jugé naturel de poursuivre sa carrière dans la police. Il s'était distingué lors de sa formation et avait acquis le grade d'agent spécial bien plus tôt que prévu. Sa promotion au programme de protection des témoins, sous le commandement du capitaine Stephanopoulos, avait constitué la cerise sur le gâteau de cette année inoubliable.

Ainsi, dans la cuisine du vieil appartement situé dans un quartier populaire, il avait toutes les raisons d'être gai et de mériter aussi bien l'odeur du poulet rôti que Mingus, Ellington, Nina Simone et Billie Holiday. Il se rappellerait ce moment toute sa vie. Une heure plus tard, tout aurait changé. Ce qui, avant Sylvia, le satisfaisait serait réduit au rang de prix de consolation.

Il louait cet appartement depuis une semaine, sous un faux nom. Il puisait l'argent nécessaire dans le fonds du programme de protection des témoins. Une somme avait été mise à sa disposition pour les dépenses courantes, ainsi que de faux papiers et une carte de Sécurité sociale.

L'appartement était meublé, mais Simon avait tout de même organisé un petit déménagement le matin même avec des meubles et des objets de son véritable chez-lui, de façon à attirer l'attention des voisins sur les nouveaux occupants de l'appartement 37G.

Le truc pour passer inaperçu était de se faire remarquer.

S'ils avaient emménagé sans bruit, les gens auraient fourré leur nez dans les affaires des mystérieux locataires qui arrivaient d'on ne savait où. Les ragots étaient le pire danger dans son travail, ils se répandaient à la vitesse de la lumière. Mieux valait faire profil bas.

Personne n'espionne ou ne s'intéresse à quelqu'un qui semble avoir la même vie que soi.

Aussi, après avoir déchargé la fourgonnette, il ouvrit les fenêtres en grand pour chasser l'odeur de renfermé et déballa les cartons.

Après le mari consciencieux qui prépare le nid pour sa petite famille, il ne manquait que l'épouse. Il y avait juste un problème.

Il ne l'avait jamais vue.

Il avait lu le dossier que lui avait passé Steph à son sujet. Ce n'était pas sa première mission, mais jusque-là il n'avait jamais eu à jouer le rôle du mari.

— Ça sera comme les mariages par correspondance, tu vois ? lui avait expliqué le capitaine en lui remettant une alliance plaquée or.

L'appartement se trouvait au rez-de-chaussée. Cet emplacement pouvait sembler vulnérable, mais il l'avait choisi exprès pour se ménager une sortie de secours.

— Quand il faut protéger un témoin, ne joue pas les héros, prends la fuite avec lui, disait toujours Steph.

Quand la sonnette retentit, Simon interrompit la vaisselle et s'essuya les mains sur son tablier. Il le retira pour aller accueillir sa petite femme à la porte de l'immeuble.

À la porte, à côté de l'interphone, la très blonde Joanna Shutton lui offrit un splendide sourire, comme toujours. Berish se demandait pourquoi, bien qu'aussi jolie, elle était célibataire. Ses collègues avaient peur de sa beauté et c'était peut-être pour cette raison qu'ils l'appelaient « le Juge ». Simon, lui, la trouvait sympathique et très compétente.

— Tu as l'air en forme ! lui lança Joanna. Apparemment, la vie conjugale te réussit.

Ils rirent comme s'ils se connaissaient depuis toujours.

— J'ai amené mon amie, je viens d'aller la chercher à la gare. Elle dit que tu lui as manqué. Prends bien soin d'elle.

Elle s'écarta, dévoilant une femme plantée sur le trottoir. Ses cheveux noirs étaient tressés, sa veste bleue trop grande pour son corps menu. D'une main elle portait une valise dont le poids la faisait légèrement pencher sur le côté, l'autre était fermée pour ne pas laisser glisser son alliance trop large – ils n'en avaient pas trouvé une à sa taille.

Sylvia regardait autour d'elle, triste et perdue.

Simon vint à sa rencontre en souriant. La femme accepta son étreinte, Berish l'embrassa sur la joue en lui chuchotant à l'oreille :

— Serre-moi dans tes bras, sinon on commence mal.

Sylvia ne répondit pas, elle posa son bagage et s'exécuta. Cependant, elle prolongea l'étreinte plus que de rigueur. Simon comprit que la femme ne voulait pas le lâcher, il sentit sa peur tandis qu'elle s'agrippait à lui de toutes ses forces.

Ce geste suffit. L'agent spécial comprit qu'il la protégerait bien au-delà de son devoir.

Après s'être assurée qu'ils n'avaient besoin de rien d'autre, Joanna prit congé. Avant de partir, elle entraîna Simon à l'écart :

— Elle est instable, dit-elle au sujet de Sylvia. Je crains que ses nerfs lâchent. Elle pourrait faire sauter la couverture.

— Ça n'arrivera pas.

— En tout cas, ça aurait pu être pire pour toi, commenta-t-elle, non sans malice. Elle est plutôt mignonne. Tu te souviens quand Steph m'a fait « épouser » ce programmateur informatique avec des pellicules et des lunettes à culs de bouteilles ? Tu as de la chance. Eh bien, tu rougis ?

— C'est ça ! Plus sérieusement, tu penses que le Maître de la nuit va venir la chercher ?

— Nous ne savons même pas s'il existe vraiment. En tout cas, je ne devrais pas le dire, mais… il me fait peur.

Elle était sincère. Joanna Shutton passait pour un flic qui n'avait jamais peur de rien. Du moins, qui ne l'admettait jamais. Mais cette affaire l'avait changée. Le portrait-robot du Maître de la nuit avait créé de la tension.

Ses traits juvéniles, ses yeux éternellement immobiles et tellement profonds qu'ils avaient l'air vivants.

Ils étaient les meilleurs policiers que le département puisse offrir à une enquête. Le monstre au visage d'enfant constituait leur parfaite némésis.

— Je finis dans une heure, conclut Joanna. Si tu as besoin de quelque chose, il y a un nouveau de garde. Il s'appelle Gurevich, il m'a fait bonne impression.

Sylvia et lui passèrent la première soirée dans l'appartement en se frôlant à peine.

Il alluma la télévision et poussa le volume pour donner le change aux voisins – en réalité, personne ne la regardait. Elle rangea ses quelques affaires dans la chambre à coucher. Elle ne ferma pas la porte, elle la laissait toujours entrouverte de façon à le voir. Simon passait de temps en temps devant l'entrée de la pièce, pour lui montrer qu'il était là et qu'il ne la quittait pas des yeux.

À un moment, il se retrouva à l'observer depuis le couloir alors qu'elle accrochait ses vêtements à des cintres dans l'armoire. Il ne s'était même pas rendu compte qu'il la fixait, ce fut elle qui le surprit, un peu apeurée. Il s'éloigna en se traitant d'idiot.

Plus tard, ils mangèrent le poulet et les pommes de terre. Ce n'était pas très bon mais elle ne fit aucun commentaire. Pendant le dîner, ils ne parlèrent pas, sauf pour se passer le pain ou l'eau.

Vers 22 heures, elle se retira dans sa chambre. Simon s'installa sur le canapé avec un oreiller et une couverture. Il regarda le plafond, un bras sous la nuque, sans trouver le sommeil. Il pensait à elle. Il ne savait d'elle que ce qu'il avait lu dans son dossier : qu'elle était seule au monde, qu'elle avait grandi à l'orphelinat puis dans des familles d'accueil. Qu'elle avait toujours vécu de petits boulots, qu'elle n'avait pas de rêve. Que personne ne l'aimait, que personne n'avait jamais fait attention à elle. Hormis l'homme suspect qu'elle avait croisé dans le dernier lieu où avait été vue une des victimes du Maître de la nuit.

« Ce n'est pas moi qui l'ai vu, mais le contraire. Il m'a souri, et je n'ai pas pu l'oublier. »

Allongé sur le canapé, Simon réfléchissait au fait que, avant ce moment, l'affaire des sept disparus – rebaptisés « les insomniaques » par les médias – n'existait que dans la presse et à la télévision. La police fédérale n'avait lancé l'enquête que pour suivre les humeurs de l'opinion publique et faire bonne figure.

En revanche, l'existence d'un témoin oculaire n'avait pas été divulguée. Pas plus que la nouvelle du portrait-robot.

Stephanopoulos avait convaincu ses supérieurs de confier l'enquête au programme de protection des témoins. L'inspecteur chef du département avait consenti à une exception, surtout pour s'éviter les désagréments d'un probable échec.

Au début, personne ne voulait croire Sylvia. Seul Steph était convaincu qu'il ne s'agissait pas d'une manœuvre pour attirer l'attention des médias. Après l'avoir rencontrée, Simon fut également persuadé qu'elle disait la vérité.

Il s'aperçut qu'elle se tenait à l'entrée du salon. Il se tourna et la vit en chemise de nuit. Au début il ne comprit pas ce qu'elle voulait, mais elle le prit de court et vint vers lui. Elle s'allongea, calmement et sans un mot. Simon s'écarta pour lui faire de la place, émerveillé de ce qui se passait.

Sylvia se recroquevilla, lui tournant le dos, mais la tête appuyée sur son bras. Simon reposa la tête sur l'oreiller et se détendit.

— Merci, lui dit-elle timidement.

Vingt ans plus tard, Berish n'avait pas oublié la chaleur du corps de Sylvia contre le sien – la fragilité qu'elle avait déposée entre ses bras pour qu'il en prenne soin.

Mais peut-être que quelqu'un avait exercé sur elle un meilleur ascendant.

Ça te dirait de changer de vie ?

Les mots que Kairus adressait à ses victimes au téléphone avaient révélé à Berish un scénario nouveau. L'idée qu'il existait un groupe de personne passées par la chambre 317 de l'hôtel Ambrus, désormais prêtes à tout pour le prédicateur, le terrifiait. Même les événements de la journée ne pouvaient le distraire de cette pensée.

La mort de Gurevich avait provoqué un raz-de-marée dans le département. Mais, surtout, elle avait offert un éclairage nouveau sur la vie de cet homme.

Son logement richement meublé ne pouvait être le fruit de son salaire d'inspecteur. Il était évident qu'il s'était procuré l'argent autrement.

Un soupçon était né dans l'esprit de Berish, et il était persuadé que tous ceux qui avaient mis les pieds dans l'appartement après l'homicide avaient eu la même idée – y compris Joanna Shutton. Cela concernait un pot-de-vin versé vingt ans plus tôt à un agent spécial par un mafieux repenti, qui avait ainsi échappé au programme de protection des témoins.

C'était Berish qui avait été accusé de son évasion. Depuis, ses collègues le méprisaient, bien qu'aucune preuve n'ait jamais été trouvée contre lui.

Même s'il était possible que Gurevich soit le véritable responsable, Simon ne serait pas réhabilité pour autant. Cela pouvait au contraire tuer tout espoir de rédemption.

Tandis que, quelques pièces plus loin, Michael Ivanovič était interrogé, enfermé dans son bureau avec Hitch, l'agent spécial attendait la sentence.

Ses supérieurs devaient décider de son sort pour avoir mené une enquête non autorisée.

Il se demandait si le Juge allait utiliser ce prétexte pour achever le paria, évitant ainsi d'entacher la mémoire d'un inspecteur mort. Mais, surtout, ce qui torturait Berish était la signification de cette armée des ombres.

Et si Sylvia en faisait partie ?

52

La pièce était plongée dans une pénombre rassurante.

Il n'y avait pas de fenêtres et les murs étaient peints en noir. Le mobilier était constitué de trois rangées de chaises identiques tournées dans la même direction, comme au cinéma. Elles faisaient face non pas à un écran mais au côté transparent d'un miroir sans tain.

Le refuge idéal.

Les bras croisés, la policière fixait la glace. La salle des interrogatoires était éclairée au néon. Au centre trônaient une table massive et deux chaises, face à face. Sur l'une était assis Ivanovič, menotté, tandis que l'inspecteur tournait autour de lui – comme un félin qui étudie sa proie avant de l'attaquer. Boris portait une oreillette grâce à laquelle il recevait probablement les instructions du Juge.

Michael – « créature de feu » aux cheveux roux et aux yeux verts – ne portait plus l'uniforme de policier. On lui avait donné un tee-shirt en coton éponge, un bas de survêtement et des pantoufles. D'apparence il semblait docile, mais le danger couvait en lui comme la braise sous les cendres.

Mila observa les tatouages qui lui recouvraient les bras. Ils étaient insolites et inquiétants.

Ni croix gammées ni croix renversées, ni symboles de haine ou de mort, mais une longue série de signes porteurs d'une certaine harmonie. Du poignet ils remontaient vers les biceps pour disparaître ensuite sous son tee-shirt. On apercevait les mêmes incisions sur ses chevilles menottées.

Ce ne sont pas des tatouages. Je parie que tu te les es faits seul, parce que tu aimes sentir le feu sur ta peau.

Le pyromane tenait tête à son interrogateur.

— As-tu une vague idée du pétrin dans lequel tu te trouves ? demanda l'inspecteur qui n'avait toujours pas retiré sa veste ni desserré sa cravate, après trois heures dans la pièce. Nous pouvons t'attribuer les blessures du policier qui patrouillait, l'homicide d'un des chefs du département et peut-être aussi celui du médecin qui voulait écrire un article scientifique sur toi.

Après une longue confrontation, ils arrivaient au bilan. Ivanovič souriait, insolent, évitant de regarder l'inspecteur.

— Ça me fait plaisir que tu t'amuses, mais cela signifie au mieux pourrir dans une cellule.

— Comme vous voulez, monsieur.

— Tu te fous de moi, Michael ?

— Non, monsieur. Moi je n'ai rien fait.

— Non ? Alors qui était-ce ?

— Il y a une voix dans ma tête qui me dit quoi faire, affirma le prisonnier comme une rengaine, comme s'il récitait un rôle de façon délibérément maladroite.

— Encore cette histoire de voix ?

— Je dis la vérité, monsieur. Pourquoi vous ne voulez pas me croire ?

— Je n'avale pas tes salades, Michael. J'ai fait flancher des types plus forts que toi.

— Vraiment, monsieur ?

— Oui, vraiment. Inventer des histoires ne te sera d'aucune utilité.

— Comme vous voulez, monsieur.

Boris le regarda, puis décida que cela suffisait. Il sortit de la pièce et rejoignit la salle à la glace sans tain où se trouvait Mila.

L'inspecteur éteignit le haut-parleur relié à la salle des interrogatoires.

— J'ai besoin d'un éclaircissement, lui annonça-t-il durement.

— D'accord.

Mila savait que ce moment arriverait, mais elle aurait voulu éviter le regard accusateur de Boris.

— Quand je suis venu te chercher dans le bureau de Steph aux Limbes pour te proposer de participer à l'enquête, je n'imaginais pas qu'une semaine plus tard nous remettrions notre amitié en cause. Et puis, pour quoi ?

— Je sais, j'aurais dû te tenir au courant.

— Tu es vraiment convaincue que c'est le seul problème ?

— Dis-moi, alors…

Boris but une gorgée d'eau et poussa un long soupir.

— Je croyais que tu me faisais confiance.

— Je suis une personne loyale, tu me connais. Je me serais adressée à toi en cas de besoin, mais je ne pouvais pas te mettre au courant à chaque étape, parce que tu m'aurais freinée, tu te serais senti le devoir d'en référer au Juge. Disons la vérité, Boris : désormais, tu fais partie du système. Moi non, et cela n'arrivera jamais.

— D'après toi, de quoi suis-je coupable ? Donc… Avoir une famille dont je me sens responsable ? Tenir à mon salaire et à ma carrière ? Eh bien, tu as raison : je respecte les règles et mes supérieurs. Mila Vasquez s'en fiche, elle… Tu dis que tu m'estimes, tu parles de loyauté, pourtant tu as fait confiance à un type comme Simon Berish.

Klaus Boris n'était pas différent des autres flics : quand il s'agissait de juger, il se laissait guider par l'esprit de corps. Mila repensa aux circonstances qui l'avaient conduite à se faire une fausse idée de l'agent spécial. Elle avait été trompée par la mystérieuse enveloppe que Berish avait remise à l'expert en informatique. Mais elle avait changé d'avis après la visite de l'appartement de Gurevich. Maintenant elle se sentait blessée de la façon dont Boris traitait leur collègue, refusant d'admettre qu'il était peut-être innocent.

— Ce qui a poussé Michael Ivanovič à tuer Gurevich était de faire éclater au grand jour qu'il s'agissait d'un policier corrompu, et toi, tu me parles encore de Simon Berish ?

L'Hypothèse du mal : faire du bien à son prochain en éliminant un pourri.

— Tu ne sais pas de quoi tu parles, répondit l'inspecteur, décontenancé.

— Prouve-moi que tu sais encore penser avec ta tête, que tu ne participeras pas à la tentative de Joanna Shutton de couvrir son bras droit pour sauver sa peau. Le Juge sacrifiera Berish, elle ne démentira pas la rumeur selon laquelle c'est lui qui a trahi le département. Cet homme paiera une nouvelle fois pour des fautes qui ne sont pas les siennes.

— Tu veux vraiment parler de ce qui est juste et de ce qui ne l'est pas ? Alors écoute ça... démarra l'inspecteur en retirant sa veste et en allant s'asseoir sur une des chaises du premier rang. Justice ne sera rendue à aucune des victimes de Michael Ivanovič.

— Que veux-tu dire ?

— Le Juge voulait que nous appliquions au pyromane le protocole antiterroriste. Selon elle, nous devrions l'interner dans une prison secrète et lui extorquer par la force tout ce qu'il sait.

Joanna Shutton soutenait une fois encore la thèse du terrorisme pour détourner l'attention du scandale Gurevich.

— Le procureur a donné son accord ?

Boris secoua la tête, dépité par l'ingénuité de Mila.

— Tu ne t'es pas demandé pourquoi l'avocat de Michael n'était pas présent à son interrogatoire ?

— Il traite avec le procureur, comprit Mila.

— Et tu sais ce qu'il est en train de lui dire, en ce moment précis ? Que son client n'est pas en possession de ses facultés mentales.

Mila était atterrée.

— Michael a planifié l'homicide de Gurevich, il nous a attirés dans un piège : comment peut-on douter de ses facultés ?

Boris pointa le doigt vers la glace sans tain, vers Michael, impassible dans la salle des interrogatoires, qui attendait un destin qu'il avait peut-être déjà programmé.

— Tu as compris ce qu'a dit ce psychopathe ? Il entend des voix, il veut se faire passer pour fou. Son avocat soutiendra qu'il a été enlevé à sa famille quand il était petit, qu'il a subi un traumatisme. En outre, il souffre d'une pathologie cardiaque grave liée à son *situs inversus*, incompatible avec le régime carcéral. Enfin, c'est un pyromane avec des troubles maniaques évidents. Ça te suffit ?

— Que décidera le procureur, à ton avis ?

— Il dira que, tant que la santé mentale du prisonnier ne sera pas prouvée, non seulement nous ne pourrons pas appliquer le protocole antiterroriste, mais en plus Ivanovič devra être transféré dans une structure psychiatrique pour être examiné. Si les médecins confirment le diagnostic, il purgera sa peine dans un hôpital-prison dont il arrivera peut-être à s'échapper un jour.

— Un policier a été tué, le procureur ne se mettra jamais le département à dos.

— Nous ne pouvons rien y faire, je suis désolé.

— Si nous perdons Ivanovič, nous ne remonterons jamais à Kairus.

Mila avait joué la carte du Maître de la nuit, convaincue que Klaus Boris était au courant de tout, y compris du fait que vingt ans auparavant l'affaire des insomniaques avait été enterrée avec la complicité du Juge.

L'inspecteur ne sut que répondre.

— La nouvelle sera rendue publique, tôt ou tard. Joanna Shutton n'a qu'un espoir de sauver sa jolie peau... Cet espoir est entre les mains de Michael Ivanovič. Si nous réussissons à lui faire avouer qu'il a eu un commanditaire...

— Il n'est pas tenu de confirmer l'existence d'un pseudo-monstre que la police a choisi d'ignorer il y a vingt ans.

Kairus n'est pas un assassin, parce qu'il n'a jamais tué. Et il n'est pas un ravisseur, puisque les personnes disparues sont revenues. Aux yeux de la loi, le Maître de la nuit n'existe pas.

À ce moment-là, Michael se tourna vers eux. Il ne pouvait pas les voir, mais son regard croisa tout de même celui de Mila.

— Bientôt, il sera emmené dans une unité hospitalière spécialement aménagée, dit Boris dépité. Pour l'amener à se trahir, nous devrons mettre en œuvre une stratégie complexe, avec une mise en scène, des rôles précis. En plus, il faudra le travailler psychologiquement... Quand j'étais encore expert en interrogatoires, avant de monter en grade, je savais le faire, donc je sais de quoi je parle. Nous n'avons plus le temps.

— Combien de temps nous reste-t-il ?

— Peut-être deux ou trois heures. Pourquoi ?

— Tu sais, n'est-ce pas, que nous n'aurons plus jamais un tel avantage sur Kairus.

— Fais-toi une raison.

Mila fit une pause avant de jouer sa dernière carte.

— Nous pouvons le laisser essayer.

— De qui parles-tu ?

— Du meilleur expert en interrogatoires du département.

— N'y pense même pas.

— Nous le lui devons.

— À quoi fais-tu allusion ?

— À la possibilité de racheter son nom. Et puis, Berish est la personne la plus indiquée, tu le sais aussi bien que moi.

L'inspecteur résistait toujours, mais Mila se conformait à ce que l'agent spécial lui avait dit au sujet de l'Hypothèse du mal et de l'action des prédicateurs.

Ils soufflaient une idée.

La policière s'approcha de son vieil ami.

— Moi aussi, ça me gêne que ce salaud puisse s'en sortir après avoir blessé l'un des nôtres et tué un inspecteur.

Elle lui posa une main sur l'épaule, ce qui surprit Boris. Mila détestait le contact physique.

— D'accord. Mais je te préviens, nous allons avoir du mal à convaincre le Juge.

53

— C'est hors de question !

Les hurlements du Juge franchissaient la porte fermée de son bureau où se déroulait la réunion avec Klaus Boris.

— Je ne ridiculiserai pas le département !

— Qu'avons-nous à perdre ?

— Peu importe.

Dans le couloir, Mila fixait le sol pour ne pas mettre dans l'embarras l'homme dont la présence avait déclenché ce cataclysme. Simon Berish, lui, était tranquillement adossé au mur, les bras croisés. Rien ne semblait l'atteindre. La policière lui envia sa maîtrise.

— Nous devons le laisser essayer, disait Boris. Nous savons tous qu'il a mené ses interrogatoires de main de maître ces dernières années.

— Je ne gâcherai pas le peu de temps qu'il nous reste pour permettre à un dilettante de faire des expériences anthropologiques sur Michael Ivanovič. Trouvez une autre idée.

Mila espérait que son ami inspecteur ferait allusion à la probable corruption de Gurevich pour convaincre Joanna Shutton. En attendant, devant ces insinuations, le calme de Berish était suspect.

— Comment tu peux supporter tout ça ? lui demanda Mila.

— C'est juste une question d'habitude.

— Je ne te l'ai jamais demandé, mais qui a vraiment empoché ce pot-de-vin ? Toi ou Gurevich ?

— Pourquoi devrais-je savoir ce qu'a fait un autre ? la refroidit Berish.

— C'est incroyable : tu le défends encore.

— Je ne me rachèterai pas sur le dos d'un mort.

Mila ne savait pas si cette attitude était courageuse ou simplement folle.

— Je risque ma peau pour toi.

— Personne ne te l'a demandé.

— Au moins, tu peux me raconter ce qui s'est passé ?

— On m'avait confié la surveillance d'un criminel qui avait décidé de trahir ses complices. Nous le protégions sous un faux nom et nous devions aussi le surveiller. Gurevich et moi en étions responsables.

— Alors pourquoi n'a-t-on soupçonné que toi, quand il s'est enfui ?

— Parce que c'était moi qui le surveillais la nuit où son fils a eu une crise d'appendicite. Il voulait aller le voir à l'hôpital, il m'a supplié de l'y accompagner. Je ne dis pas que pendant ces jours de cohabitation nous étions devenus amis, toutefois j'appréciais sa décision de collaborer. Ce choix – bon ou mauvais – de changer, qui mettait sa vie en jeu, n'était pas facile.

— Alors qu'as-tu fait ?

— J'ai enfreint le règlement, je l'y ai amené. Quand il s'est enfui, ensuite, ils ont utilisé cet épisode pour soutenir que nous étions de mèche. L'accusation est tombée parce que l'argent n'a jamais été retrouvé, mais la réputation est restée… et elle ne s'efface pas facilement.

— Je ne comprends pas. Sans preuves, nos collègues n'avaient pas le droit de te condamner.

— Les policiers n'ont pas besoin d'entendre la vérité, parce qu'ils n'ont pas besoin de tribunal pour condamner un collègue.

Mila ne supportait plus son sarcasme.

— Je me demande comment tu peux protéger la mémoire de Gurevich. Tu es innocent, mais tu ne veux pas qu'on sache ce qui s'est vraiment passé.

— Les morts ne peuvent pas se défendre.

— Ce n'est pas vrai. C'est que désormais – comme tu le dis toi-même – tu es habitué à vivre ainsi. Je dirais même que ça te plaît. N'as-tu plus aucun amour-propre ? Tu utilises les humiliations que tu subis comme expédient pour t'ériger en martyr. Comme ça, tu te trompes toi-même et tu te sens meilleur parce que tu acceptes les vexations et les injustices des autres. Nous faisons tous des conneries, Berish, mais ce n'est pas une raison pour nous laisser torturer par notre prochain.

— C'est vrai. Voilà pourquoi tout le monde essaye de projeter une image positive de soi, même en dépit de la réalité. Les coupables n'avouent leurs fautes que face à un type comme moi. Tu sais pourquoi je suis devenu le meilleur interrogateur du département ? Ces criminels ne me connaissent pas, ils ne savent pas qui je suis, pourtant quand ils me voient ils comprennent que je ne suis pas différent d'eux, que j'ai moi aussi un cadavre dans le placard. Que ce soit vrai ou non, c'est ce qui fait ma force.

— Tu en es fier ?

— Personne n'est disposé à admettre ses péchés en échange de rien, Mila. Même pas toi.

— Tu te rappelles le SDF qui vit en bas de chez moi ? demanda-t-elle après réflexion.

— Celui à qui tu apportes à manger ?

— Il n'y a rien d'altruiste dans mon geste. Il est là depuis au moins un an et j'essaye juste de gagner sa confiance parce que je veux le faire sortir de sa tanière pour pouvoir le regarder dans les yeux, peut-être lui parler. Je veux juste découvrir s'il s'agit d'un des habitants des Limbes. Peu m'importe de savoir s'il est heureux ou non. De toute façon, le malheur des autres ne nous intéresse que quand il nous renvoie au nôtre.

— Et donc ?

— Le fait est que moi aussi je joue un rôle, parfois, mais je ne suis pas prête pour autant à accepter des compromis avec moi-même.

— Ce serait ça, ta faute ? Pourquoi tu ne me parles pas de ta fille, plutôt ?

Mila était prête à lui envoyer un coup de poing, mais Berish la prit de court.

— Moi, au moins, je ne fuis pas. Je paye pour mes erreurs. Toi, qu'est-ce que tu fais ? À qui as-tu confié ta fille pour ne pas assumer tes responsabilités ? Parce que, c'est clair, elle n'existe pour toi que quand tu le décides.

— Qu'est-ce que tu en sais ?

Leurs voix couvraient presque la discussion animée dans le bureau du Juge.

— Alors dis-moi, quelle est sa couleur préférée ? Qu'est-ce qu'elle aime faire ? Est-ce qu'elle a une poupée avec laquelle elle s'endort les soirs où tu n'es pas là ?

Mila fut touchée plus qu'elle ne s'y attendait.

Quelle mère serais-je, si je ne connaissais pas le nom de la poupée préférée de ma fille ?

— C'est une poupée rousse, elle s'appelle Miss, cria-t-elle.

— Ah oui ? Et comment tu l'as appris ? Elle te l'a dit, ou bien tu la surveilles en cachette ?

Mila se raidit. Berish comprit que cette phrase, prononcée pour la choquer, cachait la vérité.

— Je dois la protéger, se justifia-t-elle.

— La protéger de quoi ?

— De moi.

Berish se sentit stupide. Il comprit qu'il avait malmené Mila parce qu'il se sentait pris en défaut, ou peut-être parce que les années passées à subir des vexations permanentes l'avaient marqué. Il ne s'était pas montré aussi sincère qu'elle. Il ne lui avait pas encore parlé de Sylvia. Maintenant, il aurait voulu lui dire qu'il était désolé.

À ce moment-là, les voix provenant du bureau se turent. La porte s'ouvrit. Boris sortit le premier, sans prononcer un mot. Puis ce fut le tour du Juge.

Joanna Shutton regarda Berish comme si elle ne le connaissait pas, puis s'adressa à Mila :

— Bien, agent Vasquez, votre homme a le feu vert.

La nouvelle mit un terme à leur discussion.

Les talons aiguilles du Juge résonnèrent dans le couloir quand elle s'éloigna, laissant derrière elle un nuage de parfum douceâtre.

Mila et Berish formaient à nouveau une équipe.

— Tu as entendu, non ? l'interpella Boris. Elle l'a appelé « ton homme » pour bien préciser que c'est toi la responsable. Si ça tourne mal vous coulerez ensemble et je ne pourrai rien y faire.

Simon Berish aurait voulu que Mila se retourne et se laisse rassurer d'un regard.

— Je sais, dit-elle seulement.

Boris se posta devant Berish.

— Il nous reste plus ou moins une heure. De quoi as-tu besoin pour interroger Michael Ivanovič ?

L'agent spécial n'hésita pas une seconde.

— Faites-le sortir de la salle des interrogatoires et amenez-le dans un bureau.

54

La caméra avait été dissimulée entre des dossiers dans une armoire.

Berish avait soutenu qu'il était inutile de la cacher et qu'il préférait la mettre bien en vue sur un pied. Pourtant, le Juge n'avait rien voulu entendre, elle tenait à montrer que c'était elle qui dirigeait l'enquête.

Dans la pièce mitoyenne, Joanna Shutton était installée au premier rang pour profiter du spectacle devant l'écran qui transmettait les images en direct. Boris et Mila se tenaient en retrait. La policière était encore troublée par sa conversation avec Berish dans le couloir, mais elle espérait qu'il relèverait le défi.

Mets fin à ce cauchemar.

Pour le moment, sur l'écran on ne voyait que l'enquêteur qui, pour des raisons de sécurité, retirait du bureau des objets avec lesquels Michael Ivanovič aurait pu l'agresser ou se blesser. Berish disposa des documents pour ne pas que le bureau semble trop vide et il laissa un bloc-notes, quelques crayons et un téléphone, à bonne distance de la place assignée au prisonnier.

Il avait choisi un bureau anonyme pour ne pas donner au prévenu l'impression d'un environnement hostile.

Peu après, escorté par deux agents qui le tenaient par les coudes, Michael Ivanovič fit son entrée.

Il traînait des pieds parce que les menottes à ses chevilles entravaient sa marche. Les deux agents l'aidèrent à s'asseoir et sortirent de la pièce, le laissant seul avec Berish.

— Tu es bien assis ? lui demanda l'agent spécial.

Pour toute réponse, Michael se laissa aller contre le dossier et, malgré les menottes à ses poignets, posa un coude sur la table.

L'agent spécial prit place en face de lui. La caméra les filmait jusqu'à la poitrine.

— Comment ça va ? On t'a donné à manger, à boire ?

— Oh, oui. Tout le monde est très gentil.

— Bien. Moi je suis l'agent spécial Berish.

Il lui tendit la main. Ivanovič la fixa puis, maladroitement, tendit ses bras tatoués pour la lui serrer.

— Je peux t'appeler Michael, n'est-ce pas ?

— Bien sûr, c'est mon prénom.

— Je parie que tu as eu assez de questions pour aujourd'hui, mais je vais être honnête avec toi : ceci est un interrogatoire, Michael.

— J'avais compris. Il y a une caméra qui nous filme ?

— Elle est cachée entre ces dossiers.

En voyant le jeune homme faire un geste de la main à leur attention, Joanna Shutton s'exclama :

— Ça y est, il nous fait passer pour des idiots.

— Ton avocat est très fort, lâcha Berish en regardant sa montre. Dans cinquante minutes tu seras sorti d'ici. De quoi as-tu envie de parler, d'ici là ?

— Je ne sais pas, à vous de choisir, répondit Ivanovič, amusé.

Berish fit mine de réfléchir.

— Disparaître pendant vingt ans peut avoir de bons côtés. Par exemple, pouvoir endosser plusieurs identités, pouvoir être qui on veut, ou bien personne. Dans ce cas, pas d'impôts à payer. Tu sais que quand j'étais petit, je rêvais de disparaître ? Un peu moins que devenir invisible – pour pouvoir épier les autres sans être vu – mais tout de même.

Ivanovič sourit, vaguement curieux.

— J'aurais aimé disparaître, poursuivit Berish. Du jour au lendemain, sans plus donner de nouvelles. Je serais allé me balader dans les bois, parce qu'à l'époque j'adorais le camping. Ensuite, au bout d'une semaine ou deux, je serais revenu. J'étais sûr que tout le monde m'aurait accueilli avec soulagement, après toute cette angoisse. Ma mère aurait pleuré, même mon père aurait été ému. Ma grand-mère aurait préparé mon gâteau préféré et on aurait organisé une fête avec la famille et le voisinage. Même mes cousins qui vivent dans le Nord auraient fait le déplacement, bien que je ne les aie vus qu'une ou deux fois depuis ma naissance. Tout le monde serait venu pour moi.

Ivanovič applaudit doucement, Berish le remercia d'un signe de tête.

Joanna Shutton n'appréciait pas.

— Qu'est-ce qu'il fait, il lui raconte sa vie ? Ça devrait être le contraire.

Mila savait que l'agent spécial essayait de créer un terrain commun. Elle regarda sa montre et pria pour que son collègue sache ce qu'il faisait, parce que cinq minutes s'étaient déjà écoulées.

— Belle histoire, dit Ivanovič. Et vous l'avez fait ?

— M'échapper de chez moi ?

Le prisonnier acquiesça.

— Oui, je l'ai fait. Et tu sais ce qui s'est passé ? Ma fugue n'a pas duré une semaine mais quelques heures. Quand j'ai décidé que ça suffisait et que je suis rentré chez moi, personne ne m'attendait. Ils ne s'étaient même pas aperçus que j'étais parti.

L'agent spécial laissa le détenu réfléchir à cette dernière phrase.

— Mais pour toi ça ne s'est pas passé comme ça, pas vrai Michael ? À six ans, tu étais trop petit pour fuguer.

Ivanovič ne répondit pas.

Sur l'écran, Mila perçut un changement sur son visage. L'agent spécial essayait de le provoquer. Il se leva et déambula dans la pièce.

— Un enfant est enlevé sur une balançoire. Personne ne s'aperçoit de rien, ne voit rien. Même pas sa mère, qui est pourtant tout près. Elle amène toujours son fils à ce parc pour qu'il joue avec les autres enfants. Mais ce jour-là le petit Michael est seul et sa mère est distraite : elle parle au téléphone. Pendant vingt ans, personne ne sait ce qui est arrivé à son enfant. D'ailleurs, les gens l'ont oublié, après tout ce temps.

Seules deux personnes connaissent la vérité. La première est le petit Michael, qui entre-temps a grandi. L'autre est celle qui l'a enlevé ce jour-là. Je ne te demanderai pas qui c'était, de toute façon je suis sûr que tu ne me le dirais pas. Mais tu as peut-être envie de l'expliquer à ta mère. Tu n'as pas envie de voir la femme qui t'a mis au monde, Michael ? Elle t'a donné la vie : tu ne penses pas qu'elle a le droit de savoir ?

Michael ne dit rien.

— On l'a appelée. Elle est là, dehors, je peux la faire entrer, nous avons encore le temps, si tu veux.

C'était un mensonge, mais le jeune homme y crut, ou fit semblant d'y croire.

— Pourquoi elle aurait envie de me voir ?

Berish avait ouvert une brèche : pour la première fois, Michael répondait par une question qui le concernait personnellement. L'agent spécial s'agrippa à cette misérable prise.

— Elle a souffert pendant toutes ces années, tu ne crois pas qu'il est temps de la libérer de son sentiment de culpabilité ?

— Ce n'est pas ma mère.

Mila remarqua que le ton d'Ivanovič trahissait un léger agacement : Berish avait marqué un point.

— Je comprends, poursuivit l'agent spécial. Laissons tomber, alors.

Pourquoi Berish avait-il renoncé ? Pourtant, il avait établi un contact. Mila ne comprenait pas.

— Ça te dérange si je fume ?

Sans attendre de réponse, l'agent spécial sortit de sa veste un paquet de Marlboro et un briquet. Mila l'avait vu les demander à un autre policier. Pourtant, Berish n'alluma pas de cigarette. Il se contenta de poser les objets sur la table.

Le pyromane posa les yeux sur le briquet.

— Ceci ne faisait pas partie de notre accord, tonna Joanna Shutton. Il ne peut pas prendre un tel risque, j'arrête l'interrogatoire.

— Accordez-lui encore une minute, la pria Boris. Il sait ce qu'il fait, je ne l'ai jamais vu échouer.

Sur l'écran, Berish, les mains dans les poches, tournait autour de Michael. Le prisonnier s'efforçait de ne pas avoir l'air intéressé, mais il cherchait le briquet du regard – comme un sourcier qui, au lieu de l'eau, reconnaît l'appel du feu.

— Tu aimes le foot, Michael ? Moi j'adore, dit Berish sans aucune raison apparente.

— Pourquoi cette question ?

— Je me demandais ce que tu avais fait pendant ces vingt années, c'est tout. Tu as bien dû avoir un hobby. En général, les gens s'occupent avec un passe-temps, une passion.

— Moi, je suis différent.

— Ah, ça, je sais. Tu es… *spécial*, souligna Berish avec emphase.

— Vous ne fumez pas cette cigarette, agent ?

— Bientôt.

Mila s'inquiétait. Ivanovič recherchait la vue du feu et Berish utilisait le briquet comme instrument de pression pour obtenir quelque chose de lui. Quelle que soit l'idée qu'il avait en tête, cela ne fonctionnait pas.

L'angoisse de la policière augmenta quand Ivanovič prit un crayon sur le bureau et se mit à griffonner quelque chose sur le bloc-notes.

— Chez l'inspecteur Gurevich, tu as dit une phrase à l'agent Vasquez qui a attisé ma curiosité, poursuivit Berish en sautant du coq à l'âne.

— Je ne me rappelle pas.

— Je vais te rafraîchir la mémoire… Tu lui as demandé si elle savait que le feu purifie l'âme. Pas génial. Peut-être que ça faisait son effet dans ta tête, mais j'ai trouvé ça assez banal.

— Je ne suis pas d'accord, répondit l'autre, vexé.

Berish sortit une cigarette du paquet. Il la plaça entre ses lèvres et saisit le briquet. Il le passa d'une main à l'autre, sans se décider à l'utiliser. Ivanovič suivait l'objet des yeux comme un enfant émerveillé par un jongleur.

— Qu'est-ce qu'il fait, il essaye de l'hypnotiser ? demanda le Juge avec mépris.

Mila espérait que Berish contrôlait la situation.

L'agent spécial activa la flamme et la maintint en l'air, entre eux.

— Qu'y a-t-il dans le feu, Michael ?

— Tout ce que quelqu'un veut voir, affirma le prévenu avec un sourire sinistre.

— Qui t'a dit ça ? Kairus ?

Les yeux du pyromane brillaient. Pourtant, la lueur qui éclairait ses pupilles n'était pas le reflet de la flamme du briquet. On aurait dit que le feu venait de l'intérieur, des profondeurs de son âme. Ivanovič gribouillait toujours.

Berish sortit de la poche de sa veste une feuille pliée. De la main gauche, avec un rapide mouvement du poignet, tel un prestidigitateur il l'ouvrit devant les yeux du prisonnier et dévoila le portrait-robot du Maître de la nuit. Il l'approcha du briquet.

— Que compte-t-il faire ? protesta le Juge. Dans deux minutes, j'interromps tout.

En attendant, sur l'écran, le visage du pyromane débordait d'excitation, comme celui d'un enfant impatient de commencer un nouveau jeu.

— Qu'est-ce que ton maître t'a dit d'autre ? insista Berish.

Michael semblait absent et sa main tremblait sur le bloc-notes – le crayon trouait le papier.

— Que parfois, il faut aller au bout de l'enfer pour se connaître soi-même.

— Et qu'y a-t-il au bout de l'enfer, Michael ?

— Vous êtes superstitieux, agent ?

— Non, pas moi. Pourquoi ?

— Parfois, quand on connaît le nom du démon, il suffit de le prononcer pour qu'il accoure.

Le crayon sur le papier était telle une aiguille indiquant le degré de tension dans la pièce.

Pourquoi Berish poussait-il dans cette direction ? Mila ne comprenait pas. L'agent spécial offrait à Michael Ivanovič à la fois la possibilité d'annuler tous ses efforts et une bouée pour accréditer la thèse de la folie. En plus, le délai arrivait à expiration.

— Allez mettre fin à cette farce, lança le Juge. J'en ai assez vu.

Mais Berish ne leur laissa pas le temps d'intervenir : il souffla sur la flamme et retira la Marlboro de ses lèvres. Sur le visage du pyromane, l'enthousiasme s'évanouit.

Berish empocha le briquet et froissa le portrait-robot.

— Bien, Michael. Je pense que ça suffit.

Mila ne savait que dire. Joanna Shutton avait l'air déterminée à demander des comptes sur ce qui venait de se passer.

— Je suis désolé, dit Klaus Boris à son amie.

Ils se rendirent dans le bureau où s'était déroulé l'interrogatoire.

Michael Ivanovič avait été reconduit dans sa cellule et le Juge agressa verbalement Berish. Sa voix résonnait dans le couloir.

— C'est terminé, et pas seulement avec cette affaire. Je veillerai personnellement à ce que tu ne puisses plus causer de dégâts. Tu es un raté, Berish. Je ne sais pas pourquoi on ne t'a pas viré à l'époque, quand on en a eu l'occasion.

L'agent spécial restait impassible devant les reproches, comme toujours. Soudain, Mila fut saisie d'un doute atroce : cette mascarade d'interrogatoire était-elle une vengeance personnelle de Berish contre le sort qu'il avait subi ? Contre Gurevich, qui s'était laissé corrompre et lui avait fait porter la faute ? Contre Joanna Shutton, qui continuait à protéger le véritable corrompu même après sa mort pour sauver sa peau ? Et enfin, contre tout le département et tout ce qu'il représentait ?

Pis encore, Mila avait aidé Berish à mettre en œuvre sa vengeance, supposant bêtement qu'il chercherait à réhabiliter son nom.

L'agent spécial arrangea sa cravate et, comme si de rien n'était, s'apprêta à sortir du bureau. Joanna Shutton, qui n'avait visiblement pas l'habitude d'être ignorée, se planta devant lui.

— Je n'en ai pas fini avec toi.

— Avez-vous déjà entendu parler d'effet idéomoteur ? demanda Berish en l'écartant avec gentillesse.

— Qu'est-ce donc, une autre de tes trouvailles anthropologiques ?

— En fait, c'est de la psychanalyse. Ça indique le processus selon lequel une image mentale génère un mouvement involontaire.

Joanna Shutton fit mine d'intervenir mais son instinct, celui-là même qui avait propulsé sa carrière, la freina.

— À un geste ou à une phrase de l'interrogateur correspond un comportement de l'interrogé. C'est pour ça que je lui ai montré le feu, poursuivit Berish.

— Et alors ?

— C'est comme quand on est à table, qu'on bavarde, et qu'au lieu de manger on joue avec la nourriture, on crée des formes. Ou bien quand on parle au téléphone, qu'on a devant soi un papier et un crayon et que sans s'en apercevoir on gribouille. Souvent, ce qu'on dessine ne signifie rien, mais parfois ça a un sens. Donc, si j'étais vous, c'est ce que je chercherais…

Il avait indiqué quelque chose derrière eux. Mila fut la première à se retourner, Boris et le Juge l'imitèrent. Le silence tomba sur la pièce. Ils regardaient tous dans la même direction.

Le bloc-notes sur lequel le jeune homme avait gribouillé.

Sur la feuille était dessiné un édifice à quatre étages avec une rangée de lucarnes sur le toit. Un grand portail et de nombreuses fenêtres.

Derrière l'une d'elles, on apercevait une silhouette humaine.

55

Il aurait voulu s'excuser auprès d'elle.

Malheureusement, après la brève réunion dans le bureau où s'était déroulé l'interrogatoire – il jouissait encore de son petit triomphe sur Joanna Shutton –, il l'avait perdue de vue. Elle était sans doute retournée aux Limbes ou rentrée chez elle. Ou alors, plus vraisemblablement, elle s'était défilée parce qu'elle ne voulait pas lui parler.

Comment avait-il pu évoquer la fille de Mila pendant leur conversation dans le couloir ? Il avait été cruel. Il n'en avait aucun droit.

Pourtant, Simon Berish était convaincu d'avoir touché un point sensible. Autrement, pourquoi la policière lui aurait-elle révélé autant de choses sur elle ? Pourquoi lui parler du SDF à qui elle apportait à manger, pourquoi lui suggérer qu'elle surveillait sa fille à distance ? Pourquoi lui avoir avoué ses propres péchés ?

Tout le monde veut parler à Simon Berish.

Cela valait pour Mila, et aussi pour Michael Ivanovič.

En rentrant dans l'appartement qu'il partageait avec Hitch, l'agent spécial entendait toujours la voix du pyromane.

Qu'y a-t-il dans le feu, Michael ?

Tout ce que quelqu'un veut voir.

Berish jeta ses clés sur la table et, sans allumer la lumière, se laissa tomber dans le fauteuil en cuir à côté de la fenêtre. La lueur froide et spectrale d'un lampadaire l'éclairait de l'extérieur. Il desserra sa cravate et retira ses chaussures. Hitch se blottit à ses pieds.

Il devait téléphoner à Mila. En plus de vouloir s'excuser, il avait quelque chose à lui dire. Il n'avait pas été tout à fait sincère avec les autres, dans le bureau : le dessin sur le bloc-notes n'était pas le seul résultat de l'interrogatoire.

Les signes tatoués sur les bras d'Ivanovič lui avaient donné une idée. Ils étaient les symboles d'un langage spécial – la langue du feu, incisée sur la peau comme une sorte de hiéroglyphe à interpréter. Et Berish avait parlé avec lui en utilisant le même geste invisible.

Qu'est-ce que ton maître t'a dit d'autre ?

Que parfois, il faut aller au bout de l'enfer pour se connaître soi-même.

L'homme qui parlait n'était pas le Michael Ivanovič qui tentait de se faire passer pour fou, Berish en était certain.

Et qu'y a-t-il au bout de l'enfer, Michael ?

Vous êtes superstitieux, agent ?

C'était cette question qui avait constitué le déclic. Une question impromptue, hors de son contexte. Le pyromane essayait de lui adresser un message. Mais c'était la voix de Kairus qui parlait à travers lui.

Non, pas moi. Pourquoi ?

Parfois, quand on connaît le nom du démon, il suffit de le prononcer pour qu'il accoure.

L'agent spécial était convaincu que ces phrases délirantes permettraient d'identifier le bâtiment qu'Ivanovič avait dessiné quasi sans s'en rendre compte. Surtout, il devait découvrir qui était la silhouette humaine qui apparaissait à l'une des fenêtres.

Dans la pénombre de son appartement, Berish entendit un bruit d'eau battante. La pluie aurait dû laver ses pensées, mais elle les faisait renaître.

Avec l'eau, le souvenir ressurgit du passé.

Les lumières du vieil immeuble du quartier populaire étaient éteintes. L'orage avait commencé vers 18 heures, tout s'était assombri. Sylvia avait beaucoup de fièvre et Simon avait dû sortir acheter des antibiotiques. En général c'était Gurevich qui s'en occupait – Joanna avait raison, le nouveau était débrouillard. Il faisait les courses, payait les factures et restait parfois dîner. Berish le faisait passer pour son petit frère.

Cette fois, c'était une urgence.

Simon était convaincu que c'était sa faute. Il aurait dû contrôler l'armoire à pharmacie. Elle contenait des bandes de gaze, des pansements, de l'aspirine et des anti-inflammatoires, mais pas d'antibiotiques. Laisser Sylvia seule représentait un risque mais, à cause de l'orage, Gurevich était coincé dans les embouteillages et il ne serait pas là avant deux heures.

Sylvia avait déliré tout l'après-midi. Au début, Simon s'était arrangé avec ce qu'ils avaient à la maison – un linge frais sur le front et du paracétamol. Cela n'avait pas aidé : son état empirait.

Ainsi, en manches de chemise sous son parapluie, il courut jusqu'au bout de la rue, où se trouvait la pharmacie de quartier. Il attendit son tour sans quitter la vitrine des yeux : de là il voyait en partie l'entrée de l'immeuble, mais il n'aurait pas pu voir si quelqu'un s'introduisait chez eux par la fenêtre. C'était cela, qui l'inquiétait.

Après avoir payé, il rentra sans même prendre le temps d'ouvrir son parapluie. Il arriva complètement trempé. Il monta les quelques marches le cœur battant, craignant que ses pires cauchemars attendent son retour derrière la porte. Il ouvrit et fonça vers la chambre à coucher.

Elle n'y était pas.

D'instinct il posa sa main sur son pistolet, parce que la panique l'empêchait de raisonner. Il aurait voulu crier son nom, mais n'en fit rien. La pluie inondait littéralement l'appartement. Il la trouva dans le salon.

Sylvia était debout devant la fenêtre, sa chemise de nuit collait à sa peau tellement elle transpirait. Elle ne l'avait pas vu entrer. Elle tenait le combiné des deux mains, comme s'il était très lourd.

Elle était au téléphone.

Au début, Simon ne saisit pas la signification de la scène. Il s'approcha et comprit qu'elle ne parlait pas. Elle écoutait.

— Qui est-ce ? demanda-t-il, alarmé.

Elle sursauta. Elle se tourna vers lui – le front moite, le regard fébrile, elle tremblait.

— Ça a sonné et je me suis levée pour répondre, mais il n'y avait personne.

Il lui prit délicatement le combiné des mains et entendit la tonalité, occupé. Il la ramena au lit, convaincu que ce coup de téléphone était le fruit de son délire.

Ça te dirait d'avoir une nouvelle vie ?

Sylvia avait-elle entendu cette phrase au téléphone ce soir-là ? Était-ce la voix de Kairus qui pénétrait le cœur d'une jeune femme chahutée par l'existence ? Était-ce le Maître de la nuit qui l'avait convaincue de se fier aux ombres en se rendant dans la chambre 317 de l'hôtel Ambrus ?

Dans son fauteuil, des années plus tard, Simon Berish retrouvait le tourment confortable d'une obsession qui, comme une vieille amie, venait poliment frapper à sa porte.

En échange, il lui offrait de l'espoir. Un espoir douloureux et insensé.

Quelques années auparavant, alors qu'il avait appris à vivre avec la disparition de Sylvia, un soir quelconque d'une semaine quelconque d'un mois quelconque, le téléphone avait sonné. Le son d'un orage lui avait répondu. Son premier instinct avait été de regarder par la fenêtre et, après avoir constaté que la lune brillait, il avait compris que la pluie était lointaine – très lointaine.

Au milieu du déluge, il lui avait semblé entendre une respiration.

Puis la ligne avait été coupée, le laissant seul avec une question atroce. Une vibration sous sa peau lui avait dit que oui, c'était elle. Elle avait voulu lui rappeler un soir de fièvre et d'eau battante.

Depuis, Berish avait cessé de se résigner. La possibilité qu'elle soit vivante et en bonne santé aurait dû le consoler. Dans le fond, une de ses nombreuses prières avait été exaucée. Mais cela avait amené une nouvelle question dans sa vie.

Pourquoi n'est-elle pas restée avec moi ?

Dans la pénombre de son appartement, éclairé uniquement par le lampadaire de la rue, Berish se sentit soudain fatigué. Mais aussi très proche de connaître l'ensemble du dessein.

Qu'est-ce que ton maître t'a dit d'autre ?

Que parfois, il faut aller au bout de l'enfer pour se connaître soi-même.

Et qu'y a-t-il au bout de l'enfer, Michael ?

Vous êtes superstitieux, agent ?

Non, pas moi. Pourquoi ?

Parfois, quand on connaît le nom du démon, il suffit de le prononcer pour qu'il accoure.

Il accourt. Mais quand Michael Ivanovič avait disparu, à l'âge de six ans, il était trop petit pour connaître le nom du démon. Trop innocent pour que quelqu'un lui demande s'il voulait changer de vie ou même pour le désirer. Et trop jeune pour se rendre seul dans la chambre 317 de l'hôtel…

À ce moment-là, l'agent spécial eut une intuition. Seulement, pour la vérifier, il fallait attendre le lendemain.

« Ce n'est pas ma mère », avait dit Ivanovič durant l'interrogatoire quand il avait évoqué la femme.

Berish avait noté que cette affirmation contenait de la rancœur – de la haine palpable. Mais, surtout, il ne comprenait pas pourquoi Michael avait besoin de cette précision.

Seule sa véritable mère pouvait en connaître la raison.

L'agent spécial décida d'appeler Mila le lendemain pour tout lui expliquer. Il lui demanderait de l'accompagner, pour savoir. Et durant le trajet, il trouverait la façon de s'excuser.

Le flic paria était certain qu'elle, au moins, lui pardonnerait.

56

Elle avait soudain eu envie de voir Alice.

Les dernières heures, Mila avait senti monter en elle l'angoisse absurde de la perdre. Elle ne savait pas d'où cela venait. C'était la première fois.

Elle appuyait sur l'accélérateur de sa Hyundai vers la maison de sa mère, avec une urgence différente de la fois où elle s'y était précipitée à cause d'une stupide hallucination. Elle voulait trouver Alice encore éveillée. Elle ne repartirait pas avant de l'avoir vue. Quelques minutes lui suffisaient.

Mila ne s'était jamais sentie adaptée pour ce rôle, mais après sa discussion avec Berish et sa rencontre avec Ivanovič elle avait décidé de croire que ses erreurs n'étaient pas irrémédiables.

Ce n'est pas ma mère.

Ainsi avait parlé Michael. La femme qu'il rejetait aujourd'hui n'était coupable de rien, s'il avait été enlevé à l'âge de six ans. Ou peut-être, au contraire, que les parents sont toujours coupables de ce qui arrive à leurs enfants, pour la simple raison qu'ils leur ont donné naissance dans ce monde obscur, sans pitié et irrationnel où seul le mal semble avoir un sens.

Mila conduisait mais ne voyait ni la route, ni les voitures, ni les maisons. Le pare-brise était devenu un écran à souvenirs, ses yeux projetaient sur la vitre des images qui venaient de loin.

Sans le mal qui avait frappé sept ans plus tôt, Alice ne serait pas née. Si des fillettes n'avaient pas été enlevées et tuées, si des parents n'avaient pas perdu ce qu'ils avaient de plus cher, Mila n'aurait pas connu le futur père de sa fille. C'était le Chuchoteur qui les avait jetés dans les bras l'un de l'autre.

Il avait fait d'eux une famille.

Il en avait été l'artisan, il avait tout prévu. Ils avaient suivi son dessein et Alice était née. Mila restait loin d'elle pour la protéger et parce qu'elle ne voulait pas savoir si le Chuchoteur avait aussi imposé le baptême de l'ombre à sa fille.

L'Hypothèse du mal valait également pour elle. Surtout pour elle.

La lionne qui tue les bébés zèbres pour nourrir les siens est-elle bonne ou mauvaise ? Le meurtre des enfants innocents grâce auquel Alice était venue au monde était-il un événement positif ou négatif ?

Si Mila avait accepté d'être mère – être proche de sa fille, s'occuper d'elle, vivre avec elle comme une famille normale –, elle aurait également dû admettre que le mal qui avait été fait représentait le prix à payer pour le bonheur.

Mila ne pouvait pas être heureuse. Son incapacité à éprouver de l'empathie l'empêchait de savoir ce qu'elle perdait. Mais Alice avait le droit d'être heureuse de sa vie. Elle n'avait rien à voir là-dedans. Même si, avant cet après-midi, avant la dernière semaine, Mila ne l'avait pas compris. Maintenant, elle courait la voir pour tenter de se rattraper.

Ce soir-là, la regarder sur un écran ne lui suffisait plus.

Les lumières de la maison étaient encore allumées. Elle parcourut l'allée et, pour entrer, récupéra la clé sous le pot de bégonias.

À l'intérieur flottait une odeur de biscuits.

Sa mère sortit de la cuisine. Elle portait un tablier et avait les doigts collants de pâte.

— On ne t'attendait pas, dit-elle, suspicieuse.

— Je ne resterai pas longtemps.

— Tu ne nous déranges pas ! Je prépare des biscuits au chocolat parce que Alice a un pique-nique avec l'école, demain, elle doit se lever tôt.

— Alors elle est déjà couchée.

— Que se passe-t-il ? demanda Inès qui perçut sa déception.

— C'est au sujet du problème d'Alice… J'ai peur qu'il s'agisse d'une forme d'autisme.

Maintenant que sa fille s'inquiétait enfin, Inès se sentit le devoir de la rassurer.

— Elle va bien.

— J'espère que tu as raison. Dans ce cas, le manque de perception du danger devrait s'atténuer avec l'âge. Quoi qu'il en soit, il faut attendre. Entre-temps, il faut veiller sur elle. Je ne veux pas qu'elle essaye de faire l'acrobate sur le toit ou qu'elle mette le feu à la maison.

— Ça n'arrivera pas. Pourquoi ne vas-tu pas la voir ? Tu peux l'embrasser dans son sommeil.

Mila fit quelques pas, mais s'arrêta.

— Quand papa est mort et que l'on s'est retrouvées seules, comment tu as fait pour ne pas craquer ?

Inès s'essuya les mains sur son tablier et s'appuya contre le montant de la porte.

— J'étais jeune et sans expérience. Ton père était plus doué que moi pour prendre soin de toi. Je disais pour plaisanter que c'était lui qui aurait dû être ta mère. Après sa mort, je n'arrivais pas à accepter cette perte. Je me suis couchée et j'ai cessé de m'occuper de nous, de toi. Ma douleur était l'alibi parfait : ton père n'était plus et moi je n'étais pas une très bonne mère. Tu l'as peut-être oublié, mais certains jours j'avais du mal à descendre les escaliers.

Mila s'en souvenait, mais elle ne dit rien.

— Je savais qu'il n'était pas juste que tu supportes avec moi le poids des souvenirs dans cette maison vide. Et, surtout, que tu assistes une mère qui avait décidé de s'enterrer vivante.

— Pourquoi tu ne m'as pas confiée à quelqu'un ?

— Parce qu'un matin tu es entrée dans ma chambre et tout a changé. Tu t'es plantée devant le lit et tu as déclaré : « Je me fiche que tu sois triste, j'ai faim et je veux mon *satané* petit déjeuner. »

Elles éclatèrent de rire. Inès ne jurait jamais, elle tenait trop aux apparences. Mila trouva très étrange de l'entendre employer ce mot.

La femme s'approcha de sa fille et lui fit une caresse avec le dos de sa main couverte de farine.

— Je sais que tu n'aimes pas être touchée, mais fais une exception, cette fois. Je t'ai raconté ça parce que ça t'arrivera, à toi aussi. Un jour Alice te surprendra avec une phrase ou un geste. Alors tu la reprendras avec toi. Jusque-là, je m'en occuperai. Disons qu'il s'agit d'un prêt.

Mère et fille se regardèrent. Mila aurait voulu remercier Inès pour son récit et ses paroles de réconfort mais c'était inutile, Inès le savait déjà.

— Il y a un homme, affirma-t-elle. Je ne le connais pas depuis longtemps, mais…

— Mais il t'a fait réfléchir.

— Il s'appelle Simon, c'est un policier. Je ne sais pas, mais je crois que peut-être… C'est la première fois depuis longtemps que je me sens aussi proche de quelqu'un. C'est sans doute parce que nous travaillons ensemble. Je crois que je lui fais confiance. Je ne faisais plus confiance à personne.

— C'est bien pour toi. Et sans doute aussi pour Alice.

Mila acquiesça, reconnaissante.

— Je vais la voir.

La petite chambre d'Alice, au bout du couloir, était plongée dans une pénombre ambrée. Mila pensait qu'elle dormait mais, arrivée à un mètre de la porte, elle s'arrêta car elle reconnut sa voix.

Elle la vit dans le miroir de l'armoire, assise sur le lit, en train de parler à sa poupée rousse.

— Moi aussi je t'aime, lui disait-elle. Tu verras, on sera toujours ensemble.

Mila s'apprêtait à entrer, mais elle changea d'avis.

Les enfants qui jouent seuls sont comme les somnambules, il ne faut pas les réveiller. Le retour à la réalité peut être traumatique, le charme de leur innocence risque de se briser pour toujours.

Elle écouta donc Alice qui prenait soin de sa Miss. Une attitude que la fillette n'avait pas apprise d'elle.

— Je ne te laisserai pas seule. Je ne suis pas comme ma maman, je serai toujours avec toi.

La phrase frappa Mila comme un coup de poing dans le sternum. Aucune des blessures qu'elle s'infligeait n'aurait pu lui provoquer autant de douleur. Seules les paroles d'un enfant possédaient ce pouvoir de destruction.

— Bonne nuit, Miss.

Mila regarda Alice se glisser sous les couvertures avec la poupée et la serrer contre elle. Elle se sentait paralysée, le souffle lui manquait. Dans le fond, la fillette avait décrit la réalité, ni plus ni moins. Sa mère l'avait abandonnée. Pourtant, entendre les mots de sa bouche était différent. Elle aurait pleuré, si elle avait su comment faire. Mais ses yeux restaient secs et la brûlaient.

Quand elle put enfin bouger, elle parcourut à grands pas le trajet jusqu'à la sortie. Elle ne salua même pas Inès qui, depuis la cuisine, la vit passer, bouleversée, et entendit la porte claquer.

Elle gara sa Hyundai sur une place non autorisée – peu lui importait. Elle marcha vers chez elle avec un unique objectif. Sous son lit était caché un sachet en papier qui contenait le matériel nécessaire.

Désinfectant, coton et, surtout, un paquet de lames de rasoir.

Les géants sur le panneau publicitaire de l'immeuble d'en face saluèrent son passage. Le SDF dans la ruelle leva les yeux vers elle, attendant sa pitance, mais Mila l'ignora.

Elle ouvrit la porte de son immeuble avec frénésie. Pourtant, il était essentiel de garder la main bien ferme sur la lame. Elle monta les marches quatre à quatre et se retrouva dans le secret de son appartement. Les livres qui envahissaient les pièces devinrent muets – ils ne contenaient plus ni histoires ni personnages, juste des pages blanches. Elle alluma la lampe de chevet sans retirer son blouson. Son seul véritable désir était de s'écorcher. Ressentir ce que, au cours de cette année, elle avait tenté de remplacer par de la peur. Regarder l'acier plonger dans la chair de l'intérieur de sa cuisse. Sentir sa peau se déchirer comme un voile, le sang jaillir comme un baume chaud.

Atténuer la douleur par la douleur.

Elle se pencha sous le matelas pour récupérer le sachet – dans quelques secondes tout serait prêt pour oublier Alice. Il était à l'endroit où elle l'avait caché quand elle avait démarré cet étrange régime, à jeun de son propre sang.

Elle tendit la main. Encore un effort, elle l'atteignit du bout des doigts. Quelques centimètres, elle le tira vers elle et l'ouvrit.

Mais ce qu'elle y trouva n'était pas le nécessaire pour se blesser.

Mila observa l'étrange objet dans sa main, sans se demander comment une boule en laiton accrochée à une clé avait atterri à cet endroit.

La clé de la chambre 317 de l'hôtel Ambrus.

57

Édith Piaf chantait *Les Amants d'un jour.*

Le hall plongé dans la pénombre safran était désert : ni clients, ni le vieux monsieur de couleur à la veste à carreaux assis sur le canapé en cuir, ni le maigre portier avec les cheveux poivre et sel en brosse, l'anneau doré à l'oreille gauche et les tatouages passés d'ancienne rock star.

Seule la musique habitait la pièce. Aussi poignante qu'un souvenir oublié, aussi apaisante qu'une berceuse.

Mila avança jusqu'à l'ascenseur. Elle appuya sur le bouton et attendit que la cabine vînt la chercher.

Elle monta au troisième étage et prit le couloir. Les portes laquées de noir défilaient. Elle aperçut celle qui l'intéressait.

Trois chiffres de métal bruni. *317.*

Mila sortit de la poche de son blouson la clé accrochée à la boule en laiton. Elle la fit tourner dans la serrure. La porte s'ouvrit, laissant l'obscurité sortir.

Elle franchit le seuil et tendit la main vers le mur pour chercher l'interrupteur. Le lustre au-dessus du lit s'alluma – l'âme de tungstène des vieilles ampoules à incandescence grésillait en produisant une lumière opaque.

Le papier peint rouge foncé, la moquette de la même couleur où les gigantesques fleurs bleues semblaient flotter. Les deux tables de nuit. Sur l'étagère en marbre gris de celle de droite, à côté d'un téléphone noir, en correspondance avec l'ombre sur le mur laissée au fil des ans par un crucifix qui avait été enlevé, il y avait quelque chose pour elle.

Un cadeau du Maître de la nuit.

C'est de l'obscurité que je viens, c'est à l'obscurité que de temps en temps je dois retourner.

Un verre d'eau et deux comprimés bleu ciel.

58

Son portable sonnait dans le vide.

Peut-être qu'elle ne voulait pas lui parler parce qu'elle était en colère. C'est compréhensible, pensa Berish. Il le méritait. Il aurait pu passer aux Limbes pour clarifier la situation, parce qu'à cette heure il était improbable que Mila soit chez elle.

Mais l'agent spécial s'était levé tard, et uniquement parce que Hitch réclamait de sortir pour faire ses besoins.

Il s'était endormi sur le vieux fauteuil à côté de la fenêtre, tout habillé. Maintenant une douleur lui traversait le milieu du dos, sans parler des muscles de son cou.

Il ne se rappelait pas avoir dormi aussi profondément depuis des années, comme si son organisme était entré en hibernation, malgré sa position inconfortable. Et puis, il n'avait pas rêvé.

Les douleurs diffuses mises à part, il était en grande forme.

Après une douche rapide il avait enfilé un costume bleu et bu un café. Il était 11 heures du matin. L'automne arrivait. Berish avait rempli la gamelle et l'écuelle de Hitch. Cette fois, il ne pouvait pas l'emmener.

Il avait appelé un taxi pour vérifier l'intuition qui l'avait saisi la nuit précédente, avant que la fatigue n'ait raison de lui.

Il aurait préféré que Mila l'accompagne, mais sa collègue avait sans doute besoin de laisser retomber sa rage. Il ne savait pas comment se comporter, il ne la connaissait pas depuis assez longtemps.

Quand il se présenterait aux Limbes avec le résultat qu'il espérait obtenir dans l'heure, Mila oublierait les raisons de leur discorde. En réalité, Berish ne s'en souvenait pas, peut-être n'y avait-il pas de vraie raison. Cela arrive, parfois.

Le taxi s'arrêta devant un immeuble blanc. Un drapeau flottait au bout d'une hampe plantée dans la pelouse à l'anglaise. Le tintement de ses anneaux fut le seul bruit qu'il entendit en descendant de la voiture. Il paya le chauffeur et entra dans l'établissement de soins.

C'était un bel endroit qui ne ressemblait pas à un hospice. Derrière le bâtiment principal se déployait un village de cottages blancs aux finitions bleu cobalt.

À la réception, on lui avait indiqué celui où vivait la mère de Michael Ivanovič, et maintenant Berish parcourait les allées à la recherche de la bonne porte.

Il frappa et prépara son insigne. Au bout de quelques secondes, elle s'ouvrit.

La femme qui l'accueillit était assise dans un fauteuil roulant. Elle posa les yeux sur son insigne.

— J'ai déjà tout dit à vos collègues. Allez-vous-en.

— Attendez, madame Ivanovič. C'est important.

Il avait sorti la première chose qui lui passait par la tête et prit conscience trop tard qu'il aurait dû préparer une excuse.

— Mon fils est un assassin, je ne l'ai pas vu depuis vingt ans. Qu'y a-t-il d'important ?

La porte allait se refermer. Ne sachant comment freiner la dynamique qui s'était mise en œuvre, Berish regretta l'absence de Mila. Les années passées à éviter le monde et à être évité l'avaient rendu incapable d'interagir avec son prochain, hormis lors des interrogatoires.

— J'ai parlé à votre fils hier. Je crois que Michael veut vous envoyer un message...

Il mentait. En réalité, Ivanovič avait été on ne peut plus clair.

Ce n'est pas ma mère.

La porte s'arrêta à quelques centimètres de son visage. La femme la rouvrit lentement et le regarda avec le désir angoissé de savoir.

Elle cherche un pardon que je ne peux lui offrir, se dit Berish avant d'entrer.

Mme Ivanovič fit rouler son fauteuil jusqu'au coin opposé du séjour, tandis que l'agent spécial refermait la porte derrière lui.

— Ils sont venus hier soir, ils m'ont expliqué que Michael était revenu. Et ils m'ont raconté ce qu'il a fait, sans aucune considération pour moi qui suis sa mère.

La femme avait une petite cinquantaine d'années mais paraissait bien plus. Ses cheveux gris étaient courts, presque rasés. Son lieu de vie lui ressemblait. Fonctionnel, comme une chambre d'hôpital, essentiel, comme une prison.

— Je peux m'asseoir ? demanda Berish en indiquant le canapé recouvert d'une toile cirée.

Mme Ivanovič acquiesça.

L'agent spécial n'était pas certain de posséder les mots pour la consoler ou la rassurer. D'ailleurs, cela aurait été inutile : la rage dans le ton de cette femme était trop évidente.

— J'ai lu le dossier sur la disparition de votre fils. La scène de Michael qui se fait enlever sur une balançoire à six ans doit encore vous faire frissonner.

— Je me demande pourquoi vous pensez tous ça. Vous voulez savoir ce qui me hante le plus ?... Si je m'étais retournée un instant plus tôt, ça ne serait pas arrivé. La cabine téléphonique d'où j'appelais était à dix mètres de distance. Il aurait suffi d'une fraction de seconde – un mot de moins dans cette maudite conversation. On nous apprend à compter les secondes, les minutes, les heures, les jours, les années... mais personne ne nous explique la valeur d'un instant.

Cette concession au sentimentalisme était peut-être le signe que la femme allait s'ouvrir à lui.

— À l'époque, vous et votre mari étiez en train de vous séparer.

— Il avait choisi une autre femme, oui.

— Votre mari aimait Michael ?

— Non. Alors, quel est le message de mon fils ?

Berish prit une revue sur la table, un crayon dans la poche de sa veste et reproduisit dans un coin de la couverture le dessin que Michael Ivanovič avait fait sur son bloc-notes durant l'interrogatoire.

— Hé, que faites-vous à mon magazine ?

— Je suis désolé, c'est nécessaire.

Il compléta le bâtiment rectangulaire à quatre étages avec la rangée de lucarnes sur le toit, le grand portail et les nombreuses fenêtres. Il plaça aussi la silhouette humaine derrière l'une d'elles. Puis il tendit le résultat à la femme.

Elle l'observa un instant avant de le lui rendre.

— Qu'est-ce que c'est censé représenter ?

— J'espérais que vous pourriez me le dire…

— Je ne sais pas ce que c'est.

Berish comprit qu'elle n'était pas sincère.

— En dessinant cela, Michael a prononcé des phrases en apparence sans aucun sens.

— On m'a dit qu'il était peut-être devenu fou. S'il tue et brûle les gens, c'est sans doute vrai.

— Moi je pense qu'il veut nous le faire croire. Quand je lui ai demandé ce qu'il y avait dans le feu, il m'a répondu qu'il y a tout ce que quelqu'un veut voir. Cette phrase m'a fait réfléchir, vous savez pourquoi ?

— Je ne sais pas, mais je suis convaincue que vous allez me le dire.

Le mur qu'elle avait érigé avec les années était solide.

— On se contente toujours des apparences, on ne regarde pas ce qu'il y a derrière la flamme. La flamme cache quelque chose, madame Ivanovič.

— C'est-à-dire ?

— C'est-à-dire que parfois il faut aller au bout de l'enfer pour connaître la vérité sur soi-même.

La femme écarquilla les yeux, l'espace d'un instant Berish crut reconnaître l'expression de son fils.

— Vous savez ce qu'il y a au bout de l'enfer, madame Ivanovič ?

— J'y vis tous les jours.

— De quoi vous occupiez-vous avant que…

— J'étais médecin légiste. Belle ironie, n'est-ce pas ? J'ai travaillé dix ans avec les cadavres. Les gens meurent tout le temps, sans même savoir comment. J'en ai vu de belles… Dans cette vie il y a plus de diables qu'en enfer. Vous êtes policier, vous savez de quoi je parle.

— Parfois, quand on connaît le nom du démon, il suffit de le prononcer pour qu'il réponde, dit Berish, citant une fois encore Michael Ivanovič.

— Jouez-vous à défier Dieu ou le diable ?

— Avec le diable on ne peut pas gagner.

Un long silence s'installa.

— Vous êtes superstitieuse, madame Ivanovič ?

— Qu'est-ce que c'est que cette question ?

— Je ne sais pas, votre fils me l'a posée aussi et je n'ai su que répondre. C'était la dernière partie de son message.

— Vous vous êtes payé ma tête. Ce qu'il a dit, ce dessin… aucun rapport avec moi. Que voulez-vous réellement ?

Berish se leva. La femme recula dans son fauteuil roulant.

— Vous voyez… avant de venir ici, ce matin, je n'étais pas certain de votre implication, mais quand vous avez ouvert la porte vous m'avez apporté une confirmation.

— Allez-vous-en.

— Dans une minute. Kairus entrait dans l'existence de ses victimes par le biais du téléphone.

— Qui est Kairus ?

— Vous préférez que je l'appelle le Maître de la nuit ? Quoi qu'il en soit, il contactait par téléphone des personnes totalement désespérées à qui il proposait une vie meilleure. Je me suis demandé comment il avait fait avec Michael… À six ans, il était trop petit pour comprendre ce qui était mieux pour lui. Donc il a dû l'enlever. Mais pourquoi courir un tel risque alors que les autres disparus – les insomniaques – s'étaient remis spontanément à lui ? Il devait avoir une excellente raison…

— Vous délirez.

— Michael a une malformation congénitale connue sous le nom de *situs inversus*, qui est également la cause d'une grave cardiopathie.

— Oui, et alors ?

— Vous et votre mari étiez en procédure de divorce, le père de Michael s'apprêtait à fonder une nouvelle famille où, probablement, il n'y aurait pas eu la place pour un enfant malade. Mais vous n'auriez pas pu vous en occuper, n'est-ce pas ? Je suppose qu'à l'époque vous aviez déjà les premiers signes de la grave pathologie dégénérative qui vous contraint à garder le fauteuil aujourd'hui.

La femme se tut, perdue.

— Michael aurait eu besoin d'une assistance permanente. Sans famille pour s'occuper de lui, il aurait fini dans une institution – qui aurait voulu l'adopter ? En outre, son état nécessitait des soins coûteux. Vous avez étudié la médecine, vous étiez parfaitement en mesure de prévoir ce qui allait se passer. Sans les ressources économiques nécessaires, combien d'années votre enfant aurait-il survécu ?

La femme éclata en sanglots.

— Mais un jour un appel arrive, une voix inconnue. L'homme à l'autre bout du fil gagne votre confiance par un discours sensé. Il vous redonne de l'espoir. Vous ne savez pas qui il est mais il est votre seul ami et il vous pose une question : « Ça te dirait, une autre vie… pour ton fils ? » Et vous, madame Ivanovič, qu'avez-vous fait ? Ce qui vous a semblé le plus juste à ce moment-là : vous l'avez accompagné à la chambre 317 de l'hôtel Ambrus, vous lui avez fait prendre un somnifère et vous avez attendu qu'il s'endorme. Puis vous êtes partie, sachant que vous ne le reverriez pas. Et vous avez inventé l'histoire de la balançoire.

Les larmes coulaient sur le visage de la femme.

— Je suis profondément désolé pour vous, madame Ivanovič. Ça doit être terrible pour une maman.

— Quand on risque de perdre quelque chose, on n'arrive pas à se faire une raison. Quand on risque de tout perdre, on s'aperçoit qu'en réalité on n'a rien à perdre… J'espérais mourir vite, mais je suis toujours là.

La présence de Berish était désormais inopportune. Que savait-il de ce drame, lui qui n'avait pas d'enfants ? Il lui avait même menti pour justifier sa présence.

Ce n'est pas ma mère.

La phrase méprisante de Michael résonnait toujours dans sa tête. Si seulement il avait su ce que cette femme avait fait pour lui, de quoi elle s'était privée… En fait, son fils la condamnait peut-être parce qu'il le savait. En tout cas, Berish ne pouvait pas se permettre de ressentir trop de pitié pour elle. Il ne voulait pas quitter la pièce avant d'avoir toutes les réponses.

— Comme je vous disais, poursuivit-il, Kairus a couru un gros risque en choisissant un enfant – on le sait, les gens s'attachent aux enfants disparus, ils adoptent ceux dont la photo figure sur les briques de lait, et ils ne se résignent pas facilement… Donc, si Kairus a tout de même pris ce risque et laissé un témoin qui aurait pu changer d'avis et tout raconter à la police… il devait avoir une bonne raison.

La femme secoua la tête.

— Que vous a-t-il demandé en échange, madame Ivanovič ?

La mère de Michael baissa les yeux sur la couverture de la revue avec le dessin.

— Je ne pensais pas qu'il s'en souviendrait, après tout ce temps… Vous comprenez, agent ? Mon fils ne m'a pas oubliée. Ce bâtiment se trouvait juste devant le jardin où je l'emmenais souvent.

À la stupeur de Berish tout se reconnectait, comme dans un cercle parfait. Le petit parc avec la balançoire où Michael avait disparu, l'angoisse d'une mère, le dessin du pyromane durant l'interrogatoire. L'agent spécial souleva la revue où il avait reproduit l'édifice et le montra une nouvelle fois à la femme.

— Quel est cet endroit ?

— Quand j'étais encore médecin légiste, j'ai passé dix ans de ma vie enfermée entre les murs de cette morgue, admit la femme.

Berish s'approcha et lui posa une main sur l'épaule.

— Ce n'est pas votre faute si Michael est devenu un monstre. Mais on peut encore arrêter celui qui lui a fait ça… Que voulait Kairus, il y a vingt ans ?

— Un corps.

59

Il n'était pas certain de résister à la tension.

Il était tout proche du but. Il était impatient de faire part de sa découverte à Mila. En regardant à travers ses yeux, Berish aurait eu la confirmation que tout était vrai.

L'agent spécial ne tenait pas en place sur la banquette du taxi qui le conduisait au département, l'adrénaline courait dans ses veines. Il avait renoncé à appeler Mila sur son portable, la vérité qu'il détenait nécessitait un récit détaillé.

Il avait fallu vingt ans. Maintenant, il ne pouvait plus attendre.

Entre-temps, il élaborait des scénarios. Certains avaient du sens, d'autres moins. Toutefois, il était convaincu que chaque pièce du puzzle finirait par trouver sa place.

L'auteur de la grande tromperie – le Magicien, l'Enchanteur des rêves, le Maître de la nuit ou encore Kairus – était un esprit subtil et sans scrupule.

Pourtant, il pouvait encore le battre.

L'agent spécial se fit déposer à proximité de la place à la grande fontaine où se trouvait le siège de la police fédérale.

Les vitres en verre du bâtiment reflétaient le soleil du début d'après-midi dans le ciel strié de quelques rares nuages blancs. Le vendredi était notoirement le jour le plus calme de la semaine, il s'était toujours demandé pourquoi. Peut-être flics et criminels faisaient-ils une pause en vue de la charge de travail du week-end. Malgré cela, le va-et-vient des agents était incessant.

Berish se mêla au flux et se dirigea vers la porte principale.

En progressant vers l'entrée, il s'aperçut que les gens se retournaient sur son passage – comme une chorégraphie de tournesols à la recherche d'un rayon de soleil, les yeux se déplaçaient dans sa direction.

Ses collègues, qui d'habitude l'ignoraient, le regardaient. Il n'y avait rien de particulier dans leurs yeux, sinon que la froideur avait cédé la place à la stupeur.

Quand les regards se multiplièrent de façon suspecte, d'instinct Berish ralentit.

Une voix dans son dos cria quelque chose, mais au début il ne comprit pas à quoi elle se référait. Il regarda autour de lui, craintif, comme tous les autres.

— Arrête-toi, Berish, répéta la voix en ajoutant son nom.

L'agent spécial se retourna et vit Klaus Boris qui avançait vers lui, les bras tendus. Vraiment, il le menaçait de son arme ?

— Ne bouge pas !

Berish eut juste le temps de lever les mains. Des policiers se jetèrent sur lui pour lui passer les menottes.

60

Dans la salle des interrogatoires, le silence était utilisé comme instrument de torture.

Une torture invisible : aucune loi ne l'interdisait.

Simon Berish se retrouvait enfermé dans la même salle que Michael Ivanovič quelques heures plus tôt. À la différence des autres détenus, il savait pourquoi les murs étaient doublés d'isolant phonique. Le principe était celui de la « chambre sourde » où les sons ne pénètrent pas. L'organisme pourvoit à cette absence en créant des bruits artificiels – acouphènes, tintements. Avec le temps, il devient de plus en plus difficile de distinguer la réalité de l'imagination.

À la longue, cet état rend fou.

Mais Berish savait qu'il ne resterait pas seul longtemps. Il mettait donc le silence à profit pour réfléchir.

Il se demandait de quoi on l'accusait, mais ne trouvait pas de réponse. Il attendait, assis, que quelqu'un vienne occuper l'autre côté de la table et lui fournisse enfin des explications. Entre-temps, il faisait de son mieux pour sembler à l'aise – mais pas trop tout de même –, pour offrir un spectacle neutre aux caméras qui le scrutaient de tous les coins. Il était certain qu'il n'y avait personne derrière le miroir sans tain.

Il connaissait trop bien les techniques d'interrogatoire pour ignorer que, avant de se montrer, ses collègues le feraient mariner quelques heures. Il devait tenir bon. Il ne demanderait ni à boire, ni à manger, ni à aller aux toilettes, parce que les requêtes étaient perçues comme des signes de faiblesse. Pour prouver qu'il était étranger à toute accusation, il devait bouleverser leurs plans.

Un suspect trop ou pas assez agité était presque certainement coupable. De même qu'un suspect qui demandait en permanence pourquoi il était là. Un suspect trop froid avouerait très vite, un calme risquerait la prison à vie. Les innocents étaient ceux qui faisaient tout cela ensemble. Mais en général, on ne les croyait pas. Le secret, c'était l'indifférence.

L'indifférence les désorientait.

Trois heures passèrent avant que la porte s'ouvrît. Klaus Boris et le Juge firent leur entrée, armés de dossiers et d'une expression déterminée.

— Agent Berish, annonça la chef du département, l'inspecteur Boris et moi-même avons quelques questions à vous poser.

— Si vous y avez réfléchi pendant tout ce temps, ça doit être sérieux, ironisa l'agent spécial.

En réalité, il avait peur.

— Tu as assez d'expérience avec les interrogatoires pour pouvoir nous tenir ici toute la nuit, dit Boris, on n'ira donc pas par quatre chemins. J'espère que tu nous simplifieras la vie en coopérant.

— Dans le cas contraire, Simon, on sera contraints d'interrompre la séance et de transmettre le dossier au procureur. Je t'assure qu'il y a de quoi t'incriminer.

— Alors pourquoi on est ici ? demanda Berish en riant.

— On sait tout, mais on veut te donner une dernière chance de gagner les circonstances atténuantes. Où est-elle ?

L'agent spécial se tut, il ne savait pas quoi dire.

— Que s'est-il passé la nuit dernière ?

Berish se demanda s'il avait vraiment fait quelque chose, oubliant qu'il avait dormi toute la nuit. Il garda le silence.

Joanna Shutton se pencha sur lui, juste au-dessus de son oreille. Berish sentit son haleine chaude et fut dérangé par son parfum douceâtre.

— Quel est ton rôle dans la disparition de l'agent Mila Vasquez ?

La question lui glaça le sang. Pas tant pour la vérité qu'elle annonçait, mais parce qu'il ne connaissait pas la réponse.

— Mila a disparu ?

Devant cette angoisse authentique, les deux autres se regardèrent.

— Hier soir elle a quitté bouleversée le domicile de sa mère, expliqua Boris. Plus tard, cette dernière l'a appelée chez elle, mais elle n'y était pas. Elle ne répond pas non plus à son portable.

— Je sais, j'ai essayé de l'appeler ce matin, dit Berish.

— Peut-être pour te procurer un alibi, insinua le Juge.

— Un alibi pour quoi ? Vous l'avez cherchée, au moins ? demanda Berish, énervé.

Ils l'ignorèrent. Boris s'assit en face de lui.

— Dis-moi, Berish, comment es-tu revenu à l'affaire Kairus ?

— C'est Mila Vasquez qui est venue me chercher, précisa Berish en faisant appel à toute la patience dont il disposait. J'ai collaboré avec elle la nuit de l'incendie de l'immeuble en briques rouges.

— Tu y étais ? demanda Joanna Shutton. Pourquoi tu ne t'es pas montré ? Pourquoi tu as laissé Mila Vasquez endosser seule la responsabilité des faits ?

— Parce qu'elle n'a pas voulu m'impliquer.

— Tu espères vraiment qu'on va te croire ? C'est toi qui l'as agressée, cette nuit-là, n'est-ce pas ?

— Quoi ? s'exclama Berish, stupéfait.

— Tu t'es emparé de son arme et tu as mis en scène l'agression.

— Il y avait quelqu'un dans l'immeuble, mais il s'est enfui. Vous avez constaté vous-mêmes qu'il existe un passage par les égouts.

Berish perdait le contrôle et il savait que ce n'était pas bon.

— Pourquoi se salir dans les égouts quand on peut sortir par la porte principale ? le titilla Boris.

— Qu'est-ce qui vous prend ?

— Tu es sûr que si on perquisitionne ton appartement, on n'y trouvera pas le pistolet de Mila ?

— Je ne comprends pas pourquoi vous insistez avec cette histoire de pistolet.

— Parce que, tu vois… Ce matin ils ont achevé l'inspection du lieu de l'incendie. Un corps humain n'aurait pas résisté à une telle température, ni du plastique, ni du papier. Mais du métal, oui. Or on n'a pas retrouvé le pistolet de Mila. Donc, où est-il ?

— Il va falloir inventer quelque chose de plus conséquent, si vous voulez vraiment m'attirer dans cette affaire, plaisanta Berish. Sinon, vous aurez gâché votre vendredi pour rien.

Une fois encore, les deux autres se regardèrent. L'agent spécial eut la désagréable sensation qu'ils détenaient quelque chose, en revanche. Et qu'ils jouaient avec lui pour placer leur carte gagnante au moment le plus opportun.

— Tu es celui qui a payé le plus cher les conséquences de l'affaire des insomniaques, affirma Joanna Shutton. Moi, Gurevich et même Stephanopoulos, nous nous en sommes sortis, nous avons fait carrière. Toi, tu t'es laissé impliquer sentimentalement, tu as cumulé les erreurs et tu es devenu le paria du département.

— Vous savez tous les deux ce qui s'est passé et qui est responsable des erreurs pour lesquelles j'ai payé, la défia Berish. Tu cherches un moyen pour me faire taire.

— Je n'ai pas besoin de ton silence sur Gurevich, affirma le Juge, sûre d'elle. Et je n'ai pas besoin de subterfuges pour te coincer. D'ailleurs, le fait que tu ne sois pas le véritable corrompu constitue un mobile parfait…

Berish était terrorisé, mais il ne devait pas le laisser transparaître.

— Mobile pour quoi ?

— C'est dur, de perdre l'estime de ses collègues. Subir leurs offenses, les entendre déblatérer sur ton compte. Pas dans ton dos, en plus, directement ! Cela fait mal, surtout quand on sait qu'on est innocent.

Où Joanna Shutton voulait-elle en venir ? Berish ne comprenait pas, mais cela sentait le roussi.

— On finit par nourrir du ressentiment, on a envie de le faire payer à tout le monde, tôt ou tard… conclut-elle.

— Vous voulez insinuer que j'ai tout fomenté ? Que j'ai organisé le retour des disparus et les homicides ?

— Tu les as convaincus parce que, exactement comme eux, ça fait longtemps que tu subis l'humiliation. La cible de ta rancœur était Gurevich et, avec lui, tout le corps de la police. Une organisation terroriste a besoin d'une idéologie et d'un plan. Et il n'y a pas meilleure association que celle qui vise un organisme d'État. On peut détruire une institution par les armes, mais on cause plus de dégâts en portant atteinte à sa crédibilité. Tu en as toujours voulu au département.

Berish n'en croyait pas ses oreilles.

— Quel rapport avec la disparition de Mila ?

— Elle avait tout compris, dit Boris. Depuis le début elle a été un pion pour toi, tu l'as attirée dans l'immeuble en briques rouges.

— Non.

— Tu as manipulé l'agent Vasquez pour lui faire croire que tu collaborais avec elle, poursuivit le Juge avec véhémence. Tout en t'assurant qu'elle ne dirait rien à ses supérieurs.

— Réfléchis : ainsi tu étais dans la meilleure position pour suivre l'enquête, ajouta Boris. Invisible, en marge de l'action.

— Quand Mila Vasquez a tout compris, tu l'as éliminée.

— Quoi ?

— Je vous ai entendus vous disputer dans le couloir hier, affirma l'inspecteur.

— Une dispute ne prouve rien.

— En effet, ça ne constitue pas une preuve. Mais un témoin qui t'a vu l'enlever de chez elle hier soir, si.

L'agent spécial pensa d'abord qu'ils bluffaient.

— Qui est-ce ? demanda-t-il sur un ton de défi.

— Le capitaine Stephanopoulos.

61

Ils n'ont rien.

À nouveau seul dans la salle des interrogatoires, il se répétait que Joanna Shutton et Boris avaient monté l'accusation d'enlèvement pour voir s'il tomberait dans le panneau. Et puis, Steph ? Pourquoi le capitaine lui aurait-il fait ça ?

Il craignit un instant qu'ils ne lui aient pas dit la vérité sur le compte de Mila et que quelque chose de terrible lui soit arrivé. Mais il se rassura en se disant qu'ils auraient eu intérêt à l'accuser tout de suite de… Il ne voulait même pas penser au mot « homicide ».

Dans l'immédiat, il avait d'autres urgences. Boire et aller aux toilettes. La stratégie de l'indifférence ne fonctionnait pas, puisqu'il était toujours ici.

À cette heure le procureur aurait déjà dû formuler l'accusation. Il aurait dû être transféré en cellule.

D'ailleurs, quelle heure était-il ? Il n'y avait pas d'horloge dans la salle des interrogatoires, afin de faire perdre la notion du temps au suspect. On lui avait pris sa montre avec son arme et son insigne au moment de son arrestation. Après un bref calcul mental, Berish se dit qu'il devait être environ 20 heures.

Dire que la journée avait si bien commencé ! La visite à la mère de Michael Ivanovič lui avait peut-être fourni la clé de l'affaire mais, paradoxalement, pour l'instant il ne pouvait pas l'utiliser. Il avait même pensé à proposer un échange au Juge et à Boris, mais qu'aurait-il pu leur offrir en contrepartie ? Ils ne l'auraient jamais laissé sortir.

Il n'était même pas certain qu'ils l'auraient cru.

Son seul espoir était d'insinuer dans la tête de Joanna Shutton l'idée qu'elle pouvait y gagner quelque chose. S'il la connaissait aussi bien qu'il pensait, elle accepterait n'importe quelle condition pour rayer de l'ardoise les erreurs de Gurevich. Mais pour que cela soit possible, il fallait que Joanna Shutton apparaisse comme la gagnante – celle qui avait élucidé le mystère de Kairus et des insomniaques vingt ans plus tard. Berish était certain que les journalistes avaient déjà flairé la nouvelle et qu'elle serait divulguée très vite au grand public.

Ils ne pourraient pas garder le secret longtemps.

En attendant, la porte de la salle des interrogatoires s'ouvrit et il se raidit sur sa chaise. Ses adversaires étaient de retour. Tentant de réprimer sa soif et son envie d'uriner, il se prépara pour un deuxième round, priant pour tenir le plus longtemps possible.

Soudain un type entra, de dos, vêtu du survêtement bleu marine avec l'insigne de la police fédérale, la visière lui couvrant les yeux. Berish s'inquiéta : si quelqu'un se camouflait ainsi, il ne pouvait être bien intentionné.

L'agent spécial se leva. L'homme se retourna. C'était Stephanopoulos.

Le capitaine referma la porte. Berish le regardait, désorienté.

— On n'a pas beaucoup de temps, dit Steph en retirant sa casquette.

— Que fais-tu ici ? C'est toi qui m'as coincé, non ?

— En effet. Excuse-moi, j'ai été obligé.

— Obligé ?

— Écoute. Ils avaient décidé de te couler bien avant la disparition de Mila. Tu étais parfait : le flic rancunier qui prend la tête de l'organisation terroriste. Ils n'auraient pas eu besoin de rappeler à la presse l'histoire d'il y a vingt ans, sauf peut-être ce qui s'était passé entre toi et Sylvia, pour te discréditer.

— Avec ta déposition, tu leur as fourni la preuve manquante.

— Oui, mais quand je me rétracterai leur accusation vacillera et ils devront en rendre compte aux médias.

Berish réfléchit. C'était un bon plan. Si Steph se rétractait, bien sûr. Soudain, il se rappela les caméras qui les filmaient.

— Ils nous regardent, et tu viens d'admettre que…

— Ne t'inquiète pas. Ils sont tous en réunion avec le Juge et de toute façon avant de venir j'ai interrompu l'enregistrement du système à circuit fermé. Venons-en à la seconde raison qui m'amène ici…

Berish s'attendait à tout.

— Quand ils sauront comment ça s'est vraiment passé, ils cesseront de la chercher.

— Quoi ? De quoi parles-tu ?

— Comme tu le sais, dans les affaires de disparition il faut laisser passer trente-six heures depuis la dernière fois où le sujet a été vu pour activer le protocole de recherche. Pour un flic, l'intervalle est réduit à vingt-quatre heures, mais c'est de toute façon trop pour elle.

— Je ne te suis pas.

— Quand la mère de Mila a signalé sa disparition ce matin, ils sont allés fouiller chez elle. Sa Hyundai était garée en bas de son immeuble. Aucun signe d'effraction, même si ça ne signifie rien. Elle a laissé son téléphone portable, ses clés et même le pistolet de réserve qu'elle gardait avec elle depuis qu'elle avait perdu son arme de service dans l'incendie.

— Avec une hypothèse d'enlèvement, il n'y aurait pas eu besoin d'attendre un jour, poursuivit Berish qui commençait à comprendre. Donc tu m'as accusé de l'avoir enlevée pour accélérer les recherches.

— Pour lui donner une chance, le corrigea le capitaine en se justifiant. Et puis, de toute façon tu étais coincé, ils avaient déjà préparé leur accusation de terrorisme.

— Tu penses qu'elle l'a fait, n'est-ce pas ? Tu penses qu'elle a disparu volontairement...

— Quelqu'un a pu l'enlever puis ramener ses affaires dans son appartement pour nous faire croire qu'elle avait décidé de disparaître. Mais je te l'ai déjà dit une fois : Mila a tendance à exagérer. Comme si elle était coutumière de l'autodestruction, ou du moins habituée à s'approcher un peu trop du danger.

— Selon Joanna Shutton et Boris, raisonna Berish, hier soir elle était bouleversée quand elle est partie de la maison où vit sa fille.

Il était probable que cela soit lié à la petite. Peut-être quelque chose qui couvait depuis longtemps en elle s'était-il déclenché. Berish se rappela les paroles de la mère de Michael Ivanovič : « Quand on risque de perdre quelque chose, on n'arrive pas à se faire une raison. Quand on risque de tout perdre, on s'aperçoit qu'en réalité on n'a rien à perdre… »

L'agent spécial avait compris qu'entre « tout » et « quelque chose » se trouvait justement la différence dans laquelle Kairus était capable de se glisser.

— Je crois que Mila a voulu voir de ses propres yeux ce qui se trouve dans l'ombre, affirma Steph. Mais dans l'ombre, il n'y a que les ténèbres.

Berish sentit qu'il fallait prendre une décision. Il n'y avait plus de temps à perdre.

— Je sais qui est Kairus.

Le capitaine resta sans voix. Il blêmit.

— Je ne peux pas t'en dire plus pour l'instant, poursuivit Berish, mais tu dois m'aider à sortir d'ici.

— D'accord, déclara Steph.

Le capitaine partit et revint quelques minutes plus tard avec l'insigne de Berish et une paire de menottes. L'agent spécial n'avait pas demandé son arme – lors d'une chasse à l'homme, le fait que le fugitif soit armé constitue une différence certaine, et il n'avait pas l'intention d'offrir à ses collègues une raison supplémentaire de lui tirer dessus.

— Que vas-tu faire de ton insigne ?

— J'en ai besoin pour entrer quelque part.

Stephanopoulos lui passa les menottes, le prit par le bras et ils sortirent dans le couloir.

Les policiers de garde devant la porte les observèrent, stupéfaits. Le capitaine les ignora. Il ordonna même à l'un d'eux d'escorter le prisonnier aux toilettes.

Comme Berish n'avait pas encore demandé à y aller, la requête semblait plausible.

Ils avancèrent dans le couloir en regardant autour d'eux avec l'espoir de ne pas voir débarquer Boris ou l'un des sous-fifres de Joanna Shutton. Arrivés aux toilettes réservées aux personnes en état d'arrestation, Steph continua tout droit.

— Monsieur, où allez-vous ? demanda le policier d'escorte.

— Tant que sa responsabilité ne sera pas prouvée, je ne laisserai pas un des nôtres pisser dans les toilettes des détenus.

Ils poursuivirent donc jusqu'aux toilettes des policiers, où il n'y avait pas de barreaux aux fenêtres. Steph laissa l'agent à la porte et entra avec Berish.

— J'attendrai cinq minutes avant de donner l'alerte, lui dit-il en lui indiquant la fenêtre. Tu as le temps d'arriver aux Limbes. Là-bas, il y a une sortie qui donne sur l'arrière du bâtiment, ajouta-t-il en lui tendant les clés de son bureau, de chez lui et de sa Volkswagen. Elle est garée à côté du restaurant chinois.

— Il faut que tu passes chez moi prendre Hitch, lui dit Berish. Ça fait des heures qu'il est tout seul, le pauvre. Il doit avoir besoin de boire et de sortir.

— Ne t'en fais pas, je m'en occupe tout de suite.

— Merci.

— C’est moi qui t’ai mis dans ce pétrin, donc ne me remercie pas, conclut Steph en lui retirant les menottes et en lui enfonçant sa casquette sur la tête. Trouve Kairus. Et trouve Mila.

62

Assis dans le noir, Berish écoutait les sirènes au loin.

Ils le cherchaient – ils le traquaient. Il n'était pas sûr de rester chez Stephanopoulos. Ses collègues viendraient bientôt contrôler. Pour l'instant ils étaient trop occupés à lui donner la chasse ailleurs, mais l'appartement était une étape obligée pour ses poursuivants, étant donné que le capitaine avait laissé filer le prisonnier.

Bien sûr, ils allaient se demander pourquoi le témoin clé était allé voir son propre accusé dans la salle des interrogatoires. Ils allaient probablement le cuisiner. Mais même s'ils le menaçaient, Steph ne parlerait pas.

Pour le moment, Berish avait encore un petit avantage.

Il était assis, le buste droit, le regard fixe, les mains sur les genoux. Son insigne était caché sous une de ses paumes.

Ce n'était pas une simple carte d'identification, mais la clé du royaume des morts.

Berish regarda l'heure : minuit passé. Il se leva, il pouvait y aller.

Après avoir garé la Volkswagen de Steph, il regarda devant lui.

Un bâtiment rectangulaire à quatre étages, une rangée de lucarnes sur le toit. Une grande porte et de nombreuses fenêtres. Mais, à la différence du dessin de Michael Ivanovič, on n'apercevait aucune silhouette humaine.

Pourtant, l'homme qu'il cherchait était à l'intérieur.

La morgue d'État était un monolithe de béton au milieu de nulle part. Mais la partie principale du bâtiment était sous le niveau de la rue.

Il faut parfois aller au bout de l'enfer pour connaître la vérité sur soi-même.

Le jeune disciple de Kairus avait raison. C'était le dernier sous-sol qui intéressait Berish.

Il se présenta à l'entrée, où un gardien était concentré sur une émission de télévision. Les rires et les applaudissements du public se multipliaient dans l'écho du hall.

Berish frappa à la vitre de séparation. Le gardien, surpris de cette visite tardive, sursauta.

— Que voulez-vous ?

— Je suis ici pour une identification, annonça le policier en montrant son insigne.

— Pourquoi ne revenez-vous pas demain matin ?

Berish le regarda sans dire un mot. Quelques secondes suffirent pour faire flancher le gardien.

L'homme passa un coup de téléphone pour prévenir son collègue du sous-sol qu'un hôte arrivait.

La salle n° 13 de la morgue publique était le cercle des dormeurs.

Tandis que la cabine d'acier était lentement engloutie dans le sous-sol, Berish pensait au choix de ce numéro.

En général, les hôtels ou les constructeurs de gratte-ciel sautaient le treize dans la numérotation des chambres ou des étages. Là, c'était inutile.

Non, je ne suis pas superstitieux, se dit Berish. Et les défunts non plus, parce qu'il n'y a pas pire que mourir.

La descente s'acheva par un sifflement pneumatique et, après un silence qui lui sembla infini, les portes de l'ascenseur s'ouvrirent sur le visage rubicond d'un gardien.

Derrière l'homme, un long couloir.

Berish l'avait imaginé carrelé de blanc et éclairé par un néon ascétique, pour donner aux visiteurs l'illusion de se trouver dans un large espace, pour neutraliser leur claustrophobie. Mais les murs étaient verts et des points lumineux orange étaient disposés de façon équidistante le long des plinthes.

— La polychromie bloque les crises d'angoisse, lui expliqua le gardien vêtu de bleu qui l'accueillit en lui tendant une blouse de la même couleur.

Berish l'enfila. Ils avancèrent.

— À cet étage, les cadavres sont surtout des sans-abri ou des clandestins. Ils n'ont ni papiers ni famille, ils cassent leur pipe et ils se retrouvent ici. Ils sont regroupés dans les salles numérotées de un à neuf. La dix et la onze, en revanche, sont réservées à des gens qui – comme vous et moi – payent leurs impôts et regardent les matches de foot à la télé, mais qui meurent d'infarctus un matin dans le métro. Sous prétexte de les aider, un passager les déleste de leur portefeuille et *voilà*, le tour de passe-passe a fonctionné, la personne disparaît pour toujours. Parfois, c'est juste une question de bureaucratie : une employée s'emmêle dans la paperasse et la famille convoquée pour l'identification d'un proche découvre le cadavre d'un autre. Alors ils continuent à chercher celui qui a disparu.

Berish remarqua que l'autre essayait de l'impressionner, mais ne releva pas.

— Ensuite, il y a les cas de suicide ou d'accident : salle n° 12. Il arrive que le cadavre soit en si mauvais état qu'on se demande si c'était bien un être humain. Quoi qu'il en soit, la loi prévoit le même traitement pour tous : un séjour en chambre froide qui ne peut être inférieur à dix-huit mois. Une fois ce délai passé, si personne n'a identifié le cadavre ni réclamé sa dépouille, et s'il n'y a plus d'exigences liées à l'enquête, alors la crémation est autorisée.

Tout était exact, considéra Berish. Mais pour certains, il en allait autrement.

— Et puis, il y a ceux de la salle n° 13.

Les victimes anonymes de crimes non élucidés.

— Dans les cas d'homicide, la loi dit que le corps constitue une pièce à conviction jusqu'à ce que l'identité de la victime soit confirmée. On ne peut condamner un assassin sans prouver que la personne qu'il a tuée existait vraiment. Sans nom, le corps est la seule preuve de l'existence. Il est donc conservé sans limitation de durée. C'est une de ces subtilités juridiques qui plaisent tant aux avocats.

Tant que l'acte criminel auquel est relié la mort n'est pas défini, la dépouille ne peut être détruite ni destinée à un dépérissement naturel, disent les textes. Berish savait que, sans ce paradoxe juridique, il n'aurait pas été là cette nuit.

— Nous les appelons les dormeurs.

Hommes, femmes, enfants inconnus dont l'assassinat n'a pas encore été imputé à un coupable. Ils attendaient depuis des années que quelqu'un se présentât pour les libérer de la malédiction de ressembler aux vivants. Comme dans un conte macabre, il suffisait de prononcer un mot secret.

Leur nom.

La demeure qui les accueillait – la salle n° 13 – était la dernière pièce au fond.

Quand ils arrivèrent devant la porte métallique, le gardien chercha un moment la bonne clé sur son trousseau. L'ouverture de la porte libéra une rafale d'air vicié. L'enfer ne sentait pas le soufre mais le désinfectant et la formaline.

Dès que l'hôte mit le pied dans l'obscurité, des ampoules jaunes commandées par un détecteur de présence s'allumèrent. Au centre de la salle, une table d'autopsie, entourée de hautes parois frigorifiques contenant des dizaines de casiers.

Une ruche d'acier.

— Vous devez signer ici, c'est le règlement, dit le gardien en tendant un registre.

L'agent spécial trouva que décliner son identité dans cette pièce constituait une blague cruelle. Le prénom est la première chose que l'on apprend de soi-même après la naissance. Un enfant de quelques mois en reconnaît le son et sait qu'on se réfère à lui. En grandissant, son prénom dit qui on est et c'est la première chose que l'on se voit demander. On peut inventer un nom ou mentir, mais on ne peut pas oublier son vrai nom. Quand on meurt, son nom est ce qui reste. Pas son corps, ni sa voix. Tôt ou tard, ce qu'on a fait sera oublié, mais son nom deviendra le nom de tous les souvenirs. Sans nom, on est condamné à l'oubli.

Un homme sans nom n'est pas un homme, conclut Simon Berish en signant distraitement le registre.

— Lequel vous intéresse ? s'enquit le gardien en retenant une certaine excitation.

— Le cadavre qui est ici depuis le plus longtemps.

AHF-93-K999.

Le casier avec cette étiquette était situé sur le mur gauche, dans la première rangée en partant du bas.

— Parmi toutes les histoires des corps qui reposent ici, ce n'est pas la plus originale. Un samedi après-midi, des garçons jouent au football dans un parc et le ballon atterrit dans un buisson : c'est ainsi qu'il a été retrouvé. On lui avait tiré une balle dans la tête. Il n'avait ni papiers, ni clés. Son visage était parfaitement reconnaissable, mais personne n'a appelé les numéros d'urgence ni signalé sa disparition. Dans l'attente d'un coupable, qui pourrait ne jamais être identifié, ce cadavre est la seule preuve du crime. C'est pour cela que le tribunal a décidé qu'il serait conservé ici tant que l'affaire ne serait pas élucidée et que justice ne serait pas faite, expliqua-t-il avant de marquer une pause. Les années ont passé, mais il est toujours là.

Depuis vingt ans.

Le gardien lui avait probablement raconté cette histoire parce qu'il avait peu d'occasions de parler aux vivants. Mais l'agent spécial la connaissait déjà : la mère de Michael Ivanovič la lui avait racontée ce matin-là.

Ce que le gardien était loin d'imaginer, c'était que le secret conservé derrière ces quelques centimètres d'acier allait bien plus loin qu'un simple nom. La raison qui avait poussé l'agent spécial à procéder à cette visite nocturne à la morgue était liée à une énigme bien plus large et pour laquelle trop de gens étaient morts.

Le corps était la solution.

— Ouvrez, demanda-t-il, je veux le voir.

Le gardien obéit. Il actionna le levier pour procéder à l'ouverture du casier et attendit.

Le dormeur fut réveillé.

Le brancard recula sur ses gonds et sortit de la pièce froide. Sous un drap en plastique se trouvait le prix que la mère de Michael Ivanovič avait dû payer au Maître de la nuit.

Le cadavre.

Le gardien découvrit un corps encore jeune, bien que vingt ans aient passé. C'est le seul privilège de la mort : on ne vieillit plus.

En effet, par rapport au portrait-robot tiré de la description de Sylvia, Kairus n'avait pas vieilli.

L'agent spécial aurait pu s'arrêter sur l'idée que ce visage avait constitué son obsession pendant de nombreuses années. Ou bien que, à travers une simple ruse, son ennemi avait fait en sorte qu'ils donnent la chasse à un mort, alors que le prédicateur agissait toujours, sans être inquiété.

Mais il pensa à l'ironie d'avoir découvert le Maître de la nuit au milieu des dormeurs.

Il se trouvait dans une impasse. Le peu qu'il croyait savoir sur l'affaire, ou qui lui avait été révélé dans les derniers jours, pouvait constituer une supercherie.

Il ne savait pas et il n'y avait aucun moyen de le vérifier, désormais.

Il n'avait donc aucune chance de retrouver Sylvia, mais surtout de découvrir ce qu'était devenue Mila.

— Alors, qui est-ce ? Comment s'appelle-t-il ? demanda le gardien, impatient.

— Je suis désolé, je ne le connais pas.

L'agent spécial tourna les talons pour remonter à la surface. Il se sentait soudain épuisé.

Le gardien recouvrit le visage du cadavre, qui continua à s'appeler *AHF-93-K999.*

Parfois, quand on connaît le nom du démon, il suffit de le prononcer pour qu'il accoure.

Or Berish venait d'apprendre que le secret du démon était justement qu'il n'avait pas de nom. Il ne lui restait plus qu'à partir.

Derrière lui, le gardien poussa le brancard dans la cellule et referma la porte – pour un temps indéterminé – avec un bruit métallique.

— L'autre aussi a dit la même chose.

— Comment ?

L'homme haussa les épaules sans interrompre son opération.

— Le policier qui est venu ici il y a quelques jours. Il ne l'a pas reconnu, lui non plus.

Les mots restèrent bloqués dans la gorge de l'agent spécial. Au bout d'un moment, il réussit à articuler :

— Qui était-ce ?

Le gardien des morts indiqua le registre qu'il lui avait fait signer.

— Son nom est écrit là, à la page juste avant le vôtre.

63

L'homme le plus recherché du moment retourna au siège de la police fédérale.

À 2 heures du matin, le département était en effervescence comme s'il était midi, mais aucun flic n'imaginait que Simon Berish serait assez stupide pour revenir.

Pourtant, il gara la Volkswagen dans une petite rue et se dirigea vers la porte par laquelle il s'était échappé quelques heures plus tôt et qui menait directement aux Limbes.

Il franchit le seuil de la Salle des pas perdus, des milliers d'yeux muets le fixèrent. Il glissa au milieu des disparus comme un intrus qui se sent coupable d'être vivant – ou du moins de ne pas savoir qu'il est mort.

Il était certain que, malgré l'heure tardive, on attendait sa visite.

Il entendit Hitch aboyer – il avait probablement reconnu son maître. Il était attaché devant le bureau.

Berish le caressa pour le calmer, le libéra de sa laisse mais lui fit signe de s'asseoir pour l'attendre.

À l'intérieur, la lumière était allumée et on apercevait une ombre.

— Entre donc, l'invita une voix d'homme.

Berish poussa lentement la porte. Le capitaine était assis à son bureau, vêtu du même survêtement bleu de la police fédérale que durant l'après-midi. Des lunettes étaient posées sur la pointe de son nez : il écrivait.

— Installe-toi, j'ai presque terminé.

L'agent s'assit de l'autre côté de la table. Quelques secondes plus tard, le commandant des Limbes posa son stylo.

— Excuse-moi, mais c'était important. Que puis-je faire pour toi ?

— Jusqu'ici, nous avons donné la chasse à un fantôme.

— Donc, tu as trouvé le corps, dit Steph avec un sourire qui détonnait sur son visage pâle.

— La première fois que Mila est venue me voir, au restaurant chinois, je lui ai dit que Kairus n'existait pas, qu'il n'était qu'une illusion. Je ne me trompais pas. C'est toi qui as fait disparaître ces personnes. Il y a vingt ans, les médias et l'opinion publique ont failli tout faire capoter en reliant entre eux les sept premiers disparus – ceux que nous avons naïvement appelés les insomniaques.

— Je manquais encore d'expérience, admit Steph, mais je me suis amélioré.

— À l'époque tu as dû détourner l'enquête pour ne pas être découvert. Il n'y avait qu'une façon : accuser quelqu'un d'autre. Ensuite, il suffisait de laisser passer un peu de temps avant que les disparitions reprennent. Sans embûche, cette fois.

— Tu es bien préparé, à ce que je vois.

— Il y a vingt ans, tu as contacté la mère de Michael Ivanovič, qui travaillait comme médecin légiste à la morgue. Tu lui as garanti que tu sauverais la vie de son fils, lui assurant une nouvelle famille et les soins nécessaires… Tu l'as convaincue avec la même promesse de changement de vie que Sylvia.

Steph croisa les mains sous son menton.

— Mais tu lui as demandé un prix : un cadavre anonyme. Pour te contenter, la mère de Michael a dû attendre la bonne occasion, qui n'a pas tardé à arriver : un corps sans identité, retrouvé par hasard dans un parc par des enfants qui jouaient au foot. Personne ne s'apercevrait de l'imbroglio – dans une morgue les morts de ce genre vont et viennent, et la police a d'autres chats à fouetter que le meurtre d'un pauvret sans nom tué d'une balle dans la tête. La date du décès sur l'expertise médicale n'avait pas d'importance, de toute façon Mme Ivanovič devait la décaler d'un mois. Ce pauvret ne pouvait pas mourir « officiellement », n'est-ce pas ? Il devait attendre trente jours pour te donner le temps de réaliser ton plan… Ainsi tu as créé Kairus. La mère de Michael a pris une photo du visage du cadavre pour que tu puisses la montrer à Sylvia. Tu lui as donné des consignes précises sur ce qu'elle devait témoigner à la police.

— Pas mal, l'histoire de Kairus qui lui sourit pour qu'elle se souvienne de lui, pas vrai ? demanda le capitaine. Cette trouvaille m'a étonné, moi aussi.

— Quand Sylvia parle, nous la mettons sous protection. Mais pas pour longtemps… Parce que, pour faire fonctionner l'ensemble, tu dois aussi faire disparaître le témoin.

— En effet.

— La mèche de cheveux envoyée quelques jours plus tard au département prouve que c'est Kairus qui l'a enlevée.

— Avec la date de mort retardée, le cadavre de la morgue était encore vivant le jour de l'enlèvement du témoin. Personne ne pouvait comprendre la ruse, dit Steph en souriant. Et puis, si quelqu'un persistait à rechercher le Maître de la nuit, j'aurais fait en sorte qu'il découvre un corps sans identité. Fin de l'histoire.

— Mort accidentelle du coupable : un coup de chance, un cadeau du destin. Bien que sonnant comme une farce, la fausse vérité aurait mis fin à l'enquête. Mais ça n'a pas été nécessaire : l'enquête a été enterrée avant. Grâce à moi, Joanna et Gurevich. Toi, notre commandant, tu t'es contenté d'approuver. Et même si quelqu'un – moi, par exemple – ne se résignait pas, ce corps sans nom dans la salle n° 13 était là qui l'attendait.

Stephanopoulos applaudit trois fois, lentement.

— Mais il reste un détail, affirma-t-il. Et je suis sûr que tu vas me le demander.

— Pourquoi ?

Sa lèvre tremblait, mais Steph avait l'air content de la question.

— Parce que ceux que j'aidais à disparaître étaient de pauvres malheureux. La vie les avait privés de toute joie, et même de leur dignité. Par exemple, André García – le premier – était un persécuté qui avait dû quitter l'armée à cause de son homosexualité. Ou Diana Müller, contrainte de payer les fautes de la femme qui l'avait mise au monde. Roger Valin, qui a dû assister sa mère jusqu'à sa mort. Et Nadia Niverman ? Elle n'aurait jamais pu échapper à son salaud de mari. Sans parler d'Éric Vincenti, un policier que j'ai vu se tourmenter jour après jour, dans ce bureau, aux prises avec des affaires de disparition qu'il n'arrivait pas à élucider. Ils méritaient tous une deuxième chance.

— Tu as utilisé les ressources et l'expérience du programme de protection des témoins pour mettre ton plan en œuvre. Tu avais accès à l'argent et aux documents nécessaires pour créer de fausses identités, les mêmes instruments que nous utilisions pour donner une nouvelle vie aux collaborateurs de la justice.

— Aux criminels, le corrigea Steph. Ces gens ne méritaient pas notre aide.

Le capitaine s'efforçait d'avoir l'air calme, mais son front était perlé de sueur.

— Comment t'y prenais-tu pour les convaincre par téléphone ? demanda Berish.

— Ils avaient besoin de moi. Sans le savoir, ils m'attendaient. D'ailleurs, ils me faisaient confiance sans que je ne me sois jamais montré. Je leur dictais des instructions : s'ils voulaient vraiment un changement radical, ils devaient se rendre dans la chambre 317 de l'hôtel Ambrus, s'allonger sur le lit et prendre un somnifère – un aller simple pour l'inconnu.

— Ou pour l'enfer.

— Ensuite, je venais les sauver de leurs vies misérables, parfois d'eux-mêmes, en les emmenant avec le monte-charge.

— Les derniers temps, avec l'aide d'Éric Vincenti.

— J'avais besoin d'un coup de main, je vieillissais !

— Quand ils se réveillaient, que se passait-il ? demanda l'agent spécial sans dissimuler son amertume.

— Tu ne comprends pas ? demanda le capitaine en secouant la tête, déçu. Je leur offrais un nouveau destin. Ils pouvaient tout recommencer de zéro. À combien d'hommes la vie offre-t-elle cette chance ?

L'agent spécial sentait que quelque chose ne tournait pas rond dans l'esprit de son supérieur.

— Quand as-tu perdu le contact avec la réalité, Steph ? Quand as-tu cessé de distinguer le vrai du faux ?

La lèvre du capitaine se remit à trembler.

— Et pourquoi moi ? le supplia presque Berish.

— Tu penses à Sylvia… Tu n'es pas différent des autres flics. Ce qui t'importait vraiment n'était pas cette fille, mais comment tu te sentais avec elle. Tu n'as jamais pensé que tu n'étais peut-être pas la bonne personne pour elle ?

— Tu te trompes.

— Une leçon que j'ai apprise en tant que flic est que personne ne s'intéresse jamais vraiment aux victimes – elles n'intéressent pas les policiers, ni les médias, ni l'opinion publique. À tel point qu'on finit par se souvenir du nom des coupables, mais pas des victimes. Les Limbes témoignent que j'ai raison. Vous voulez tous capturer le monstre, connaître le nom du monstre, condamner le monstre dans vos tribunaux…

C'est pour vous que j'ai créé Kairus, déclara-t-il en éclatant de rire. C'était le nom du chat de mes voisins quand j'étais petit. C'est comme ça que je l'ai choisi, tu y crois ?

Berish se sentit trahi.

— Et j'ai fait de lui ton obsession, poursuivit le capitaine. Pendant toutes ces années, tu as vécu grâce à lui.

— C'est *lui* qui a vécu grâce à moi ! Il a pris ma vie pour en avoir une à lui. D'ailleurs, c'est toi qui m'as volé mon existence, parce que Kairus, c'est toi.

— Tu ne sais pas de quoi tu parles.

— L'Hypothèse du mal, laissa échapper Berish.

— Quoi ?

— Quand on fait du mal dans le but de faire du bien. Et que le bien peut se transformer en mal.

— Je les ai sauvés ! Je n'ai fait de mal à personne.

— Si. Tu as toujours tenu les disparus à l'œil, sans doute pour profiter de ton œuvre. Tu te sentais un bienfaiteur. Et quand tu as remarqué qu'ils n'étaient pas satisfaits de la nouvelle vie que tu leur avais donnée, tu les as convaincus de revenir se venger de tout et de tout le monde. C'est toi, le prédicateur.

— Non, ce n'est pas vrai, se défendit le capitaine. Le Maître de la nuit existe vraiment. C'est nous, poursuivit-il les yeux écarquillés. En lui donnant la chasse pendant toutes ces années, nous l'avons invoqué. Et il a fini par apparaître.

— Ce que tu dis n'a aucun sens. Tu es fou.

Steph tendit la main au-dessus de son bureau et attrapa le bras de Berish.

— C'est pour ça que je suis allé à la morgue il y a quelques jours. Je voulais être sûr que Kairus était toujours dans sa cellule frigorifique, qu'il ne s'était pas réveillé et qu'il n'était pas sorti sur ses deux jambes. Après toutes ces années, moi – son créateur – je voulais le regarder dans les yeux.

— Arrête, Steph, dit Berish en retirant son bras : c'est toi qui nous as réunis, Mila et moi.

Mais le capitaine ne l'écoutait plus.

— Je ne peux pas l'arrêter. Je ne peux plus rien faire.

— Si : dis-moi où elle est.

Steph regarda Berish.

Sous le bureau, l'agent spécial vit apparaître un pistolet. Le canon vint se poser sous le menton du capitaine. Le bruit du coup de feu coïncida avec ses dernières paroles.

— Trouve-la.

Stephanopoulos tomba, le buste en avant, la tête sur son bureau. Ses papiers volèrent dans la pièce. Berish bondit sur ses pieds.

Dehors, son chien aboyait. Il souleva le corps, l'installa contre le dossier et lui ferma les yeux avec douceur.

Réalisant qu'il avait les mains couvertes de sang, il fit un pas en arrière. C'était sa faute. Le front perlé de sueur, la lèvre tremblante et la pâleur de Steph étaient des signaux qui annonçaient un geste fou, mais il n'avait pas su les interpréter.

Il posa les yeux sur l'arme du suicide, qui gisait à côté du capitaine.

Il lut l'inscription sur la crosse. Un numéro de matricule et, surtout, les initiales du policier à qui elle appartenait.

MEV.

María Elena Vasquez. C'était l'arme que Mila avait perdue dans l'immeuble en briques rouges avant l'incendie. Berish avait du mal à y croire : cette nuit-là Stephanopoulos était présent dans le nid de Kairus. Il s'était échappé alors qu'il lui tirait dessus. S'il avait visé juste, cette histoire aurait été terminée depuis longtemps.

Mais l'agent spécial comprit aussi une autre vérité : il était fait comme un rat.

Le Juge et Klaus Boris croyaient que c'était lui qui avait pris ce maudit pistolet, et maintenant ils allaient l'inculper pour cette mort. Ils allaient l'accuser d'avoir éliminé le témoin qui voulait le coincer. Faire disparaître l'arme n'était pas suffisant : une expertise balistique montrerait qu'il s'agissait du pistolet de Mila… Mila !

Pendant quelques instants, il l'avait oubliée.

La mort de Steph anéantissait tout espoir de la retrouver.

Simon Berish observa la scène un long moment sans bouger. Dans la pièce, tout l'accusait de meurtre. Il avait obtenu les réponses qu'il voulait, mais à quel prix ? Il ne savait pas ce qu'il adviendrait de lui, ni de Mila.

Il devait impérativement rester lucide. Sinon, autant se rendre. S'il existait une seule possibilité pour en sortir blanchi, il fallait la trouver, et tout de suite. *Après* était un mot qui n'existait pas, *après* était un mot qui ne signifiait rien.

D'abord, il devait réfléchir à ce qui s'était passé dans ce bureau depuis qu'il y avait mis les pieds. Il pourrait ainsi trouver les points faibles de la scène de crime à utiliser pour sa défense.

Il revint au moment où il avait ouvert la porte. Steph l'avait invité à entrer mais il était assis… et il écrivait.

Il s'agissait peut-être d'un mot expliquant les raisons de son suicide.

Berish se précipita sur les feuilles éparses sur le sol. Il ne pouvait pas savoir de laquelle il s'agissait – il n'y avait pas prêté attention, malédiction. Il les examinait une à une frénétiquement. Soudain, une note attira son attention par son écriture incertaine, hâtive. Que cela soit ou non la bonne piste, Berish n'avait qu'une possibilité.

« Trouve-la… » avait dit Steph à l'instant où il mourait.

Sur cette feuille était notée une adresse.

64

Le village se trouvait à environ deux cents kilomètres de la ville.

Berish avait utilisé la Volkswagen de Steph. Dans sa situation, il aurait été trop risqué de prendre le train ou le bus. Il avait emprunté les routes secondaires, évitant deux barrages de police.

Conduire la voiture d'un mort – surtout sachant qu'il serait accusé de son meurtre – n'était pas la meilleure idée, mais Berish n'avait pas d'autre option. Il avait roulé toute la nuit, comptant sur le fait – ou du moins espérant ardemment – que le cadavre dans le bureau des Limbes ne serait pas retrouvé avant quelques heures.

Avant de partir, il avait laissé Hitch dans un chenil en expliquant qu'il avait une urgence. Il ne s'était pas senti de l'emmener, ne sachant pas ce qu'il allait découvrir. Il voulait protéger son seul ami.

Ses craintes étaient peut-être infondées, mais dernièrement Berish se sentait étrangement paranoïaque. Les personnes dont il voulait le bien disparaissaient de sa vie. D'abord Sylvia, puis Mila. Il n'avait cessé de penser à la policière durant le voyage. Il se sentait responsable de ce qui lui était arrivé.

Oui, mais… que lui était-il arrivé ?

L'impossibilité de répondre le poussait à prendre des risques. Comme, par exemple, conduire jusqu'à une adresse inconnue dans un bourg inconnu.

Il arriva aux portes de l'agglomération vers 6 heures, le samedi matin. Les rues étaient désertes, hormis quelques joggeurs et des personnes qui promenaient leur chien. Les voitures des employés étaient garées dans les allées, bien alignées.

Berish se repéra sur une carte achetée dans une station-service pour gagner un quartier tranquille de l'autre côté du bourg. Jusqu'à peu de temps auparavant, ce lieu était sans doute en pleine campagne.

Il chercha le numéro, qui correspondait à une maison blanche de deux étages au toit incliné et au jardin bien entretenu.

Il se gara et, sans descendre de voiture, tenta de distinguer l'intérieur. Il essaya aussi d'examiner ce qu'il n'avait pas devant les yeux.

Avant tout, la maison ne ressemblait ni à un repaire ni à une prison mais au domicile de gens à l'existence confortable. Des gens qui économisent pour envoyer leurs enfants à l'université. Des gens qui ont de la famille.

Toutefois, cela pouvait n'être qu'une façade.

Berish n'aurait pas su dire si les disciples du prédicateur qui détenaient Mila s'y cachaient. Il allait peut-être voir sortir Éric Vincenti, son collègue des Limbes, ce qui lui donnerait la confirmation qu'il ne se trompait pas. Pour le moment, il attendait dans la voiture. Il ne servirait à rien d'aller vérifier, et puis il n'était pas armé. Qu'aurait-il pu faire ?

Il affrontait un grave danger, seul.

L'armée des ombres était autour de lui, partout et nulle part. Derrière chaque coin se cachait une multitude invisible. Son ennemi possédait une seule âme, mauvaise, et de nombreux visages. Or il n'y avait rien de démoniaque dans tout cela. Il existait toujours une explication rationnelle. C'était pour cette raison que l'agent spécial savait qu'il pouvait encore gagner.

La fatigue commençait à se faire sentir. Les muscles de son dos, contractés par le stress, lui faisaient mal. Pendant un instant il s'appuya sur le volant et sentit un soulagement inattendu. La tension nerveuse se dissipait, ses paupières se fermaient sous l'effet de la tiédeur qui régnait dans l'habitacle. Il sombrait malgré lui dans le sommeil.

Il ferma les yeux, oublia tout. Une seconde suffit : une bouffée d'adrénaline le ramena à la réalité. C'est à ce moment-là qu'il vit la femme en robe de chambre qui regagnait la maison après être sortie ramasser le journal dans l'allée.

La dernière fois qu'il avait vu Sylvia, c'était un soir de fin juin. Après sa disparition, il avait réalisé qu'il ne possédait même pas une photo d'elle, aussi son image avait-elle été conservée pendant vingt ans dans sa mémoire.

Il avait fait mille efforts pour ne pas perdre une seule petite ride de son visage. Maintes fois, le souvenir avait menacé de s'envoler avec le passé. Le jour où il avait découvert qu'il ne se rappelait plus le son de sa voix, il avait ressenti une peine immense.

Ce soir de juin – celui qui resterait à jamais « le dernier » –, ils avaient dîné sur la terrasse, malgré le danger. Comme de véritables époux.

Quiconque les avait observés avait pensé qu'il s'agissait du jeune couple de l'appartement 37G. Personne ne les aurait pris pour un policier et le témoin qu'il protégeait. Peut-être parce qu'ils étaient vraiment amoureux.

Quand ce sentiment était né – après qu'ils s'étaient embrassés pour la première fois –, il aurait dû se retirer de l'enquête. Il savait qu'une implication sentimentale était dangereuse pour elle et pour lui. Mais il était resté. Il avait décidé pour deux, ce qui n'avait pas été honnête.

Il avait compris trop tard. Ce qui s'était passé le lendemain de cette soirée fatidique lui avait ouvert les yeux.

Avant de s'endormir, ils avaient fait l'amour. Elle l'avait accueilli avec un élan généreux, plongeant sa tête dans son épaule nue, respirant sa peau.

À l'aube, Simon n'était toujours pas rassasié de son odeur. Il avait tendu une main sous les draps pour la toucher. Elle était déjà levée. Alors il avait espéré percevoir sa chaleur, comme si elle imprégnait toujours le tissu.

Or il n'avait senti que du froid.

À l'époque cette sensation, qui ne l'avait pas quitté par la suite, l'avait alerté. Il s'était levé comme une furie, le drap accroché autour de la taille. Il l'avait cherchée dans tout l'appartement, mais au fond de lui il connaissait la vérité.

Quand la panique lui avait noué le ventre, il était allé vomir aux toilettes – un comportement pour le moins inhabituel pour un policier expérimenté. En relevant la tête, il avait vu un objet sur l'étagère au-dessus du lavabo.

Un tube de somnifères.

Vingt ans plus tard, par une matinée très semblable, Berish eut le même besoin de rendre.

« Trouve-la… » Stephanopoulos ne faisait pas référence à Mila, maintenant il le savait.

Simon avait peur, pourtant il se croyait préparé. Toutes les fois où il s'était concédé d'envisager la possibilité de la retrouver, son imagination n'avait réussi qu'à l'amener au moment précis où il la revoyait. Ce qui se passait ensuite était un mystère.

Il descendit de la voiture et, ignorant le danger, se dirigea vers la porte d'entrée.

65

Sylvia lui ouvrit, elle était identique à son souvenir. Sa tresse noire était juste un peu plus grise.

Elle serra sa robe de chambre autour de son corps. Il lui fallut quelques secondes pour comprendre qui était l'homme qui se trouvait devant elle.

— Oh, mon Dieu, dit-elle soudain.

Berish la prit dans ses bras sans savoir exactement quoi faire. Les contacts physiques n'avaient pas été son fort, après elle. Il était fâché, déçu, amer. Mais peu à peu les sensations négatives se dispersèrent, laissant la place à une torpeur bienheureuse, comme si une force silencieuse avait œuvré pour mettre les choses en place.

Sylvia s'écarta et le regarda à nouveau, un sourire incrédule sur les lèvres. Puis son expression se mua en appréhension :

— Tu es blessé ?

Berish suivit son regard et vit ses mains et ses vêtements incrustés de sang. Il avait oublié qu'il s'était sali en essayant de secourir Steph.

— Non, ce n'est pas le mien. Je t'expliquerai.

Elle regarda autour d'elle puis le prit par le bras et le tira gentiment dans la maison.

Après l'avoir aidé à retirer sa veste, elle le fit asseoir sur le canapé et lui lavait maintenant le cou avec une éponge mouillée.

Étonné de ce geste d'intimité, Berish la laissa faire.

— Je dois partir. Je suis recherché, je ne peux pas rester.

— Il est hors de question que tu sortes d'ici, répondit-elle gentiment mais fermement.

Pendant un instant, il se sentit chez lui. Mais il n'était pas chez lui. Les photos encadrées sur les meubles et aux murs en témoignaient. Elles dressaient le portrait d'une Sylvia différente. Souriante. L'agent spécial se sentit mal à l'aise parce qu'il ne l'avait jamais fait rire ainsi.

Sur ces images, elle était accompagnée d'un enfant, puis d'un jeune homme – devant lui, Berish avait toute l'histoire de sa transformation. Un visage étrangement familier. Simon pensa au fils qu'ils auraient pu avoir ensemble.

Mais ce qui le tourmentait était le visage qu'il ne voyait pas sur ces photos. Le visage de celui qui les avait prises.

— Il est beau, mon fils, pas vrai ?

— J'imagine que tu es très fière de lui.

— En effet. Là, il est encore enfant. Mais maintenant il a grandi, tu sais ? Si tu le voyais ! De quoi me sentir vieille.

— Il ne risque pas de rentrer d'un moment à l'autre ? Et s'il me trouve ici ?

Il fit mine de se lever mais elle posa délicatement une main sur son épaule pour le faire rasseoir.

— Rassure-toi, il est parti pour un moment. Il dit qu'il doit faire « son expérience ». Dans le fond, qui suis-je pour l'en empêcher ? C'est ça, un enfant : un jour il te demande un chocolat au lait, le lendemain il réclame son indépendance.

Quand il s'était retrouvé face à Sylvia quelques instants auparavant, Berish avait craint que Steph – le prédicateur – soit revenu la voir, elle aussi, pour la convaincre d'assassiner quelqu'un, comme une sorte de dû pour le bien qu'il lui avait fait vingt ans plus tôt. Mais peut-être que le capitaine n'avait même pas essayé, parce que avec elle le plan de la nouvelle vie avait fonctionné à merveille. Il n'y avait aucun signe de déception dans cette maison, ni de rancœur pouvant servir de levier.

Berish détacha les yeux de Sylvia parce qu'il était pressé de lui poser une question.

— Je me demandais qui avait pris les photos de toi et de ton fils. Je veux dire, as-tu un mari ou un compagnon, je ne sais pas…

— Il n'y a pas d'homme dans ma vie, affirma-t-elle avec une moue amusée.

Simon se réjouit de cette réponse. Il regretta néanmoins son égoïsme, parce que Sylvia avait toujours été seule au monde et elle aurait mérité une famille, plus que quiconque.

— Qu'as-tu fait pendant ces vingt années ?

— J'ai oublié. C'est difficile, tu sais ? Ça nécessite de la détermination et de la ténacité. Quand tu m'as rencontrée, j'étais une jeune femme malheureuse. Je n'ai jamais connu mes parents. J'ai passé une grande partie de mon enfance à l'orphelinat. Personne ne s'est jamais vraiment occupé de moi. Bien sûr, je ne parle pas de ce qui s'est passé entre nous, ajouta-t-elle en baissant les yeux.

— Moi j'ai passé mon temps à essayer de me rappeler chaque détail de toi. Mais les détails disparaissaient peu à peu.

— Je suis désolée, Simon, l'interrompit-elle. Je suis désolée que tu aies eu tous ces ennuis à cause de moi il y a vingt ans. Tu étais policier, tout de même.

— Ennuis ? Je t'aimais, Sylvia.

À l'expression de son visage, il comprit que ce n'était pas réciproque.

Pendant vingt ans, il avait vécu dans une illusion. Il se sentit idiot de ne pas l'avoir compris plus tôt.

— Tu n'aurais jamais pu me sauver de ma tristesse, dit-elle pour le consoler. Moi seule pouvais le faire.

Les derniers mots de Sylvia rappelèrent à Berish l'histoire que lui avait racontée Mila au sujet du SDF qui habitait en bas de chez elle et à qui elle apportait toujours à manger.

Je veux le faire sortir de sa tanière pour pouvoir le regarder dans les yeux, peut-être lui parler. Je veux juste découvrir s'il s'agit d'un des habitants des Limbes...

En quelques phrases, elle avait décrit son absence totale d'empathie.

Peu m'importe de savoir s'il est heureux ou non. De toute façon, le malheur des autres ne nous intéresse que quand il nous renvoie au nôtre...

Soudain, Berish comprit qu'il n'était pas très différent de Mila. Il ne s'était jamais réellement demandé ce que ressentait Sylvia. Il avait considéré comme évident qu'elle était heureuse uniquement parce qu'il l'était, lui.

Nous nous attendons toujours à une contrepartie pour nos sentiments, et quand elle ne nous est pas accordée nous nous considérons trahis – l'agent spécial comprit tout cela en quelques instants.

— Tu n'as pas besoin de te justifier, assura-t-il à Sylvia en la caressant. Quelqu'un t'a offert une nouvelle vie et tu as accepté.

— J'ai menti pour l'obtenir, dit-elle en se référant à son faux témoignage et au portrait-robot de Kairus. Mais surtout, je t'ai berné, toi.

— Ce qui compte est que tu ailles bien.

— Tu parles sérieusement ? demanda-t-elle les larmes aux yeux.

— Je suis sérieux, répondit Berish en lui prenant la main.

Sylvia sourit, reconnaissante.

— Je vais te préparer un café et te chercher une chemise propre. Une de mon fils devrait faire l'affaire. Repose-toi, j'arrive tout de suite.

L'agent spécial la regarda se lever et sortir de la pièce avec l'éponge qu'elle avait utilisée pour le nettoyer. Il ne lui avait pas demandé le prénom de son fils, elle ne le lui avait pas donné. C'était peut-être mieux ainsi : cette partie de Sylvia ne lui appartenait pas.

Il se rendit compte que pendant des années il avait étudié l'anthropologie pour comprendre les personnes, mais il avait toujours occulté que l'analyse du comportement humain passe nécessairement par la sphère émotionnelle. Parce que chaque geste – même le plus insignifiant – est dicté par un sentiment. Sa brève conversation avec Sylvia lui avait permis de comprendre ce qui pouvait être arrivé à Mila.

Klaus Boris avait raconté qu'elle s'était enfuie de chez sa mère bouleversée.

Jusque-là, Berish n'avait pas accordé d'importance à ce récit. Maintenant il pressentait que Mila avait sans doute été blessée la veille de sa disparition.

Cela avait sûrement un rapport avec sa fille.

Il se rappela que, après avoir appris que Kairus était un prédicateur, la policière avait voulu se retirer de l'enquête – elle avait peur des similitudes avec l'affaire du Chuchoteur et des possibles répercussions sur la fillette.

S'il s'était passé quelque chose entre elle et sa fille, alors il savait où aller.

Le lieu qui, pour de nombreuses personnes – dont Sylvia –, avait représenté la solution du malheur. Où, comme avait dit Stephanopoulos, Mila aurait pu trouver un aller simple pour l'inconnu.

— Comment ai-je pu être aussi insensible ?

Malgré lui, Berish avait conclu ses pensées à voix haute.

Sylvia était à la porte, une chemise propre à la main.

— Veux-tu me dire pourquoi tu es recherché ?

— C'est une longue histoire et je ne veux pas que tu sois impliquée. Je vais m'en aller et tu pourras reprendre ta vie. Personne ne vous reliera à moi, toi et ton fils, je te le promets.

— Dors un peu, au moins, tu as l'air fatigué. Tu peux t'allonger sur le canapé, je vais aller chercher une couverture.

— Non, dit-il, sûr de lui. J'ai eu une réponse, c'était plus que ce que je pouvais espérer. Maintenant je dois y aller : quelqu'un a besoin de moi.

66

La porte tambour le projeta à nouveau dans la dimension suspendue de l'hôtel Ambrus.

Une fois encore, ce fut comme franchir la frontière d'un monde parallèle – une pâle copie du nôtre, œuvre d'un dieu trompeur. L'agent spécial n'aurait pas été surpris de découvrir que, par exemple, la gravité ne fonctionnait pas et qu'on pouvait marcher sur les murs.

Hitch semblait inquiet, lui aussi. Il était allé le chercher au chenil parce qu'il avait besoin de son flair. Le chien lui avait fait la fête.

— Hé, cet animal ne peut pas entrer, l'apostropha le concierge en sortant de derrière le rideau rouge.

Berish remarqua qu'il était habillé comme la première fois – jean et tee-shirt noir. Il aurait juré que ses tatouages étaient moins passés et ses cheveux moins grisonnants que la fois précédente. Il avait l'impression d'avoir remonté le temps et de se trouver devant un concierge rajeuni.

Mais ces perceptions étaient le fruit d'une angoisse profonde et de la nécessité d'attribuer un sens – même absurde – à ce qui s'était passé entre ces murs pendant toutes ces années.

Le lieu conservait une énergie.

C'était le résidu des actes sexuels clandestins, ou du passage de milliers de vies dans ces chambres – des gens qui y avaient dormi ou défoulé leurs plus bas instincts. Chaque fois les lits étaient refaits, les draps et les serviettes lavés, la moquette nettoyée, mais les traces invisibles de cette humanité primitive perduraient.

Le concierge essayait de les couvrir avec la voix suave d'Édith Piaf, en vain.

Ignorant le reproche adressé à son chien, Berish s'approcha du comptoir – le vieil aveugle de couleur était toujours assis sur le canapé élimé.

— Vous vous souvenez de moi ?

— À la vôtre, dit l'autre pour confirmer.

— J'ai besoin de savoir si l'amie qui était avec moi la dernière fois est revenue ici récemment.

— Pas vue.

Berish se demanda s'il lui disait la vérité. Mais à la façon dont Hitch s'agitait autour de lui et essayait d'attirer son attention, il comprit que son chien en percevait l'odeur.

Mila était venue.

Seulement l'agent spécial n'en avait aucune preuve et il ne pouvait pas accuser le concierge de mentir.

— Quelqu'un a-t-il réservé la 317, dernièrement ?

— Les affaires ne sont pas florissantes, dit l'homme en indiquant le tableau derrière lui. Comme vous voyez, la clé est là.

Très calmement, Berish se pencha au-dessus du comptoir et l'attrapa par son tee-shirt.

— Hé, monsieur, protesta l'autre. Je ne sais pas ce qui se passe dans cette chambre, je ne contrôle pas qui y entre et en sort. Je suis le seul concierge, y compris de nuit. Je reste dans mon trou, je n'en sors que quand quelqu'un veut une clé – ici, on paye d'avance et en liquide.

Berish le lâcha.

— Durant ma première visite tu as parlé d'un crime dans la 317, il y a trente ans…

Le concierge n'avait pas l'air content d'évoquer cette histoire. Comme s'il avait peur.

— Il y a trente ans, je n'y étais pas. Et puis, il n'y a pas grand-chose à raconter.

— Raconte tout de même, je suis curieux.

— Mon ami, la curiosité a un prix, par ici.

Berish plongea la main dans sa poche à la recherche d'un billet.

— Une femme a été massacrée de vingt-huit coups de couteau. À ce que j'en sais, l'assassin n'a jamais été retrouvé. Mais il y avait un témoin : sa fille, qui s'en est sortie en se cachant sous le lit.

L'agent spécial aurait voulu demander si c'était tout le mystère. Il attendait un indice, quelque chose pour comprendre s'il existait un lien entre Stephanopoulos et la chambre 317. Son intuition de la fois précédente valait toujours.

Le prédicateur l'avait choisie sur la base d'une stratégie précise. La chambre la plus demandée est la plus insoupçonnable. Parfaite, quand en plus elle est située à côté du monte-charge.

Si Mila était vraiment revenue à l'hôtel Ambrus – il n'en doutait pas – et que Steph l'avait aidée à disparaître, il s'était agi d'un éloignement volontaire.

La policière avait atteint son point de rupture. Elle ne reviendrait pas.

Personne ne pouvait plus disculper Berish. On l'accuserait de l'homicide de Steph, ce qui suffisait pour l'accuser aussi du reste.

Un coupable vivant est plus vendeur qu'un prédicateur mort et enterré.

Le capitaine avait raison. Personne ne s'intéressait aux victimes. Tout le monde voulait le monstre.

Il était prêt.

67

Le crépuscule asséchait la lumière de la vallée.

Berish observait le paysage, assis sur un banc du jardin public, caressant son chien d'une main. Ils avaient flâné tout l'après-midi, ils étaient fatigués.

Hitch avait compris qu'ils seraient bientôt séparés, que la promenade silencieuse jusqu'à son endroit préféré constituait un adieu. Il tenait son museau contre le genou de Berish et le scrutait de ses yeux marron, incroyablement humains.

Il l'avait pris quand il n'était qu'un chiot, directement à l'élevage. Il se rappelait encore la première nuit chez lui – la barrière improvisée pour ne pas le laisser sortir de la chambre, la balle achetée en même temps que la nourriture pour le faire jouer, l'exubérance fofolle du chiot dans ce lieu inconnu, son pleur désespéré quand son maître était allé se coucher.

Berish n'avait pas résisté, malgré les avertissements de l'éleveuse qui lui avait conseillé de l'ignorer s'il voulait qu'il s'habitue à rester seul. Après une heure et demie de pleurs et de gémissements, il s'était levé pour le consoler. Il s'était assis par terre – Hitch couché entre ses jambes croisées – et l'avait caressé jusqu'à ce qu'ils s'endorment tous les deux sur le sol.

Il avait pris Hitch parce qu'il était convaincu que les chiens ne jugent pas – pour un paria comme lui, Hitch était l'ami parfait. Avec le temps, il avait changé d'idée. Les chiens jugent mieux que quiconque, mais heureusement pour les humains ils ne savent pas parler.

Berish avait pris la décision de se rendre, mais il voulait profiter encore un peu de son chien et de sa liberté indolente – il savait qu'un homme cesse d'être libre non pas quand on lui passe les menottes mais au moment où on commence à le traquer.

Dans quelques heures il se retrouverait dans une salle d'interrogatoires et il affronterait quelqu'un à qui, de tout son cœur, il désirait confesser ses péchés. Sauf que les seuls que ses collègues voulaient entendre étaient ceux qu'il n'avait pas commis.

D'abord, il avait une dernière chose à faire. Il le devait à son seul ami. Et à une petite fille.

Un regret fugace le traversa et disparut avec la dernière goutte de soleil. Une mer sombre avait occupé la vallée. Les ombres, comme à marée haute, avançaient maintenant vers lui.

Berish décida qu'il était temps d'y aller.

Quand la mère de Mila ouvrit la porte, elle reconnut le visage du fugitif qu'elle venait de voir au journal télévisé.

— Excusez-moi, lui dit Berish. Je ne suis pas venu vous faire de mal et je ne sais pas où est votre fille, je vous le jure.

— On m'a raconté des choses terribles sur votre compte, affirma la femme en l'observant.

Berish crut qu'elle allait fermer la porte et appeler la police, mais non.

— Pourtant, la dernière chose que Mila m'a dite le soir de sa disparition est qu'elle vous faisait confiance.

— Et vous faites confiance à votre fille ?

— Moi, oui. Parce que Mila connaît l'obscurité.

Berish regarda autour de lui.

— Je n'en ai pas pour longtemps, j'ai décidé de me rendre dès que je sortirai d'ici.

— Je crois que c'est le bon choix, au moins vous aurez la possibilité de vous défendre.

Berish ne lui dit pas qu'il n'en serait pas ainsi.

— Je m'appelle Inès, déclara la femme en tendant la main.

L'agent spécial la lui serra.

— Si vous êtes d'accord, j'ai un cadeau pour votre petite-fille.

Il s'écarta pour laisser entrer Hitch.

— J'ai pensé à lui prendre un chien, dit la femme avec étonnement. Pour la distraire de la disparition de sa mère.

Elle les fit entrer et referma la porte.

— Il est tranquille et très obéissant, la rassura Berish.

— Pourquoi ne le racontez-vous pas à Alice ? proposa la femme. Elle sera contente, elle n'a pas passé une bonne journée. Au parc elle est tombée en courant.

— Ça arrive aux enfants.

— Mila ne vous l'a pas dit ? Alice n'a pas la notion du danger.

— Elle ne m'en a jamais parlé.

— Peut-être parce qu'elle pense être elle-même un danger pour sa fille.

Cette phrase permit à Berish de comprendre beaucoup de choses.

— Si vous voulez lui parler, Alice est dans sa chambre.

Elle les accompagna et observa la scène depuis la porte. Berish entra le premier. La fillette était assise sur le tapis, en chemise de nuit, le genou recouvert d'un gros pansement coloré.

Elle avait préparé la table pour le thé. Toutes ses poupées étaient invitées. La place d'honneur était réservée à une poupée aux cheveux roux.

— Bonsoir, Alice.

La fillette se retourna pour voir qui était l'homme qui l'avait appelée par son prénom.

— Bonsoir.

— Je suis Simon et lui, c'est Hitch.

— Salut, Hitch.

Le chien aboya.

— On peut s'asseoir avec vous ?

— D'accord.

— Tu aimes le thé ? demanda la petite.

— Beaucoup.

— Tu en veux une tasse ?

— Avec grand plaisir.

Elle lui versa un peu de la boisson imaginaire et lui tendit une tasse.

— Je suis un ami de ta maman.

La petite ne fit aucun commentaire. Comme si elle essayait de se protéger d'un sujet douloureux.

— Mila m'a parlé de toi et je suis curieux, c'est pour ça que je suis venu.

— Tu ne bois pas ?

Berish porta la tasse à ses lèvres.

— Ta maman va bientôt revenir.

Il le promit sans savoir si c'était vrai.

— Miss dit qu'elle ne reviendra jamais.

Berish se rappela que Miss était le nom de sa poupée préférée. Mila le lui avait donné durant leur dispute, la dernière fois qu'ils s'étaient parlé.

C'est moi qui l'ai provoquée, se dit-il.

Alors dis-moi, quelle est sa couleur préférée ? Qu'aime-t-elle faire ? A-t-elle une poupée avec laquelle elle s'endort les soirs où tu n'es pas là ?

C'est une poupée rousse, elle s'appelle Miss.

— Ta maman ne peut pas vivre sans toi, affirma Berish à la fillette – priant pour que sa prophétie se réalise.

— Miss dit qu'elle ne m'aime pas.

— Elle se trompe. Je veux dire… Miss ne le sait pas, elle ne peut pas le savoir.

— Bon, fit la fillette comme si elle prenait simplement acte.

Berish sentit le besoin de parler encore, mais il ne la connaissait pas assez.

— Le jour où elle reviendra, vous irez au parc. Ou bien au cinéma, voir un dessin animé. Et vous mangerez du pop-corn, si tu en as envie.

Il comprit que sa tentative était maladroite parce que Alice se contentait d'acquiescer – les enfants possèdent la sagesse du monde et, parfois, ils font semblant d'être d'accord avec les adultes comme on fait avec les fous pour les contenter.

En grandissant, Berish avait perdu ce bon sens précieux. Lui aussi s'était transformé en l'un des nombreux fous qui peuplent la terre. Il décida donc que c'en était assez. Avant qu'il se relève, Alice l'arrêta.

— Tu ne viendras pas avec nous ?

L'agent spécial se sentit perdu.

— Comme je dois partir pour un long moment, je voudrais te demander un service.

La fillette attendait.

— Là où je vais, les chiens ne sont pas admis… Si tu as envie, il faudrait que tu t'occupes de Hitch.

— Vraiment ? demanda Alice, émerveillée.

En réalité, la question s'adressait à sa grand-mère qui se tenait sur le seuil, les bras croisés. Après avoir reçu un signe de consentement, elle tendit à Berish sa poupée préférée.

— Je suis sûre que là où tu vas les poupées ne sont pas interdites, donc elle peut rester avec toi et te tenir compagnie.

— Je prendrai soin d'elle, je te le promets. Et je te jure que Miss sera heureuse avec moi.

— Elle ne s'appelle pas Miss.

— Ah non ?

— Non. Miss n'est pas une poupée. C'est une personne.

L'agent spécial fut assailli par un frisson terrible. Sa gorge se noua.

— Écoute-moi, dit-il en la prenant par les épaules pour qu'elle le regarde dans les yeux. Qui est cette personne dont tu parles ?

— Miss est la maîtresse du soir, elle vient me souhaiter bonne nuit, répondit-elle le plus naturellement du monde.

Quand il entendit l'un des noms de Kairus décliné au féminin, l'agent spécial sentit son sang se glacer.

— Alice, c'est important. Tu me dis la vérité, n'est-ce pas ?

La fillette acquiesça.

Quand on est petit, notre chambre nous semble l'endroit le moins sûr du monde, pensa Berish. C'est l'endroit où l'on doit dormir seul, la nuit, dans le noir. L'armoire est le refuge des monstres et sous le lit se cache toujours une menace.

Mais Alice n'était pas en mesure de percevoir les dangers, se rappela-t-il…

C'était peut-être pour ça que sa mère la surveillait à distance.

Malgré sa terreur, Berish sut quoi faire.

68

Les lumières du petit appartement de Mila étaient éteintes.

À l'exception de celle, verdâtre, produite par l'écran de l'ordinateur qui se reflétait sur le visage de Berish. Dessus, les images de nuit de la petite chambre d'Alice. Autour de l'agent spécial, des centaines de livres – empilés comme des fortifications.

Il avait cherché dans la mémoire de son ordinateur portable les enregistrements des soirs précédents et trouvé ceux de l'avant-veille – le soir de la disparition de Mila.

Dans le film, il vit le reflet de la policière dans le miroir de l'armoire, alors qu'elle se tenait immobile dans le couloir. Il écoutait. Les phrases qu'il allait entendre étaient probablement la cause de son terrible émoi.

Alice était assise sur son lit et parlait à voix basse.

— Moi aussi je t'aime, disait-elle. Tu verras, on sera toujours ensemble.

Mais elle ne s'adressait pas à la poupée rousse qu'elle serrait dans ses bras.

Quelqu'un, debout, se cachait dans un coin. Une ombre plus sombre que les autres. Berish s'approcha de l'écran pour l'identifier.

— Je ne te laisserai pas seule. Je ne suis pas comme ma maman, je serai toujours avec toi.

L'agent spécial avait du mal à y croire. La lame glaciale de la peur s'enfonça dans son dos.

— Bonne nuit, Miss.

Après avoir prononcé ces mots, la fillette s'était glissée sous les couvertures. Au même instant, Mila s'était enfuie.

C'est alors que l'ombre s'était détachée du mur, faisant un pas en avant pour caresser la petite.

Miss est la maîtresse du soir, elle vient me souhaiter bonne nuit.

Elle ne savait pas qu'elle était filmée. Elle leva la tête vers la caméra.

69

Une maison sombre plongée dans le silence.

Simon Berish n'était qu'une silhouette qui se découpait sur la vitre de la porte de service. Il l'avait refermée derrière lui avec attention.

Il regrettait d'avoir laissé le pistolet de Mila dans le bureau de Stephanopoulos.

Mais Sylvia n'attendait sans doute pas de visite à 3 heures du matin. Elle était peut-être sûre d'avoir gagné. Il ne pouvait pas savoir si elle était toujours sur ses gardes.

Il ne savait plus rien.

La lumière des réverbères pénétrait comme un brouillard blanchâtre. Berish en profita pour se glisser dans l'entrée – ses pas produisaient à peine un murmure. Ses oreilles tendues percevaient tous les bruits. Lentement.

Arrivé dans le couloir, il regarda vers le salon : le canapé où elle l'avait lavé du sang de Steph avec un soin infini et amoureux. Il sentait encore la caresse de sa main sur son cou – stigmate invisible et sacrilège.

Il se dirigea vers l'escalier. Il voulait trouver Sylvia.

Il imaginait qu'elle dormait, à cette heure. Il monta marche par marche – le bois grinçait.

Quand il atteignit enfin le palier, il attendit.

Avant d'avancer, il regarda les photos accrochées aux murs, éclairées par la lueur de la lune. Ce matin-là, Sylvia lui avait parlé de son fils.

Il est beau, mon fils, n'est-ce pas ?

Au parc d'attractions, à la plage, derrière un gâteau d'anniversaire. Quand on regardait attentivement, leurs sourires semblaient sincères. Ils ne les exhibaient pas. Ils les arboraient.

Il eut à nouveau la sensation de connaître le jeune garçon, qui grandissait sur les photos à côté de sa mère comme sous l'effet d'un sortilège. Cette fois, Berish reconnut les traits de Michael Ivanovič.

Ce n'est pas ma mère.

Après l'interrogatoire du pyromane, il n'avait pu donner de sens à cette phrase, mais désormais tout était clair. Il s'était demandé à qui Stephanopoulos avait confié le petit garçon de six ans après l'avoir enlevé dans la chambre 317 de l'hôtel Ambrus. Maintenant, il savait : il l'avait promis à son précieux témoin. Sylvia avait accepté le pacte en échange de ce cadeau.

Elle l'avait élevé, l'avait modelé selon les préceptes de la secte. Puis elle l'avait envoyé accomplir sa mission de mort. Elle savait que, s'il était arrêté, il ne la trahirait jamais.

L'Hypothèse du mal était une nouvelle fois prouvée. Le bien qui se transforme en mal qui se transforme en bien qui se transforme à nouveau en mal – dans un cycle perpétuel de vie et de mort.

Les pièces s'assemblaient. Mais, pour la deuxième

fois, l'agent spécial se demanda qui avait immortalisé ce tableau familier avec un appareil photo.

Puis il aperçut au fond d'une image l'avant d'une voiture qu'il connaissait.

La Volkswagen de Stephanopoulos.

Il eut la confirmation qu'il cherchait.

Deux prédicateurs.

Un homme et une femme. Il n'aurait jamais pu imaginer que le Maître de la nuit possédait une âme double – bonne et mauvaise.

Trouve-la...

Les derniers mots de Steph. Une invitation qui se référait à Sylvia. Ou plutôt, à Kairus.

C'est nous. En lui donnant la chasse pendant toutes ces années, nous l'avons invoqué. Et il a fini par apparaître, avait affirmé le capitaine. Et lui, il avait cru que c'était la folie qui parlait.

Il n'avait pas le temps de s'arrêter sur les implications de sa découverte. Les pièces qui donnaient sur le couloir étaient toutes ouvertes, l'agent spécial les examina une par une. La dernière était la chambre à coucher principale.

Il se pencha pour distinguer la silhouette de Sylvia endormie. Il réfléchissait déjà à un moyen pour la neutraliser.

Mais le lit n'était pas défait.

Il réfléchit. Où était-elle ? Berish était convaincu que la maison ne lui avait pas encore révélé tous ses secrets.

Il revint sur ses pas, dans l'intention de poursuivre ses recherches à l'étage du dessous. Mais son instinct de flic le poussait à ne rien négliger.

Quand il fit demi-tour pour redescendre l'escalier, tournant le dos à l'unique fenêtre, il aperçut une ombre qui se balançait sur le mur opposé. Comme un pendule.

Au-dessus de sa tête, il aperçut une cordelette accrochée au plafond.

Il tendit la main pour la saisir et tira. La trappe glissa sur ses gonds et une échelle de corde se déroula devant lui comme une langue sortie de la bouche d'un géant. Une passerelle pour accéder à un deuxième monde.

Berish monta au grenier.

Il passa la tête et respira de la poussière et une odeur de bougies éteintes. Une lucarne projetait un rayon de lumière glaciale qui formait un puits blanc au milieu de la grande pièce.

Autour de lui, sur les murs, des centaines de photos.

L'effet était semblable à celui de la Salle des pas perdus des Limbes. Mais les visages qui le scrutaient depuis les murs appartenaient aux disparus de la chambre 317 de l'hôtel Ambrus.

Des vivants qui ne savent pas qu'ils sont vivants. Et des morts qui ne peuvent pas mourir.

Ils étaient tristes, tels de vieux fantômes. Fatigués, comme s'ils avaient trop de souvenirs à oublier.

Au fond de cette collection de regards, Berish aperçut une silhouette allongée sur un lit pliant. Il courut vers elle et lui prit la main.

— Mila, appela-t-il tout bas.

Aucune réaction. Il appuya son oreille contre sa bouche, espérant entendre sa respiration ou sentir son souffle sur sa peau. Il était trop agité pour comprendre si elle était encore vivante : il ausculta son cœur.

Il battait. Faiblement, mais il battait.

Il aurait voulu remercier le ciel. Toutefois, elle était dans un état pitoyable : en sous-vêtements, les cheveux trempés de sueur, la culotte jaunie par l'urine, ses lèvres craquelées par la soif. Les cicatrices sur sa peau étaient anciennes, mais ses bras nus étaient parcourus de marques récentes, profondes et purulentes.

Des narcotiques par voie intraveineuse. On l'avait plongée dans un sommeil qui ressemblait à un coma.

Exactement comme l'homme qu'elle avait aimé – Berish connaissait l'histoire et reconnut la funeste coïncidence. Avant de plonger dans son inconscient malade, cet homme lui avait donné Alice.

Mila ne connaîtrait pas le même sort : l'agent spécial se le jura.

Ignorant le danger, il la prit dans ses bras pour l'emmener. Elle était toute légère. Quand il se retourna, il aperçut Sylvia qui l'observait.

— Je peux t'aider, si tu veux.

Cette phrase – normale, sensée, raisonnable – le fit frissonner plus qu'une menace. La folie ne se lisait pas sur son visage, ni la méchanceté dans sa voix.

— Sérieusement, je peux t'aider à l'emmener, insista-t-elle.

— Ne t'approche pas d'elle, lui intima froidement Berish.

Elle n'était pas armée et elle portait toujours la même robe de chambre.

Vingt ans plus tard, elle l'avait berné à nouveau.

Mila dans les bras, Berish avança sous les regards des disparus sur les murs. Arrivé devant Sylvia, il crut qu'elle voulait lui barrer la route. Ils s'observèrent, comme s'ils essayaient de se reconnaître. Puis elle s'écarta.

Il redescendit l'échelle de corde en veillant à garder l'équilibre. Il savait qu'elle le regardait toujours, il l'ignora. Il se retrouva au rez-de-chaussée. Sylvia le suivait à distance, comme une enfant.

Le monstre semblait si fragile, et si humain.

Avant de sortir par la porte principale, il se retourna.

— Combien vous êtes ?

Sylvia sourit.

— Une armée d'ombres.

Quand il franchit le seuil, les gyrophares l'éblouirent. Ses collègues policiers encerclaient la maison, mais ils ne semblaient pas hostiles.

Klaus Boris venait à sa rencontre, inquiet.

— Comment va-t-elle ?

— Elle a besoin d'aide, tout de suite.

Le brancard arriva. Un infirmier le délesta du poids du corps inanimé. Berish laissa aller Mila, son dernier contact fut une caresse. On l'embarqua dans une ambulance qui partit, sa sirène hurlant.

Il la suivit du regard.

— Merci pour le coup de fil, lui dit Boris.

Berish ne l'entendit pas. De même qu'il ne vit pas ses collègues passer les menottes à Sylvia et l'emmener en silence.

Simon Berish – le flic paria – n'avait qu'une envie : disparaître.

LA CHAMBRE 317
DE L'HÔTEL AMBRUS

Dossier 2121 - CLLT/6

Transcription de l'enregistrement du 29 février XXXX à 23 h 21.
Objet : appel au numéro d'urgence de XXXX passé par le concierge de nuit de l'hôtel Ambrus. Standard : agent Clive Irving.

N.B.
L'appel précède de trente ans les faits actuels.

Standard : Police, je vous écoute.
Concierge (voix agitée) : J'appelle de l'hôtel Ambrus, je suis le concierge. Une femme est morte dans une de nos chambres.
Standard : Quelle est la cause du décès ?
Concierge : Son corps est couvert de coupures et de blessures, elle a été tuée.
Standard : Vous savez qui a fait ça ?
Concierge : Je n'en ai pas la moindre idée.
Standard : Bien, monsieur. L'auteur pourrait-il être encore à l'intérieur de l'hôtel ?
Concierge : …

Standard : Monsieur, vous avez entendu ma question ?
Concierge : Oui, j'ai entendu.
Standard : Alors, pouvez-vous me fournir une réponse ?
Concierge : Il y a une petite fille dans la chambre, c'est elle qui nous a ouvert la porte quand nous avons accouru après avoir entendu les cris.
Standard : Vous n'avez pas répondu à ma question.
Concierge : Écoutez, je ne veux pas vous manquer de respect… mais vous avez compris ce que je viens de vous dire ? La chambre 317 était fermée de l'intérieur quand nous sommes arrivés.
Standard : J'ai compris, j'envoie immédiatement une patrouille.

Fin de l'enregistrement.

70

Il lui avait acheté des fleurs.

Après dix jours au service des soins intensifs, entre la vie et la mort, puis dix autres jours d'hospitalisation, Mila était prête à sortir.

Berish tenait à être présent. Il était venu la voir presque chaque jour. La nuit, il était resté derrière la vitre du service de réanimation, observant les moindres changements de son corps endormi. Il était là quand elle avait été réveillée du coma pharmacologique qui avait suivi celui induit par les puissants narcotiques administrés par sa geôlière. Mila avait couru un grave danger, parce que les opiacés avaient ralenti sa respiration et, privée d'oxygène, elle mourait lentement.

Pourtant, les médecins avaient réussi à la sauver. Les examens avaient montré que le début d'hypoxie n'avait pas causé trop de dégâts.

Mila avait quelques difficultés motrices – surtout à une jambe – mais pour le reste elle allait assez bien.

Après son réveil, quand elle avait été ramenée dans le service, Berish avait espacé ses visites. Il voulait éviter le défilé des autorités et des gros bonnets du département qui accouraient au chevet de la nouvelle héroïne propulsée sur l'autel des médias.

L'histoire avait été rendue publique à grand bruit.

Le seul qui n'y avait rien gagné était l'agent spécial. Pourtant, demeurer un personnage gênant pour la police fédérale mettait Berish à l'abri des ennuis. Par exemple, être exposé tel un fantoche bien dressé devant les micros et les caméras.

Dans le fond, le statut de paria avait ses avantages.

Cependant, quelque chose avait changé. Au restaurant chinois, aucun collègue ne lui jouait plus de mauvais tour. Quelques jours auparavant, l'un d'eux lui avait même dit bonjour. C'étaient des détails, il le savait. Même si le véritable pourri était Gurevich, il ne serait jamais totalement blanchi à leurs yeux. Toutefois, il pouvait désormais entrer dans le restaurant avec la certitude qu'au moins on le laisserait prendre son petit déjeuner en paix.

En marchant vers l'entrée de l'hôpital, Berish se sentait ridicule, son bouquet de glaïeuls à la main. Il s'était laissé convaincre par le fleuriste, mais il doutait que ce fût le meilleur cadeau pour Mila. Il n'y avait rien de vraiment féminin en elle. Elle n'était pas non plus masculine, elle avait plutôt un aspect très sauvage. C'était cela qui attirait Berish.

Arrivé devant la porte vitrée automatique, il jeta le bouquet dans un grand cendrier au centre de la zone fumeurs.

Puis il entra.

Mila bénéficiait d'une chambre individuelle dans une aile surveillée par les forces de l'ordre. Quand Berish arriva, l'ambiance était frénétique. Des policiers stationnaient dans le couloir, ils venaient d'escorter quelqu'un dans la pièce.

L'agent spécial reconnut Klaus Boris, qui lui avait téléphoné la veille au soir pour le convoquer et venait maintenant à sa rencontre avec une expression amicale, la main tendue.

— Comment va-t-elle, aujourd'hui ? demanda Berish en lui serrant la main.

— Mieux qu'hier. Et demain, ça ira encore mieux.

— On entre ?

— Cette fois, je n'ai pas été invité à la fête, dit Boris en lui tendant une chemise jaune. Apparemment, tu es le seul homme. Bonne chance.

— Nous avons encore quelques informations à vérifier, disait Joanna Shutton assise sur l'un des deux lits, les jambes croisées pour mettre en évidence ses bas de soie.

Son Chanel n° 5 embaumait la pièce. Mila se tenait sur l'autre lit, assise. Son visage était pâle et cerné. Elle portait un sweat-shirt à capuche mais n'avait pas encore mis ses chaussures. Ses pieds se balançaient, sans toucher le sol. À côté d'elle, une béquille. Non loin, son sac était prêt.

— Entre, Simon.

Le Juge s'adressait à lui sur un ton intime, comme autrefois, quand ils étaient amis.

— Je lui expliquais justement les derniers développements de l'affaire, poursuivit Joanna Shutton. Comme je disais, Roger Valin, Éric Vincenti et André

García sont introuvables. On soupçonne qu'ils bénéficient toujours du soutien d'autres adeptes de la secte.

Berish était satisfait d'entendre que dans les hautes sphères du département on ne parlait plus de terrorisme.

— Comme nous le savons, Nadia Niverman et Diana Müller sont mortes. Michael Ivanovič est à l'hôpital psychiatrique. Enfin, la prédicatrice que nous connaissons sous le nom de « Sylvia » est en prison, enfermée dans un mutisme total.

Berish remarqua un voile d'inquiétude sur le visage de Mila.

— Tout de même, vous avez maintenant une idée de combien d'autres disparus ont adhéré à la secte, hasarda la policière.

— Dans le grenier où vous étiez prisonnière, il y avait beaucoup de photos accrochées aux murs, admit Joanna.

Mila acquiesça.

— Il reste quand même des questions sans réponse, conclut le Juge en regardant Berish.

— Alors c'est vrai, Stephanopoulos s'est suicidé.

Mila avait du mal à y croire.

— Il l'a fait devant moi, il voulait d'abord soulager sa conscience, expliqua l'agent spécial.

Tout le monde veut parler à Simon Berish.

— Steph savait qu'il était coresponsable de ce qu'avait fait Sylvia. Mais pour lui, il était plus simple d'écrire un indice sur un papier et de me confier ainsi la solution du mystère, plutôt que de reconnaître ses fautes.

— Alors ils étaient vraiment deux… lâcha Mila, incrédule.

Joanna en profita pour regarder l'heure.

— J'ai une réunion avec le maire dans quarante minutes, je dois y aller. Si ça ne vous dérange pas, Vasquez, c'est Berish qui vous racontera la fin de l'histoire et qui répondra à vos questions, déclara-t-elle en lui tendant une main couverte de bagues et aux ongles vernis. Remettez-vous en forme, ma chère. Nous avons encore besoin de vous.

En sortant, Joanna Shutton évita de croiser le regard de Berish. Elle referma la porte. Ils se retrouvèrent seuls.

Mila remarqua alors la chemise jaune qu'il tenait à la main.

— Qu'est-ce que c'est ?

— Bien, dit-il presque solennellement en s'asseyant à côté d'elle. Alors, recommençons du début…

71

— Tu te souviens de ce que je t'ai dit au sujet de l'Hypothèse du mal ?

— Le bien et le mal sont distincts mais ils coexistent, ils se confondent.

— Exactement. La composante du bien dans cette histoire est Stephanopoulos. Comme tu le sais, il y a vingt ans le capitaine a décidé d'utiliser les ressources du programme de protection des témoins pour aider des gens à disparaître. Des gens qui, selon lui, méritaient une deuxième chance de vie. Il estimait que la solution pour eux était de recommencer à zéro… Il leur prévoyait une nouvelle identité, suffisamment d'argent et la possibilité de vivre dans un endroit où personne ne connaissait leurs péchés.

— Steph était un brave type, le défendit Mila.

— Il pensait être un bienfaiteur, mais il avait une vision distordue de la réalité, qui a empiré avec le temps.

Berish évita de lui expliquer que quelque chose s'était sans doute brisé dans la psyché de Steph.

— Je crois qu'il a été victime d'une force plus puissante que lui. Quand il a compris que quelque chose avait échappé à son contrôle dans le système qu'il avait créé, il aurait dû raconter la vérité. Entre-temps, des gens comme Valin ou Vincenti ont pu tuer en toute impunité. La seule action concrète que Steph a mise en œuvre pour arrêter cette escalade de violence a été d'organiser notre rencontre, en t'orientant vers moi.

— Il comptait sur nous pour élucider l'affaire parce qu'il ne savait pas lui-même ce qui se passait réellement.

— Pour s'en assurer, il nous a suivis dans le nid de Kairus. Quand nous l'avons intercepté, il a provoqué l'incendie pour effacer ses traces.

— Qu'est-ce que Steph n'avait pas prévu, il y a si longtemps ? demanda Mila d'abord avec les yeux puis avec les mots.

— Un élément maléfique s'est glissé dans son plan philanthropique : encore l'Hypothèse du mal. Deux prédicateurs : l'un agit pour le bien, l'autre pour le mal. La composante maléfique de l'histoire est Sylvia, articula Berish qui prononçait son prénom non sans effort. Steph l'a choisie comme témoin clé pour confirmer l'existence de Kairus, dans le but de brouiller l'enquête. Il a cru en elle, assez pour lui confier le petit Michael. Mais Sylvia n'est pas ce dont elle a l'air. En plus d'élever son fils adoptif en pyromane, elle s'est servie des personnes que Steph a aidées à disparaître. Elle était son ombre, elle a œuvré dans son dos, à son insu. C'est ainsi qu'elle est entrée en contact avec les personnes que le capitaine croyait aider.

Elle a réussi à les persuader d'intégrer la secte parce que – et c'est là la véritable erreur de Steph – il ne suffisait pas d'offrir une seconde chance à des personnes qui n'étaient de toute façon pas habituées à vivre. Des gens éprouvés par l'existence : ils n'étaient pas armés pour se construire une nouvelle vie, notamment parce qu'ils étaient toujours habités par la haine et la rancœur. C'était prévisible, d'ailleurs. Pour eux, le changement s'est révélé n'être qu'une douloureuse illusion.

— Sylvia a su s'imposer comme guide : c'était comme si Steph les avait enrôlés pour elle, conclut Mila. Cette femme et le capitaine étaient liés depuis le début. Mais comment se sont-ils rencontrés ?

— Dans la chambre 317 de l'hôtel Ambrus.

Mila haussa un sourcil.

— Durant notre première visite, le concierge a mentionné un crime de sang survenu il y a trente ans. Nous l'avons négligé parce qu'il remontait à dix ans avant le début des disparitions des insomniaques. C'était une erreur.

— Que s'est-il passé dans la chambre 317 dix ans avant Kairus ?

— Un homicide, déclara Berish en ne laissant pas transparaître à quel point l'histoire l'avait troublé. L'hôtel avait ouvert depuis quelques jours. Une nuit, une femme a été massacrée à coups de couteau. Mais ce qui a attiré l'attention et créé la stupeur est que sa fille a assisté à son meurtre : elle a échappé à la furie de l'assassin en se glissant sous le lit.

— Sylvia.

Berish confirma l'intuition de Mila d'un signe de tête.

— Comme elle aurait pu reconnaître l'auteur du crime, la fillette a été prise en charge par le programme de protection des témoins. C'est Stephanopoulos qui s'en est occupé.

— Le coupable a-t-il été retrouvé ?

— Non, jamais. Mais ce n'est pas tout, il y a un détail bizarre… Quelqu'un a entendu les cris de la femme mais, quand les secours sont arrivés, la chambre était fermée de l'intérieur.

— Tu veux dire que ça pourrait être sa fille qui…

— Peut-être. Peut-être que la fillette a fermé la porte quand l'assassin s'est enfui, craignant qu'il revienne pour la tuer. En tout cas, d'après la police elle était innocente, en plus l'arme du crime n'a jamais été retrouvée et le médecin légiste a déclaré que, étant donné la profondeur des blessures sur le cadavre, il était improbable qu'une fillette de dix ans ait eu la force de les infliger.

Mila perçut sur le visage de Berish que le pire était à venir.

— Il y a autre chose, pas vrai ?

— Oui, admit l'agent spécial en lui passant la chemise jaune.

Mila l'ouvrit. Elle contenait une photo.

— Elle a été prise sur la scène de crime, expliqua-t-il.

Mila reconnut la 317 – papier peint rouge foncé, moquette assortie ornée de gigantesques fleurs bleues. Le lit était le même que dans son souvenir. Un crucifix était accroché au mur et une bible trônait sur l'une des tables de nuit. L'aura opaque et consumée du passé ne s'était pas encore formée, parce qu'au moment où la photo avait été prise les clients qui avaient marché sur la moquette et dormi dans le lit étaient encore peu nombreux. Tout semblait neuf, inaltéré. Plusieurs membres du personnel de l'hôtel se tenaient sur le seuil : un groom de couleur, vêtu d'un uniforme à rayures blanches et bordeaux, ainsi que deux femmes de chambre portant une coiffe et un tablier blanc. La photo témoignait d'un certain standing : l'hôtel Ambrus n'était pas encore devenu un lieu de rencontres occasionnelles ou clandestines.

S'agissant d'une scène de crime, on voyait des policiers et des techniciens de la scientifique en plein travail. La victime était allongée sur le lit, recouverte de la tête aux pieds par un drap taché de sang. Un peu plus loin, une fillette d'une dizaine d'années, en larmes, se serrait contre une policière qui l'accompagnait à l'extérieur. Sylvia. À côté d'eux, le jeune Stephanopoulos semblait donner des indications à sa collègue pour qu'elle prenne soin de la petite.

Un seul homme regardait vers l'objectif.

Debout dans un coin de la chambre – et donc de la photo –, il tenait à la main la boule en laiton à laquelle était accrochée la clé de la 317. Il portait une livrée bordeaux – l'uniforme d'un concierge d'hôtel. Sur son visage, l'ombre légère d'un sourire. Cet homme était le Chuchoteur.

Mila ne le quittait pas des yeux. Berish lui prit la main.

— Pourquoi es-tu allée à l'hôtel Ambrus ? Pour quelle raison as-tu pris le somnifère laissé pour toi sur la table de nuit ?

— Parce que c'est de l'obscurité que je viens, et de temps en temps je dois retourner à l'obscurité.

— Que veux-tu dire, Mila ? Je ne comprends pas.

— Qu'y a-t-il à comprendre ? Il le sait, *lui*, il me connaît. Il était convaincu que je le ferais, parce que pour moi la tentation est toujours trop forte, douloureusement irrésistible. Et si tu ne comprends pas ça…

Elle n'acheva pas sa phrase mais Berish comprit. Il ne pouvait être proche d'elle s'il ne comprenait pas les raisons qui la poussaient vers l'inconnu.

— Je l'ai rencontré une seule fois, il y a sept ans, ajouta Mila. Les mots qu'il m'a dits m'ont profondément marquée. C'était une sorte de prophétie. Ou peut-être avait-il seulement joué à deviner. Pour être sincère, je n'ai pas cru à une sorte de magie maléfique. Cette fois non plus, d'ailleurs. Parce que, comme tu le dis toi-même, il faut toujours rationaliser, déclara-t-elle en refermant la chemise qui contenait la photo. Il n'est pas différent des autres êtres humains : il mange, il dort, il a des besoins. Et des points faibles. Et il peut mourir. Nous devons simplement l'attraper. Le reste n'est qu'un mauvais tour joué par notre imagination.

— Tu ne te rappelles vraiment rien des jours que tu as passés dans le grenier de Sylvia ?

— Comme je te l'ai expliqué, j'ai dormi tout le temps. Je vais bien, le rassura-t-elle en souriant. Maintenant, je veux aller voir ma fille.

Berish acquiesça et se dirigea vers la porte.

— Simon, l'arrêta-t-elle.

Il se retourna.

— Merci.

22 octobre

Sa mère allait rentrer à la maison.

Pour l'accueillir au mieux, sa grand-mère lui avait fait enfiler sa plus belle robe – celle en velours bleu – et ses chaussures vernies. Alice n'aimait pas cette robe. Elle lui remontait jusqu'à la taille quand elle était assise, elle devait constamment la tirer vers le bas. Et puis, quand elle la portait, elle ne pouvait pas jouer parce que Inès lui recommandait toutes les trente secondes de ne pas se salir.

Cette robe était un aimant à reproches.

Sa grand-mère disait que c'était un jour spécial, que Mila avait traversé un moment très difficile et qu'elle avait besoin d'être soutenue. Alice avait accepté de participer, sans imaginer que cela comporterait des changements radicaux – personne ne lui en avait parlé, personne ne l'avait consultée. Inès lui avait préparé une petite valise en lui expliquant qu'elle emménageait chez sa mère, parce que Mila voulait passer du temps avec elle.

Pour le moment, elle ne pouvait emporter que trois

jouets. Le choix avait été difficile, parce que la poupée rousse – sa préférée – rentrait de droit dans le trio, et elle ne voulait pas causer de tort à toutes les autres, sans compter les figurines et les peluches.

Comment pourraient-elles dormir sans elle, dans sa chambre chez sa grand-mère ? Et elle, se sentirait-elle seule sans tous ses compagnons ?

Heureusement, il y avait Hitch. Le policier appelé Simon n'avait pas demandé à le reprendre, bien qu'il ne soit pas allé là où les chiens étaient interdits, comme il lui avait dit. Il venait le voir chaque jour, ils l'emmenaient au parc ensemble. Alice savait que tôt ou tard son ami retournerait chez son véritable maître, mais elle espérait le garder encore quelque temps.

Simon disait que Hitch resterait avec elle pour lui apprendre à percevoir les dangers et évaluer les risques. Quand elle aurait appris, alors il le reprendrait.

Elle aimait bien Simon. Surtout, elle aimait bien la façon dont il s'adressait à elle. Il ne lui disait jamais quoi faire, il attendait qu'elle comprenne par elle-même.

Les grands ne sont jamais patients, pensait Alice. Simon était différent. Lui aussi, il l'avait interrogée sur Miss. Mais en lui posant les questions il ne l'avait pas regardée comme si elle avait fait quelque chose de mal.

Alice lui avait raconté que Miss entrait dans la maison grâce à un double de la clé caché dans le jardin, sous un pot de bégonias.

Tout était arrivé à cause de la poupée aux cheveux roux.

Elle l'avait emmenée à l'école, cachée dans son sac à dos. La maîtresse ne voulait pas qu'ils apportent de jouets, mais pour Alice cette poupée n'était pas un jouet. C'était sa meilleure amie – cela faisait une belle différence.

Mais ensuite, il s'était passé quelque chose d'affreux.

Pendant la journée, Alice avait été tellement occupée qu'elle l'avait oubliée. À la fin de la classe, quand le car du ramassage scolaire l'avait ramenée chez elle, la poupée aux cheveux roux avait disparu.

Prise de panique, elle n'avait su que faire. Elle ne pouvait pas le dire à sa grand-mère, qui l'aurait sans doute punie. Elle avait pensé à donner une photo de sa poupée à Mila, parce qu'une fois Inès lui avait dit que sa mère cherchait les personnes qui disparaissaient.

Elle était certaine qu'elle la retrouverait.

Mais sa mère n'était pas venue, ce soir-là. Alice avait du mal à dormir, elle se demandait ce qu'était devenue sa meilleure amie – seule, dehors, dans le froid, sans doute terrorisée.

Durant une nuit agitée, elle avait senti une main se poser sur son front. Au début, elle avait pensé que c'était Mila – comme si ses prières avaient été exaucées. Mais quand elle avait ouvert les yeux elle avait vu une autre femme assise sur son lit. On lui reprochait toujours de ne pas avoir conscience du danger, mais cette fois il n'y avait pas de quoi avoir peur, parce que l'inconnue tenait justement son amie rousse dans ses bras.

Elle était venue lui rendre sa poupée.

— Comment t'appelles-tu ? lui avait demandé Alice.

— Je n'ai pas de nom.

Alors la fillette avait décidé de l'appeler simplement « Miss ».

Après lui avoir rendu ce qu'Alice croyait avoir perdu pour toujours, la femme lui avait demandé si cela lui ferait plaisir qu'elle revienne de temps en temps. Alice avait répondu que oui. Elle ne venait pas tous les soirs. Elle lui demandait comment cela s'était passé à l'école, à quoi elle avait joué. Elle était toujours gentille. Alice s'était demandé si elle n'enfreignait pas une des règles posées par sa grand-mère : ne jamais parler aux étrangers. Mais puisque Miss était dans la maison, elle ne pouvait pas être considérée comme une étrangère.

Simon avait été d'accord avec elle sur ce point, aussi Alice lui faisait-elle confiance.

Toutefois, elle avait un secret qu'elle n'avait pas souhaité lui révéler.

Elle avait fait une promesse à Miss – la main sur le cœur – la dernière fois qu'elle était venue la voir. Et tout le monde sait qu'une promesse la main sur le cœur doit être respectée. Un de ses camarades de classe lui avait raconté que son cousin connaissait un petit garçon qui n'avait pas respecté une promesse main sur le cœur et qui ensuite avait disparu. Personne ne savait ce qu'il était devenu et ses parents le cherchaient toujours.

Alice ne voulait pas disparaître pour toujours. Ainsi, seule Miss avait le pouvoir de la libérer de son engagement.

Pourtant, quand Mila l'avait accueillie dans son appartement, à son retour de l'hôpital, elle avait été tentée de tout lui dire. Mais ensuite, sa mère l'avait serrée dans ses bras. Elle ne le faisait jamais. Et quand elle l'avait serrée, Alice n'avait senti aucune chaleur provenir de son corps. Elle avait trouvé cela bizarre. Ce n'était pas comme quand sa grand-mère la serrait dans ses bras. Il y avait quelque chose… qui n'allait pas.

Mila lui avait montré sa nouvelle maison. Elle était pleine de livres, il y en avait tellement qu'on avait du mal à marcher, il y en avait même dans la salle de bains.

Ce soir-là, elles avaient dîné ensemble. Sa mère avait préparé des pâtes aux boulettes de viande – pas bonnes du tout. Alice n'avait rien dit, mais Hitch s'en était régalé. Mila ne se comportait pas comme d'habitude, par exemple elle l'avait observée depuis la porte alors qu'elle se brossait les dents. Puis le chien s'était installé dans un fauteuil et elles étaient allées se coucher. Le matelas était petit pour elles deux et les oreillers n'étaient pas moelleux, comme elle aimait. Elles avaient éteint la lumière et avaient cessé de parler, mais Alice savait que sa maman ne dormait pas. Tout doucement, elle s'était rapprochée. Mila avait tendu le bras pour l'attirer vers elle.

Cette fois, elle n'avait pas eu la sensation que quelque chose n'allait pas.

Alice s'était lovée contre elle et Mila avait caressé ses longs cheveux blond cendré. Lentement, le geste s'était éteint. Elle avait compris que sa maman s'était endormie. Pour elle, cela avait été plus long. À un moment, Mila avait parlé, mais dans son sommeil. Alice avait repensé au secret que lui avait confié Miss.

— Il y a une personne spéciale qui voudrait faire ta connaissance.

— Qui est-ce ?

— Quelqu'un qui peut exaucer tes vœux.

— N'importe lequel ?

— N'importe lequel.

Elle n'était pas certaine que cela soit vrai, mais elle voulait y croire. Il n'y avait qu'un moyen de connaître la vérité. Elle devait suivre les instructions que la maîtresse du soir lui avait fait apprendre par cœur. Alors elle s'était dégagée des bras endormis de sa mère et, pieds nus sur le carrelage, elle s'était dirigée vers la fenêtre.

Dehors, devant elle, sur l'immeuble d'en face, il y avait un énorme panneau avec un couple de géants souriants. Elle avait baissé les yeux et l'avait vu. Miss avait raison. Il était là, la tête levée vers sa fenêtre. Il l'attendait. Le vent faisait tourbillonner la poussière entre les murs de la ruelle. Un papier dansait autour de ses jambes, comme une fillette fantôme qui réclame de l'attention.

Alice leva sa petite main pour le saluer.

En retour, le SDF sourit.

Dossier 2573 - KL/777

Prison de XXXX
Secteur pénitentiaire n° 45

Rapport du directeur, Jonathan Stern
25 octobre de l'année en cours

À l'attention du Bureau du procureur général Bertrand Owen

Objet : CONFIDENTIEL

Cher Monsieur Owen,

En réponse à votre demande d'informations sur le compte de la détenue GS - 997/11, je vous informe que Sylvia est toujours en isolement. Elle ne communique pas avec le personnel de la prison, elle passe la majeure partie de ses journées à dormir. Elle n'a aucune conduite contraire au règlement et elle ne formule aucune requête.

Toutefois, je dois vous signaler que depuis quelques jours elle a pris une habitude tout à fait étrange.
Elle lave et brique systématiquement tout ce qu'elle touche, elle ramasse les cheveux qu'elle perd sur son oreiller ou dans le lavabo, elle nettoie ses couverts et les toilettes chaque fois qu'elle les utilise.

Dans d'autres circonstances nous aurions légitimement soupçonné que cette manie vise à nous empêcher de prélever ses substances organiques pour identifier son ADN.
Cependant, ayant déjà effectué un examen génétique, qui n'a fourni aucun résultat probant, nous nous sommes interrogés sur les raisons de ce comportement.
Nous ne possédons toujours pas l'explication.

Je ne peux négliger de vous faire remarquer la singulière analogie avec l'histoire d'un autre détenu qui, il y a plusieurs années, avait été impliqué dans ce qui est désormais connu comme l'affaire du Chuchoteur.

En espérant avoir répondu de façon exhaustive à votre instance, je vous renvoie au prochain rapport et je vous adresse mes salutations respectueuses.

Avec ma parfaite considération,

Directeur Jonathan Stern

NOTE DE L'AUTEUR

Nous avons tous eu, au moins une fois dans notre vie, envie de disparaître.

Dans un moment de découragement, nous avons envisagé de nous rendre à la gare et de monter dans un train au hasard – peut-être fuir pour quelques heures seulement, un mardi matin ensoleillé d'hiver. Si nous l'avons fait, nous ne le raconterons jamais. Mais nous conserverons toujours la sensation libératoire d'éteindre notre téléphone portable et d'oublier Internet, nous affranchissant du joug de la technologie pour nous laisser transporter vers notre destin.

J'avais depuis longtemps en tête l'idée d'un roman sur les disparus qui reviennent. Je peux même affirmer que c'est de là qu'est né le personnage de Mila Vasquez.

Avant d'écrire, j'ai interviewé des représentants des forces de l'ordre, des détectives privés et des journalistes. Et surtout, j'ai parlé avec des amis et des parents de personnes ayant choisi l'obscurité – ou ayant été choisies par elle.

Pourtant, lors de toutes ces rencontres, j'ai toujours eu la sensation de n'explorer qu'une partie du phénomène :

celle qui était à la lumière. L'autre restait invariablement inconnue.

Après la publication du *Chuchoteur*, j'ai reçu un mail d'un homme qui soutenait avoir « effacé » son existence précédente pour en mener une nouvelle – sous une autre identité, avec un second cercle de relations.

Je n'avais aucun moyen de vérifier si son récit était vrai ou s'il s'agissait d'une tromperie bien orchestrée. Quoi qu'il en soit, nous avons entamé une correspondance au cours de laquelle j'ai appris une série de vérités – toutes très argumentées – qui ont alimenté la suggestion, lui donnant la consistance d'une histoire.

L'inconnu m'a décrit par le menu comment on réalise ce qui au départ ressemble à un fantasme mais qui, avec le temps, se transforme en véritable projet. Les seules concessions qu'il m'a faites, violant son vœu d'anonymat, concernaient sa nationalité – il était italien – et le nom de son chat : Kairus.

Au terme de notre bref échange, j'ai compris que la seule façon de comprendre ce que signifiait disparaître était… de disparaître à mon tour.

Ma fugue n'a duré que quelques semaines, le temps nécessaire pour préparer le roman. Bien sûr, mes proches étaient informés et je n'ai jamais totalement coupé le cordon qui me reliait à ma vie précédente. Malgré tout, j'ai éteint mon portable et j'ai abandonné mes adresses mail et mes profils sur les réseaux sociaux. Je me suis projeté dans un monde parallèle.

Pour différentes raisons, mon expérience a été assez douce, notamment parce que je savais que ma disparition aurait un terme. Toutefois, j'ai découvert que disparaître n'est pas toujours une libération : au départ l'obscurité nous apaise, puis elle nous capture, enfin elle ne nous relâche que sous certaines conditions.

Quand je suis rentré à la maison, ma famille et mes amis m'ont demandé où j'étais allé. Je leur ai offert comme réponse la version courte de la réalité : « Je me suis promené dans les morgues. »

Maintenant, ils savent que la version longue est ce livre.

Quand on parle de disparitions, on cite toujours les statistiques. Or il est inutile de dresser ici des listes de chiffres ou de noter que chaque jour disparaissent en moyenne vingt et une personnes pour un million d'habitants – ces informations figurent déjà dans les journaux.

Ce que personne ne dit, c'est qu'il est impossible d'imaginer combien de disparus nous côtoyons au quotidien. Dans la rue, dans le bus, en faisant les courses. Nous les regardons et nous ne savons pas.

Mais eux aussi, cachés derrière le paravent de leur fausse identité, ils nous regardent.

Je remercie donc du fond du cœur l'auteur anonyme du mail qui m'a fait comprendre tout cela – qu'il soit un véritable disparu ou non, ainsi que son chat Kairus. Où que tu sois et quoi que tu fasses, j'espère pour toi que cela en vaut la peine.

REMERCIEMENTS

Stefano Mauri, mon éditeur. Pour son estime et son amitié. Parce que le respect des lecteurs passe par la tutelle d'un auteur.

Fabrizio Cocco. Pour ses avis intarissables et indispensables. J'ai une dette envers son esprit obscur et son talent.

Giuseppe Strazzeri, Valentina Fortichiari, Elena Pavanetto, Cristina Foschini, Giuseppe Somenzi, Graziella Cerutti. Leur précieuse passion transforme mes histoires en livres.

Deborah Kaufmann. Parce que maintenant Paris est un peu chez moi.

Vito, Ottavio, Michele, Valentina. Les vrais amis nous rappellent toujours le chemin.

Alessandro, pour le futur. Achille, pour le début. Maria Giovanna Luini, pour le présent.

Ma sœur Chiara, mes parents, ma famille.

Elisabetta. Les mots lui appartiennent.

Tout particulièrement, Luigi Bernabò, mon agent. Exemple de style – de vie et d'écriture. Pour sa force, sa ténacité, son affection.

Mes sources :

L'agent « Massimo » de la préfecture de Rome qui, il y a des années déjà, m'avait inspiré le personnage de Mila Vasquez. « Je les cherche partout. Je les cherche toujours » est une phrase de lui ; elle synthétise parfaitement le tourment qui le consume. Le silence des disparus est sa malédiction.

Byron J. Jones, dit « Mister Nobodies ». Il est l'homme qui aide les gens à disparaître, un véritable *escape artist*.

Jean-Luc Venieri, qui m'a guidé dans les temples obscurs de l'anthropologie, m'expliquant que, au même titre que la criminologie, elle pouvait devenir un instrument très utile pour l'enquête.

Le professeur Michele Distante, auteur de l'article « Le culte et la figure du prédicateur ».

Les bénéfices que je tirerai de la vente de ce roman dans sa traduction grecque resteront en Grèce et seront reversés à *Boroume* (www.boroume.gr), qui s'occupe de distribuer des repas aux personnes en difficulté. En ce moment pénible de l'histoire de ce splendide pays, je ne peux oublier la dette de civilisation de l'humanité envers sa culture. Par exemple, s'il y a des milliers d'années les Grecs n'avaient pas créé et empli de sens des mots comme « hypothèse » et « anthropologie », je n'aurais pas pu raconter l'histoire que vous venez de lire…

Donato Carrisi au Livre de Poche

Le Chuchoteur n° 32245

Cinq petites filles ont disparu. Cinq petites fosses ont été creusées dans la clairière. Au fond de chacune, un petit bras, le gauche. Depuis le début de l'enquête, le criminologue Goran Gavila et son équipe ont l'impression d'être manipulés. Chaque découverte macabre les oriente vers un assassin différent.

La Femme aux fleurs de papier n° 33908

La nuit du 14 au 15 avril 1912, le *Titanic* sombre au beau milieu de son voyage inaugural. Un passager descend dans sa cabine de première classe, revêt un smoking et remonte sur le pont et attend la mort. Quatre ans après, jour pour jour, dans les tranchées du mont Fumo, un soldat italien est fait prisonnier. À moins qu'il ne révèle son nom et son grade, il sera fusillé le lendemain. Jacob Roumann, médecin autrichien, n'a qu'une nuit pour le faire parler. Dans ce huis clos se noue alors entre les deux ennemis une alliance étrange autour d'un mystère qui a traversé le temps et su défier la mort.

Malefico n° 34272

Marcus est un pénitencier, un prêtre capable de déceler le mal enfoui en nous. Mais il ne peut pas toujours lui faire barrage. Sandra est enquêtrice pour la police, elle photographie les scènes de crime. Et ferme parfois les yeux. Face à la psychose qui s'empare de Rome, ils vont unir leurs talents pour traquer un monstre qui ne tue que des jeunes amoureux.

Le Tribunal des âmes n° 33017

Rome. Marcus est un homme sans passé. Il y a un an, il a été grièvement blessé et a perdu la mémoire. Aujourd'hui, il est le seul à pouvoir élucider la disparition d'une jeune étudiante kidnappée. Sa spécialité : analyser les scènes de crime. Sandra est enquêtrice photo pour la police scientifique. Elle aussi recueille les indices sur les lieux où la vie a dérapé.

Du même auteur
aux éditions Calmann-Lévy :

LE CHUCHOTEUR, 2010
LE TRIBUNAL DES ÂMES, 2012
LA FEMME AUX FLEURS DE PAPIER, 2014
MALEFICO, 2015
LA FILLE DANS LE BROUILLARD, 2016

Le Livre de Poche s'engage pour l'environnement en réduisant l'empreinte carbone de ses livres. Celle de cet exemplaire est de :
450 g éq. CO_2
Rendez-vous sur www.livredepoche-durable.fr

Composition réalisée par Nord Compo

Imprimé en France par CPI
en mai 2017
N° d'impression : 3022885
Dépôt légal 1re publication : avril 2014
Édition 11 - mai 2017
LIBRAIRIE GÉNÉRALE FRANÇAISE
21, rue du Montparnasse - 75298 Paris Cedex 06

31/7912/4